S0-CAT-547

गंगा-स्नान
(कहानी-संग्रह)

गंगा-स्नान

डॉ. जगदीश प्रसाद सिंह

राजकमल प्रकाशन
नयी दिल्ली इलाहाबाद पटना

मूल्य : 200 रुपये

पहला संस्करण : 2006

प्रकाशक : राजकमल प्रकाशन प्रा. लि.
साइंस कॉलेज के सामने, अशोक राजपथ
पटना–800 006

प्रधान कार्यालय : 1-बी, नेताजी सुभाष मार्ग
नई दिल्ली-110 002

शाखा : पहली मंजिल, दरबारी बिल्डिंग, महात्मा गांधी मार्ग, इलाहाबाद-211001

वेबसाइट : www.rajkamalprakashan.com
ई-मेल : info@rajkamalprakashan.com

आवरण : राजकमल स्टूडियो

मुद्रक : बी.के. ऑफसेट
नवीन शाहदरा, दिल्ली-110 032

GANGA-SNAN
by Dr. Jagdish Prasad Singh

ISBN : 81-267-1271-6

अनुक्रम

गंगा–स्नान

सुशीला की मकर-सक्रान्ति के अवसर पर गंगा-स्नान करने की बड़ी इच्छा थी। उसने सुना था कि इस साल महाकुम्भ भी है, जो बारह वर्षों के बाद आता है। गंगा के बदले वह सुवर्णा में ही स्नान कर अपने मन को मना लेती लेकिन परिवार के सभी लोग बैलगाड़ी से रोहितपुर गए, जहाँ सुवर्णा बहती थी—बड़े जेठ गए, छोटे जेठ गए, दोनों जेठानियाँ गईं। बड़े जेठ की दोनों लड़कियाँ—मैना और सुनैना गईं। बड़े जेठ के दोनों लड़के हरेराम और हरेकृष्ण गए, सिर्फ वही नहीं जा सकी थी। जाते समय हरेराम ने अपनी माँ से पूछा भी—चाची नहीं जाएगी क्या? तो उसकी माँ ने इस तरह आँखें तरेरकर उसकी तरफ देखा जैसे उसने कोई गाली दे दी हो!

'उनका विरोध शायद इस बात से है कि मैं विधवा हूँ, लेकिन क्या विधवाएँ गंगा-स्नान को या सुवर्णा स्नान को नहीं जाती हैं? नहीं, बड़ी जेठानी का विरोध इस कारण नहीं होगा कि मैं विधवा हूँ,' मन-ही-मन अपने-आपको ढाढ़स बँधाते हुए सुशीला की गर्दन एकाएक गर्व से तन गई, 'लेकिन मैं कोई साधारण विधवा नहीं हूँ। मेरा पति देश की इज्जत के लिए लड़ते हुए मरा। इस बात को सारी दुनिया जानती है। इसके लिए मुझे प्रधानमन्त्री की तरफ से तमगा मिला है। किसी दूसरे के खेत से बैंगन चुराकर भागते समय मेरे पति ने लाठी नहीं खाई, जैसा छोटे जेठजी के साथ हुआ। मेरे पति ने देश के दुश्मनों के साथ लड़ते हुए सीने में गोली खाई।'

यह सोचते-सोचते सुशीला की आँखें डबडबा गईं और उसने बाएँ हाथ की उल्टी कलाई से साड़ी के पल्लू को उठाकर आँसुओं को पोंछ लिया। फिर जूठे बर्तनों को राख और मिट्टी से जोर-जोर से रगड़ने लगी ताकि उसका मन भावनाओं की हलचल से अस्थिर न हो।

क्या जिन्दगी में सबकुछ वैसा ही है जैसा आदमी चाहता है? यदि वह भी सुवर्णा में नहाने चली जाती तो ये सारे बर्तन जूठे ही पड़े रहते और लौटकर आने

पर उसे घंटाभर राख और मिट्टी से जूझना पड़ता। उसके बाद तीन घंटे तक खाना बनाने में लगे रहना पड़ता। अच्छा ही हुआ कि बड़ी जेठानी ने उसे जाने से रोक दिया।

यदि बड़ी जेठानी मना नहीं करती, क्या तब भी वह जा सकती थी? यह मुआ बुखार है कि साथ छोड़ता ही नहीं। महीना भर हो गया, कम होने की बजाय दिनोंदिन जोर ही पकड़ता जा रहा है। अभागा जाड़े का मौसम भी इतना जाड़ा साथ लेकर आता है कि हड्डी-हड्डी पीपल के पत्ते की तरह काँपने लगती है। हरेराम रोहितपुर से जो टिकिया ले आया था, उसे खाने से इस बुखार को जैसे ताकत की खुराक मिल जाती है। वह किससे कहे कि उसे दस दिनों के लिए बर्तन माँजने और खाना बनाने से छुट्टी दी जाए? घर की सबसे छोटी बहू वही है, इस कारण परिवार के लिए बर्तन माँजने और खाना बनाने का काम उसी का है। लेकिन क्या वे आज जीवित होते तो बीमारी की इस हालत में उसे बर्तन माँजना और खाना बनाना पड़ता?

सुशीला की आँखों में फिर आँसू आ गए, लेकिन इस बार उसने साड़ी के आँचल से नहीं पोंछा, क्योंकि दोनों हाथ राख और मिट्टी से सने हुए थे। कोई दूसरा दिन होता तो शायद वह आँसुओं को बहने देती और काम में लगी रहती, लेकिन आज उसका मन काम से ऐसा उचट गया था कि उसने बर्तन माँजना छोड़ दिया। हाथ धोए और अपने कमरे में चली गई। काम में नहीं लगे रहने से उसे जाड़ा अधिक लगने लगा और उससे बचने के लिए उसने देह पर कम्बल डाल लिया। फिर उसने साड़ी के आँचल से आँसुओं को पोंछा और अपने पति की तसवीर के सामने, जो दीवार पर टँगी हुई थी, हाथ जोड़कर खड़ी हो गई। लेकिन दो मिनट भी नहीं बीते होंगे कि वह फफककर रो पड़ी—उसी तरह जैसे कोई बच्चा अपने माँ-बाप के सामने रो-रोकर अपनी व्यथा का बखान कर रहा हो!

सुशीला का पति सूर्यदेव तिवारी गणेशदेव तिवारी का तीसरा पुत्र था। गणेशदेव तिवारी का प्रधान धन्धा पुरोहिताई का था, वैसे दस बीघे जमीन भी थी जिसमें बँटाई पर खेती होती थी। सूर्यदेव तिवारी के दोनों बड़े भाई, ब्रह्मदेव तिवारी और महेशदेव तिवारी, एक संस्कृत विद्यालय से मध्यमा की परीक्षा पास कर पुरोहिताई के धन्धे में लग गए। लेकिन थोड़े ही दिनों में वे जान गए कि इस धन्धे से परिवार का खर्च नहीं चलेगा, इस कारण बँटाईदारों से जमीन छुड़ाकर स्वयं ही खेती करने लगे, यद्यपि बुलावा आने पर वे पुरोहिताई भी करते थे। गणेशदेव तिवारी ने अपने छोटे बेटे को अँग्रेजी स्कूल में भेजा, फिर रोहितपुर में हरिहर जैन कॉलेज में दाखिला कराया। इस बीच गणेशदेव तिवारी का दमे का रोग ऐसा उचटा

कि खाँसते-खाँसते स्वर्ग सिधार गए। उनकी पत्नी ने, जो उन्हें बहुत प्यार करती थीं, उनके जाने के दस दिनों के अन्दर ही इस दुनिया से कूच किया और उनके साथ हो गईं। सूर्यदेव तिवारी की आगे की पढ़ाई रुक गई। लेकिन भाग्य ने उसका साथ दिया। उसे बचपन से ही व्यायाम और कुश्ती में दिलचस्पी थी, इस कारण जब रोहितपुर में सेना में भर्ती के लिए एक दल आया, तो उसका चुनाव आसानी से हो गया।

सूर्यदेव तिवारी की नौकरी हो जाने के बाद योग्य वर की तलाश में उसके घर आनेवालों की संख्या बढ़ गई। ब्रह्मदेव तिवारी ने, जो अब घर का मालिक था, एक कुलीन परिवार में, शुभ लग्न में, उसकी शादी कर दी। सुशीला को एक भरा-पूरा घर और प्यार करनेवाला पति मिला और वह फूली नहीं समाई। शादी के दस दिन भी नहीं बीते थे कि सूर्यदेव तिवारी को अपनी बटालियन में लौट जाना पड़ा। सुशीला मन मसोसकर रह गई, लेकिन उसने अपने आप को ढाढ़स दिया कि पति शीघ्र घर लौटेगा और हर चार-छह महीने पर आता रहेगा।

लेकिन ऐसा नहीं हुआ। इस बार सूर्यदेव तिवारी जब काम पर गया तो फिर नहीं लौटा। दुश्मन की सेनाओं ने देश पर जब आक्रमण कर दिया, तो युद्ध में अन्य सैकड़ों सिपाहियों के साथ सूर्यदेव तिवारी ने भी वीर-गति प्राप्त की। सुशीला को दो लाख रुपये का चेक और तगमा मिला और दो हजार रुपए प्रतिमाह पेंशन तय हुआ।

जब सूर्यदेव तिवारी की मृत्यु हुई, सुशीला के दोनों जेठों और जेठानियों ने, बड़ी जेठानी की दोनों पुत्रियों मैना और सुनैना ने और छोटी जेठानी के दोनों पुत्र हरेराम और हरेकृष्ण ने मन की सारी भड़ास उस पर निकाली और उसकी ऐसी दुर्गति की कि उसे जान बचाने के लिए मायके भागना पड़ा। लेकिन जब उसे पति की मृत्यु के बदले हरजाने के रूप में दो लाख रुपए देने की घोषणा की गई, तो उसके दोनों जेठ उसके मायके गए और उसे सादर बुला लाए।

बड़ी जेठानी बोली, ''बहू, तुम घर की लक्ष्मी हो। देवरजी के जाने के बाद हम किसका मुँह देखकर जीएँगे? देवरजी मेरी दोनों बेटियों को अपनी बेटी मानते थे। वे कहते थे कि इनकी शादी वे खुद करेंगे। अब इन्हें देखनेवाला तुम्हें छोड़कर दूसरा कौन रह गया है?''

यह कहने के बाद वह इतना भावाभिभूत हो गई कि जोर-जोर से रोने लगी।

छोटी जेठानी बोली, ''बहू, जब से देवरजी गए, मेरे कलेजे में शूल गड़ गया है। कहीं जहर मिलता तो खाकर प्राण दे देती। मेरे हरेराम और हरेकृष्ण उनपर जान देते थे और वे भी इन्हें अपने बेटों की तरह मानते थे। कहते थे कि इन्हें मैं अपने पैसे से पढ़ाऊँगा। उनके जाने के बाद ये दोनों टुगर हो गए।''

इतना कहने के बाद अपने चेहरे को आँचल से ढककर जार-बेजार रोने लगी।

सुशीला अपनी जेठानियों की व्यथा-कथा से इतना द्रवित हुई कि उसने सरकार द्वारा दिये गये दो लाख रुपयों में से एक लाख अपनी बड़ी जेठानी को और एक लाख छोटी जेठानी को दे दिया। सोचा—'दो हजार रुपए प्रतिमाह का पेंशन तो है न। पति का घर है, जेठ-जेठानी हैं। एक विधवा को इससे अधिक और क्या चाहिए?'

जब पेंशन की पहली किश्त आई तो उसके बड़े जेठ ने उससे कहा, "दुलहिन, पेंशन लेने के लिए तुम्हें खुद हर महीने रोहितपुर जाना पड़ेगा। किसी औरत के लिए दस मील आना-जाना आसान काम नहीं है और वह भी तब जब लुच्चे-लुटेरों का राज हो, जो किसी औरत को माँ-बहन नहीं समझते। इस कारण अच्छा यही होगा कि तुम्हारे बदले मैं तुम्हारा पेंशन निकाल लिया करूँ। इसके लिए तुम्हें थोड़ी-सी लिखा-पढ़ी करनी होगी। पैसा उसी तरह खर्च होगा जैसा तुम चाहोगी। उसमें कोई मुँह नहीं खोलेगा।"

सुशीला ने सोचा, 'इस घर में सभी अपने हैं। इनको सुखी रखना मेरा धर्म है। मेरे पति की तनख्वाह का पैसा कहाँ खर्च होता था? इन्हीं पर न! बड़े जेठ घर के मालिक हैं। सारा पैसा उनके पास ही जाना चाहिए।'

ब्रह्मदेव तिवारी पेंशन का पैसा लाने लगे और दो महीने बीतते-बीतते सुशीला की स्थिति दाई से भी बुरी हो गई। खाना बनाना, बर्तन धोना, झाड़ू-बुहारू करना और सबके कपड़े धोना—ये सारे काम उसके जिम्मे हो गए। यह इतने स्वाभाविक ढंग से हुआ कि इस पर सोचने का उसे अवसर ही नहीं मिला।

उसने दो महीने पहले सुना था कि इस वर्ष महाकुम्भ आनेवाला है और उसे विश्वास था कि उसमें उसे गंगा-स्नान का अवसर अवश्य मिलेगा। उसके मन में एक अपराध भावना घर कर गई थी कि वह अपने पति की मृत्यु की जिम्मेवार है। घर में किसी ने उससे वैसा कभी नहीं कहा था, लेकिन जैसे यह बात हवा में ही प्रविष्ट थी और उसे हवा की हर साँस में यह सुनाई पड़ती थी। यह अपराध-भावना दिनोंदिन अधिक प्रबल होती गई थी और उसे ऐसा लगने लगा था कि उसे इस अपराध के दंड से मुक्ति तभी मिलेगी जब वह इसका प्रायश्चित्त करे और पुण्य अर्जित करे। इस कारण घर की दाई बन जाने का उसे मलाल नहीं था, वस्तुतः यह बात उसके दिमाग में आती ही नहीं थी कि घर में उसका स्थान एक दाई से अधिक कुछ नहीं था और इस कारण उसके मन में इस परिवर्तन से कोई मैल नहीं था। लेकिन साल भर से, जब से उसने अपने पति को खोया था, उसके मन में अपराध के दंड से मुक्ति की इच्छा और उसके लिए प्रायश्चित्त करने का विचार प्रबल होते गए थे। जब एक महीने से उसे जड़ैया बुखार आने लगा,

तो उसने इसे प्रायश्चित्त का ही अंग माना।

सुशीला मृत पति की तसवीर के सामने खड़ी होकर फफक-फफककर रो पड़ी। इससे उसका मन कुछ हलका हुआ। जब से उसे जड़ैया बुखार आने लगा था, वह चौबीस घंटों में एक बार ही भोजन करने लगी थी और वह भी आधा पेट ही। इस कारण वह बहुत कमजोर हो गई थी और जब बुखार जोरों पर होता, वह अजीब-अजीब सपने देखती। एक सपना जो बार-बार आता था, वह यह था कि वह महाकुम्भ के समय अपने पति के साथ गंगा-स्नान कर रही है। जब बुखार कम होता और वह होश में आती तब भी उसे लगता कि उसका सपना अवश्य सच होगा। कुछ समय के लिए वह भूल जाती कि उसका पति जीवित नहीं है और उसने जो देखा था वह सच्चाई नहीं, एक सपना है। पति के साथ गंगा-स्नान का दृश्य उसकी आँखों के सामने बार-बार उपस्थित हो जाता और वह अगल-बगल की दुनिया को भूल देर तक उसी में खोई रहती। उसके सामने नर-नारियों का विशाल जनसमूह होता जो गंगा के पवित्र जल में स्नान कर रहा होता और समवेत स्वर में उठनेवाली 'हर-हर गंगे!' की आवाज आसमान में चन्दन के धूम की तरह छाई रहती। स्नान के बाद वह पति के पीछे-पीछे पूजा-मंडप में जाती, देवता की पूजा करती और पुजारी उसे अक्षय सुहाग का आशीर्वाद देता। फिर अनायास ही उसकी आँखों से आँसू बहने लगते, यद्यपि उसे अपनी क्षति की याद नहीं रहती। मकर-संक्रान्ति के चार दिन पहले से जब घर के लोग सुवर्णा में स्नान के लिए रोहितपुर जाने की तैयारी करने लगे थे, उसका सपना अधिक आग्रही होता गया था।

वह रो रही थी और आँसुओं से धूमिल नजरों से पति की तसवीर को लगातार देख रही थी, मानो वह उससे किसी सन्देश की अपेक्षा रखती हो। एक क्षण बाद उसने देखा कि वह मुस्कुरा रहा है, ठीक उसी तरह जिस तरह वह उससे कोई मीठी बात कहने के पहले मुस्कुराता था। फिर उसने साफ सुना, 'सुशीला, मैं तुम्हारे साथ गंगा-स्नान करने के लिए आया हूँ। आज मकर-संक्रान्ति है न? साथ-साथ महाकुम्भ भी है जो बारह वर्षों में एक बार आता है। क्या तुम इसी तरह खड़ी-खड़ी रोती रहोगी और शुभ घड़ी को चले जाने दोगी?'

सुशीला की खुशी का ठिकाना न रहा। वह पहले से ही जानती थी कि वह महाकुम्भ में गंगा-स्नान करेगी और अब जब उसे मालूम हो गया कि उसका पति भी स्नान के समय उसके साथ होगा तो उसकी खुशी का ठिकाना नहीं रहा। उसने भर माँग सिन्दूर किया, आँखों में काजल लगाया और गंगा-स्नान के लिए चल पड़ी। उसकी देह बुखार के आधिक्य से पीपल के पत्ते की तरह काँप रही थी और कदम मुश्किल से उठते थे, लेकिन उसका मस्तिष्क आँधी की तेजी

से काम कर रहा था। वह अपने पति के, जो उससे सटे दाहिने चल रहा था, कदमों की आवाज साफ सुन रही थी, यहाँ तक कि वह उसकी साँसों की गर्म हवा को भी महसूस कर रही थी। आज उसकी बहुत दिनों की मनोकामना पूर्ण होनेवाली थी, इस कारण उसका मन उल्लसित था और यथार्थ एवं भ्रम का भेद पूरी तरह मिट गया था। वह इनार पर गई, जो आँगन के एक कोने में था और जो पचास वर्षों से परिवार के लिए पानी की जरूरतों को पूरी करता था। उसने गंगा-स्नान हेतु पानी निकालने के लिए उसमें बालटी डाली। उसने पूरी शक्ति लगाकर एक बालटी पानी निकाला और 'हर-हर गंगे!' कहते हुए उसे अपनी देह पर डाल लिया। लेकिन इससे उसका मन नहीं भरा और दूसरी बार बालटी को इनार में लटकाया। लेकिन जब पानी से भरी बालटी को खींचने की कोशिश की तो उसने पाया कि वह लाश की तरह भारी हो गई है। उसने एक कदम आगे बढ़कर पूरी जान लगाकर उसे खींचने की कोशिश की। लेकिन बालटी ने ही उसे खींच लिया और वह इनार में धड़ाम से गिर पड़ी। उसे ऐसा लगा कि उसने गंगा में छलाँग लगाई है। अतएव उसने भक्ति भाव से 'हर-हर गंगे!' कहा और डुबकी लगा ली। उसकी देह पानी की सतह पर तभी आई जब उसके प्राण उसके पति से मिलने जा चुके थे।

बेला के फूल

सारी रात वे एक दूसरे की बाँहों में पड़े थे, लेकिन वे अधिक समय तक मौन ही रहे थे जैसे उनके पास कहने के लिए कुछ रह नहीं गया हो। वे शाम के आठ बजे उस होटल में आए थे और छद्म नाम से पति-पत्नी के रूप में यह कमरा लिया था। यहाँ आने के पहले उन्होंने अपने भविष्य के सम्बन्ध में शायद सोचा ही नहीं था, या सोचा भी हो तो एक दूसरे से कहा नहीं था, जैसे उसका कोई महत्त्व नहीं हो! वे एक दूसरे की बाँहों में इस तरह बँधे रहे थे मानो आग की उन लपटों से, जो उन्हें घेरकर तेजी से आगे बढ़ रही थीं; बचने का यही एकमात्र उपाय था।

जनवरी के तीसरे सप्ताह की कँपानेवाली ठंडी रात थी। लेकिन उन्होंने कमरे की खिड़की बन्द नहीं की थी जिससे लगातार सर्द हवा आ रही थी और कभी-कभी रेलगाड़ियों की सीटी की कर्णभेदी आवाज कानों में भाले की तरह प्रवेश कर जाती थी। लेकिन वे अपने विचारों के बवंडर में इस तरह डूबे हुए थे कि उसके अस्तित्व को ही भूल गए थे। उनके मौन का एक कारण शायद यह था कि उन्होंने एक दूसरे के मन में उठनेवाले बवंडर का अनुमान कर लिया और मौन को तोड़कर इसकी प्रतिक्रया को प्रकट नहीं होने देना चाहते थे।

पाँच बजे रेलवे स्टेशन की बगलवाले मस्जिद से ध्वनि विस्तारक पर अजान की आवाज वातावरण की शान्ति पर, पहलवानों के मल्ल युद्ध की तरह, सुनिश्चित भाव-भंगिमा और सुनियन्त्रित आरोह और अवरोह के साथ धक्के मारने लगी। कुछ मिनटों के बाद मस्जिद से आधा किलोमीटर की दूर पर स्थित हनुमान मन्दिर से प्रार्थना और वाद्ययन्त्रों की आवाज़ द्वन्द्व-युद्ध के योद्धाओं के पूर्वाभ्यास की तरह वातावरण की शान्ति को भयभीत करने लगी।

अब लेटे रहने का समय नहीं रह गया था। युवक ने युवती के कपोलों पर हाथ फेरा, इसलिए कि वह कुछ कहे। वह स्वयं इतना अस्थिर चित्त था कि मौन तोड़ने का उसका साहस नहीं हो रहा था।

युवती के कपोल भीगे हुए थे। युवक ने उसके आँसुओं को पोंछते हुए चिन्तित आवाज में कहा, "जुबैदा, तुम रो रही हो! क्या मैंने कोई गलती की?"

जुबैदा ने कहा, "नहीं, प्रिय। ये खुशी के आँसू हैं। मेरी जिन्दगी का खालीपन दूर हो गया। लेकिन मुझे एक चिन्ता सता रही है। मनोज, क्या तुम जानते हो कि वह कौन-सी चिन्ता है?"

वह अच्छी तरह समझ रहा था कि वह किस चिन्ता से ग्रस्त थी। लेकिन वह निर्णय की घड़ी को, जितना सम्भव हो, टालना चाहता था। इस कारण वह चुप रहा।

एक क्षण बाद जुबैदा बोली, "प्रिय, लगता है कि हमारे अलग होने की घड़ी आ गई है। लेकिन मैं चाहती हूँ कि हम इस जन्म में अन्त तक साथ रहें और अगले जन्म में भी अलग न हों। क्या यह मुमकिन है?"

मनोज ने कहा, "हाँ, प्रिय। यही होना चाहिए।" फिर एक क्षण रुककर बोला, "अभी राजधानी एक्सप्रेस के आने में आधा घंटे की देर है।"

जुबैदा समझ गई कि राजधानी एक्सप्रेस से कहाँ जाना है, यद्यपि इस सम्बन्ध में उनके बीच कोई चर्चा नहीं हुई थी। उसकी चिन्ता कम हो गई। उसने कहा, "मस्जिद में अजान होने लगा है और मन्दिर से भी प्रार्थना की आवाजें उठने लगी हैं। अब लोग-बाग जगेंगे। अब्बाजान के यहाँ से लोग हमारी तलाश में निकल गए होंगे। हम देर करेंगे तो गाड़ी पकड़ना मुश्किल होगा।"

मनोज ने उसे चूमते हुए जवाब दिया, "नहीं प्रिये। हम ऐसा रास्ता पकड़ेंगे जिस पर इस वक्त भीड़ नहीं होती। लोगों के आने के पहले ही हम उनकी पहुँच के बाहर हो जाएँगे।"

जुबैदा कुसुमपुर में चाय के बड़े व्यापारी सैयद रहीमबख्श बहादुर की सबसे छोटी सन्तान थी। रहीमबख्श बहादुर की रईसबाग मुहल्ले में कोठी थी और कोठी के समीप ही गोदाम थी जहाँ दो-तीन ट्रकें सामान लाने और ले जाने के लिए हमेशा खड़े रहते थे। जुबैदा के दोनों बड़े भाई, अयूब और कयूम, स्पष्टतः पिता के धंधे में ही लगे थे, क्योंकि देश के समीपवर्ती क्षेत्रों में, जहाँ चाय के बाग थे, वे किसी न किसी ट्रक के साथ अक्सर ही जाया करते थे, लेकिन लोगों के पास इस अफवाह की पुष्टि का कोई प्रमाण नहीं था कि वे चोरी-छिपे गाँजा, भांग और अन्य मादक पदार्थों का व्यापार भी करते थे।

सैयद रहीमबख्श बहादुर के जन्नतनशीन वालिद सैयद करीमबख्श बहादुर एक नूरानी हकीम थे और यद्यपि सैयद रहीमबख्श बहादुर और उनके दोनों लड़के

दूसरे रोजगार में चले गए थे, अपने परिवार के एक सदस्य को डॉक्टर बनाने की उनकी इच्छा मरी नहीं थी। इस कारण छोटे लड़के के जन्म के बारह वर्ष बाद जब रहीमबख्श बहादुर को एक लड़की पैदा हुई, तो थोड़ी निराशा के बावजूद तकदीर के चैलेंज को स्वीकार किया और उस लड़की को, जिसका नाम उन्होंने जुबैदा रखा, डॉक्टर बनाने का निश्चय किया।

लेकिन जुबैदा थी कि उसका मन विज्ञान की पढ़ाई में लगता ही नहीं था। वह कहानियेां की किताबों और उपन्यासों में अधिकांश समय डूबी रहती। वह उन्हें विज्ञान की किताबों के नीचे छिपाकर रखती और अवसर मिलते ही उनकी दुनिया में भ्रमण करने लगती। उसे रोमांटिक कहानियाँ बहुत पसन्द थीं जिनमें प्रेमी और प्रेमिका पारिवारिक और सामाजिक विरोधों की परवाह न करते हुए एक दूसरे के समीप आते और प्रेम के लिए हर तरह का बलिदान करने को तैयार रहते। रोमांस की दुनिया के आगे उसे यथार्थ की दुनिया फीकी लगती और सारी भौतिक उपलब्धियाँ बेमानी लगतीं। उसका दिल एक ऐसे प्रेमी के लिए छटपटाता, जो उसके लिए बड़ी-बड़ी कुर्बानी करने के लिए तैयार हो। वह ऐसे प्रेमी के कदमों में अपना सबकुछ रखने के लिए आतुर थी।

उसने मैट्रिक की परीक्षा प्रथम श्रेणी में पास की, लेकिन विज्ञान के विषयों में उसे इतने कम अंक आए कि सैयद रहीमबख्श को उसकी आगे की विज्ञान की पढ़ाई के सम्बन्ध में चिन्ता होने लगी। फिर भी उन्होंने सोचा–'एक अच्छा ट्यूटर मिल जाए तो कुछ मदद मिल सकती है। नूरानी हकीमी तो है नहीं कि एक दर्जन नुस्खे काफी हैं। यहाँ मोटी-मोटी किताबें पढ़नी हैं और हर बात को जेहन में रखना है।'

जुबैदा के लिए एक अच्छे ट्यूटर की तलाश शुरू हुई। पहले एक महिला की खोज की गई जो पढ़ने-लिखने में तेज हो, लेकिन ऐसी न हो कि गुमराह कर दे। ऐसी कोई महिला नहीं मिली। तब एक ऐसा आदमी की तलाश शुरू हुई जो अपने मजहब का हो, मध्य वय का हो और शादी-शुदा हो। दो महीनों की तलाश के बाद एक ऐसे शिक्षक मिले–सिराज अंसारी, जो एक स्कूल में टीचर थे, शादी-शुदा थे। उनकी दो बीवियाँ थीं और जिनकी दाढ़ी आधी पकी हुई थी। सिराज अंसारी अपने काम में बहुत मन लगाते थे और एक घंटा के बदले डेढ़ घंटा तक पढ़ाते रहते थे। इससे रहीमबख्श बहादुर को बड़ी खुशी हुई। लेकिन उन्होंने अपनी सतर्कता में कमी नहीं की–'शादीशुदा होने से क्या होता है? जहाँ आदमी को चार बीवियाँ रखने की इजाजत हो, वहाँ दो की जगह तीन रखने से कौन रोक सकता है? फिर कहाँ सैयद और कहाँ अंसारी!' रहीमबख्श के कान खड़े हो गए, जब उन्होंने देखा कि सिराज अंसारी ने दो महीने बीतते-बीतते अपनी

खिचड़ी दाढ़ी को लाल रँग से रंग लिया और उसके निचले हिस्से को भाले की नोक का आकार दे दिया।

रहीमबख्श बहादुर ने सिराज अंसारी की पूरी फीस चुकता कर उन्हें छुट्टी दे दी। उसके बाद एक नए ट्यूटर की तलाश शुरू हुई। बारी-बारी से चार लोग रहीमबख्श बहादुर के सामने पेश किए गए। लेकिन उन्हें कोई नहीं जँचा।

पन्द्रहवें दिन रहीमबख्श बहादुर के दरबान हैदरअली ने उनसे कहा, "हुजूर, मेरे पड़ोस में एक कमरा किराये पर लेकर एक इनसान रहता है जो ट्यूशन करके गुजर-बसर करता है। एम.एस-सी. पास है और शादी-शुदा है, लेकिन काफिर है।"

रहीमबख्श बहादुर ने सोचा, 'काफिर है और शादी-शुदा है तो इससे अच्छा और क्या होगा? दो बीवियाँ तो नहीं रख सकता!'

उन्होंने पूछा, "क्या उम्र होगी?"

हैदरअली ने जवाब दिया, "पचीस के आस-पास होगी। लेकिन देखने में ज्यादा का लगता है।"

रहीमबख्श बहादुर ने कहा, "उसे कल शाम को बुला लाना। बातें करेंगे।"

यह मनोज दास था। उसका पिता मोहन दास था। वह कुसुमपुर के रेलवे ऑफिस में किरानी था। अपनी पत्नी और मनोज दास के दो छोटे भाइयों के साथ रेलवे कॉलोनी के, जो रईसबाग से आठ किलोमीटर की दूरी पर था, एक क्वार्टर में रहता था। जब मनोज दास बी.एस-सी. में पढ़ता था तभी उसके पिता ने, तरह-तरह के दबाव के कारण, उसकी शादी अपने एक सम्बन्धी की लड़की से कर दी। जब मनोज दास ने एम.एस-सी. पास किया तो उसके पिता ने कहा, "बेटा, परिवार के खर्च का बोझ बढ़ गया है। यार्ड में खलासी की जगह खाली है। उसी में ज्वाइन कर लो।"

मनोज दास ने खलासी की नौकरी करने से इनकार कर दिया। उसने कहा, "मैं किसी अच्छी सरकारी नौकरी के लिए प्रतियोगिता परीक्षा में बैठूँगा। शायद भाग्य साथ दे दे।"

मोहन दास बोला, "बेटा, अगर ऐसी बात है तो कहीं दूसरी जगह रहो और मन के लायक नौकरी खोजो। इस घर में बहुत भीड़-भाड़ है।"

मनोज दास को रईसबाग में एक कमरा मिल गया और ट्यूशन पढ़नेवाले चार-पाँच लड़के भी मिल गए। दो वर्षों से वह इसी कमरे में रह रहा था। उसे सभी एक विनम्र और शान्त स्वभाव के युवक के रूप में जानते थे जो अपना काम मन से करता था और मुहल्ले के झगड़ों से अलग रहता था। रहीमबख्श बहादुर के दरबान हैदरअली का भी एक बेटा मनोज दास के यहाँ ट्यूशन पढ़ता था और बेटा और बाप दोनों समान रूप से उसकी विनम्रता और परिश्रम से प्रभावित थे।

रहीमबख्श बहादुर ने मनोज दास को अपनी बेटी के लिए ट्यूटर रख लिया। उसे रोज सुबह में पढ़ाने की ड्यूटी मिली। लेकिन रहीमबख्श बहादुर और उनके परिवारवालों को जागते-जागते दस बज जाते थे और फिर सभी अपने काम में लग जाते थे। इस कारण मनोज दास की ड्यूटी शाम को कर दी गई। कोठी के बरामदे में दो कुर्सियाँ और एक मेज रख दी गई, जहाँ मनोज दास जुबैदा को ट्यूशन पढ़ाता था।

इस बीच रहीमबख्श बहादुर ने जुबैदा की शादी अपने चचेरे भाई गुलामबख्श बहादुर के लड़के मोहसिन से तय कर दी। उन्होंने सोचा—'यदि शादी के बाद ही जुबैदा डॉक्टरी की पढ़ाई में दाखिले के लिए चुनी जाए तो क्या बुरा है? मोहसिन जैसा लड़का बार-बार नहीं मिलेगा।'

गुलामबख्श बहादुर की कोठी रईसबाग मुहल्ले में ही करीमबख्श बहादुर की कोठी से एक किलोमीटर की दूरी पर थी। उनकी कुसुमपुर के एक पुराने मुहल्ले में जो तवायफों के अड्डे के रूप में मशहूर था, जर्दे की फैक्टरी थी जिससे अच्छी आमदनी थी। मोहसिन उनका अकेला बेटा था; तीन बेटियाँ भी थीं जिनकी शादी अच्छे घरों में हो चुकी थी। मोहसिन रहीमबख्श बहादुर के यहाँ अक्सर ही आता था और जुबैदा को, उसके प्रति अपने आकर्षण से, तरह-तरह से परिचित कराने की कोशिश करता था। वह प्यार से कभी उसकी ठुड्डी उठाकर उसकी आँखों में देखता, कभी उसके कन्धे पर हाथ रख उन्हें दबाता और कभी उसके नितम्बों को हलके से ठोंक देता। उसकी नाक चील की चोंच की तरह नुकीली थी, गर्दन गिद्ध की गर्दन की तरह चन्द्रकार थी और आँखें सोने की फ्रेम के चश्मे के नीचे भेड़िए की आँखों की तरह पीली और गोल लगती थीं। जब वह रहीमबख्श बहादुर की कोठी में आता, जुबैदा कहीं छिपे रहने की कोशिश करती, लेकिन वह उसे ढूँढ़ निकालता और उसके समीप पहुँचते ही उसके प्रति अपने प्रेम की अभिव्यक्ति के लिए अपने प्रिय तरीकों का उपयोग करता।

जुबैदा को पढ़ाते हुए छह महीने हो गए थे, लेकिन मनोज दास ने उससे पढ़ाई के बाहर की कोई बात नहीं की थी और न जुबैदा ने ही उन विषयों के अलावा कभी कुछ पूछा था। मनोज दास को हैदरअली के जरिए मालूम था कि जुबैदा की शादी होनेवाली है, लेकिन उस सम्बन्ध में भी उससे कभी बातें नहीं की थीं। निकाह के दस दिन बाकी रह गए थे और दो दिनों के बाद एक महीने के लिए ट्यूशन बन्द होना था। मनोज दास ने पिछले दिन दिए गए प्रश्नों के उत्तर जाँचने शुरू किए। दो-तीन मिनटों के बाद जुबैदा बोली, इस तरह जैसे अपने-आप से बातें कर रही हो, "अगले हफ्ते मेरी निकाह होनेवाली है।"

मनोज दास ने कहा, "अच्छा!"

उसने एक क्षण के लिए अपनी नजरें उठाई, फिर प्रश्नों के उत्तर जाँचने में लग गया। लेकिन उस एक क्षण में जैसे उसके कलेजे में तीर चुभ गया। जुबैदा की आँखें लाल थीं और आँसुओं की बूँदें उसके कपोलों पर फिसल रही थीं। उसी क्षण उसके मस्तिष्क में एक निर्णय भाग्य के लेख की तरह लिख गया। उसने अपना खाली हाथ जुबैदा के हथेली पर रख दिया और उसकी कापी में लिखे उत्तरों को सुधारता रहा।

थोड़ी देर के बाद जुबैदा फुसफुसाई, "आप मुझे कहीं भगा ले चलिए।"

उसने कापी पर दृष्टि गड़ाए ही पूछा, "कब?"

जुबैदा ने जवाब दिया, "आज ही। फिर बहुत देर हो जाएगी।"

उसने कहा, "ठीक है। पढ़ाई खत्म होने के ठीक आधे घंटे के बाद गेट के बाहर दाहिनी गली में आ जाना। उस समय हैदरअली खाना खाने के लिए अपने घर जाता है। वह गेट के ताले की चाभी पूरबवाले खम्भे की एक छेद में रखता है। अन्दर से हाथ डालकर आसानी से निकाल सकती हो। बाहर आने पर गेट को बन्द कर चाभी को उसी छेद में रख देना।"

फिर वे किताबों के विषय की पढ़ाई में लग गए।

मस्जिद के अजान और मन्दिर की प्रार्थना की आवाजें क्षण-क्षण अधिक उत्तेजनाकारी होती जा रही थीं। जुबैदा अपने अब्बाजान और भाइयों की पहुँच के बाहर होने के लिए बेचैन थी और उसके लिए शान्त लेटे रहना कठिन हो रहा था। वह जानती थी कि उन्हें कहाँ जाना है, लेकिन उसने आश्वस्त होने के लिए पूछा, "प्रिय, आपने गाड़ी के समय का पता लगा लिया है न? कहीं छूट न जाए।"

मनोज दास ने हँसकर कहा, "मैं बचपन से ही रेलवे स्टेशन की बगल में रह रहा हूँ। गाड़ी नहीं छूटेगी।"

उन्होंने एक दूसरे से नहीं पूछा था कि उन्हें कहाँ जाना है और न इसकी चर्चा की थी, लेकिन दोनों ही जानते थे कि उन्हें कहाँ जाना है। मनोज दास के यह कहने पर कि गाड़ी नहीं छूटेगी, जुबैदा को कुछ ढाढ़स हुआ, लेकिन पूरी तरह आश्वस्त होने के लिए उसने कहा, "होटल के कमरे का बिल चुकाने में काउण्टर पर देर हो सकती है।"

मनोज दास ने हँसकर जवाब दिया, "मेरी रानी, मैं तुमसे ज्यादा दुनियादार हूँ। बचपन से ही नून-तेल-लकड़ी का हिसाब करता रहा हूँ। कमरे का किराया मैंने शाम को ही दे दिया था।"

जुबैदा ने उसकी छाती में अपना चेहरा छिपा लिया। दो मिनटों के बाद मनोज

दास को लगा कि वह सुबक रही है। उसने उसके सिर पर हाथ फेरते हुए कहा, ''जुबैदा, चलो, मैं तुम्हें तुम्हारे घर पहुँचा दूँ। जरा-सी बात के कारण इतना बड़ा कदम उठाना ठीक नहीं है।''

वह बोली, ''प्रिय, यदि तुम मुझसे पीछा छुड़ाना चाहते हो तो अभी देर नहीं हुई। लेकिन मेरे लिए मेरे माँ-बाप के घर का दरवाजा हमेशा के लिए बन्द हो चुका है। अब तुम ही मेरे सबकुछ हो और मैं तुम्हारे साथ रहूँगी, किसी दूसरी जगह नहीं। लेकिन यदि तुम मुझे छोड़कर अपने घर जाना चाहते हो तो जाओ, मैं गाड़ी पकड़ लूँगी।''

मनोज दास ने उठते हुए कहा, ''तो चलो, चलें। देरे होने से तुम घबड़ा रही हो।''

बाहर अभी अँधेरा था। मनोज दास आगे चल रहा था और वह उसके पीछे थी। मनोज दास ने सिर पर लपेटे मफलर से अपने चेहरे को आधा और जुबैदा ने दुपट्टे से अपने चेहरे को तीन-चौथाई ढँक लिया था। कोई सोच नहीं सकता था कि वे पति-पत्नी नहीं हैं। वे हनुमान मन्दिर की बगलवाली सड़क से गुजरे और एक क्षण रुककर सिर झुकाया। फिर वे मस्जिद की बगलवाली सड़क से गुजरे और मस्जिद के सामने एक क्षण रुककर सिर झुकाया। रेलवे गुमटी पर उन्होंने पटरियों को पार किया और दूसरी तरफ चले गए जहाँ मकान रेलवे लाइन से कुछ दूर थे। फिर वे एक ऐसी जगह पर जाकर बैठ गए, जहाँ अपेक्षाकृत अधिक अँधेरा था।

आधा घंटा भी नहीं बीता होगा कि राजधानी एक्सप्रेस के इंजन की रोशनी दिखाई पड़ने लगी। वे शान्तिपूर्वक उठे, एक-दूसरे को उसी तरह चूमा जिस तरह शादी के अवसर पर चूमते हैं और बाँह में बाँह डाले रेल की पटरी पर लेट गए। जुबैदा ने हँसकर कहा, ''प्रिय, मैंने कहा था न कि मैं तुम्हारे साथ रहूँगी, किसी दूसरी जगह नहीं? अब तम मुझे अपने घर से नहीं निकाल सकते।''

राजधानी एक्सप्रेस पूरी रफ्तार में आई और चली गई। सवेरे वहाँ पर लोगों को दो शव मिले जिनके सिर कटे हुए थे, लेकिन जिनके होंठ मिले हुए थे। उनमें से एक स्त्री थी और दूसरा पुरुष था।

मिलन

फुलवरिया और बिराज ग्रामों के बीच उत्तर से दक्षिण बहनेवाली सुप्ता नदी सुदेश और नीलांचल की, उस तरफ की, विभाजन-रेखा थी और दोनों देशों को अलग करती थी। नीलांचल के जन्म के बाद, दो दशकों तक, दोनों देशों के बीच ऐसा सौहार्दपूर्ण सम्बन्ध रहा कि लगता था कि सुप्ता नदी उन्हें अलग करने के बदले पास लाने का काम करती थी। फुलवरिया और बिराज का सम्बन्ध, जो परदेश बनने के बाद पचीस वर्षों तक टूटा रहा था, एक बार फिर जुड़ गया और दोनों गाँवों के लोग एक मजबूत सूत्र में बँध गए, जैसे वे दो देशों के नहीं बल्कि एक ही देश के निवासी हों और उनके बीच कभी कोई दूरी रही ही नहीं हो! सुप्ता, जो एक वर्ष में छह महीने तक शान्त सोती थी, जब उसमें घुटने तक पानी रहता था और फिर बाद में एकाएक, बिना पूर्वसूचना के, पागल हाथी की तरह अनियन्त्रित हो जाती थी और तट पर बसे गाँवों की गलियों तक पहुँच जाती थी। वह उनके बीच अटूट सम्पर्क-सूत्र का काम करती थी। जब वह सोई रहती थी, बच्चे उसकी पीठ पर खेलते थे और जब वह जग जाती थी, वयस्क उसके कन्धे पर बैठ उसे खेती के काम में लगा देते थे।

फुलवरिया और बिराज ग्रामों के निवासियों के बीच, दो दशकों से अधिक के बाद, फिर शादियाँ होने लगीं, जिससे उनके बीच की दूरी और कम हो गई। लेकिन इन शादियों की संख्या अब बहुत घट गई थी क्योंकि बिराज में नब्बे प्रतिशत से अधिक लोग नवेश्वरपूजक थे, सिर्फ दस प्रतिशत ही पुरातनेश्वरपूजक थे। पुरातनेश्वरपूजकों की या तो हत्या कर दी गई थी, या उन्हें अपना घर-द्वार छोड़कर सुदेश में भागने के लिए विवश कर दिया गया था। फुलवरिया के पुरातनेश्वरपूजक बिराज में विवाह-सम्बन्धों के लिए तैयार नहीं थे, क्योंकि ऐसे सम्बन्धों का भविष्य अनिश्चित था। लेकिन नवेश्वरपूजकों में दोनों गाँवों के निवासियों में वैवाहिक सम्बन्धों में कोई व्यवधान नहीं था, क्योंकि उनमें भविष्य के सम्बन्ध में कोई आशंका नहीं थी। जब पूर्वी परदेश नीलांचल बनकर एक

स्वतन्त्र देश के रूप में स्थापित हुआ, फुलवरिया और बिराज एक दूसरे के अधिक समीप आ गए और दोनों गाँवों के नवेश्वरपूजकों के बीच वैवाहिक सम्बन्ध फिर शुरू हो गए।

लेकिन दो दशक बीतते-बीतते परिस्थितियाँ एक बार फिर बदलीं। नीलांचल के धर्मगुरुओं ने घोषणा की कि उनका मुल्क सुदेश के साथ करीबी रिश्ते बनाए नहीं रह सकता क्योंकि सुदेश में पुरातनेश्वरपूजकों की तादाद नवेश्वरपूजकों की तादाद से अधिक है और वहाँ शासन-तन्त्र पर नवेश्वरपूजकों का एकाधिकार नहीं। फुलवरिया और बिराज के बीच की दूरी बढ़ने लगी और दोनों गाँवों के नवेश्वरपूजकों के बीच भी नए वैवाहिक सम्बन्ध रुक गए। बच्चों ने सुप्ता नदी की पीठ पर खेलना बन्द कर दिया और वयस्क उससे दूर रहने लगे, मानो उनके अन्दर उसके आतंक का डर समा गया हो। सुप्ता नदी ने, बदली हुई परिस्थितियों से नाराज होकर, अपने मार्ग में बार-बार परिवर्तन लाना शुरू किया, जिससे फुलवरिया और बिराज के निवासियों के झगड़े अधिक बढ़ गए और प्रेम और सौहार्द का स्थान कटुता और अविश्वास ने ले लिया।

फुलवरिया का एक युवक इस्माइल और बिराज की एक युवती शहनाज एक दूसरे को तब से जानते थे जब वे छोटे थे और दोनों गाँवों के अन्य बच्चों के साथ सुप्ता नदी की पीठ पर खेलते थे। वे बालू के घर बनाते और मिटाते और फिर बनाते; वे अन्य बच्चों के साथ धमाचौकड़ी करते और लुका-छिपी खेलते। साल के छह महीने में, जब सुप्ता नदी पागल हो जाती, वे तट से दूर खड़े होकर एक दूसरे के गाँवों को निहारते, एक-दूसरे के कुशल-क्षेम के लिए कामना करते और सुप्ता नदी से हाथ जोड़कर प्रार्थना करते कि वह यथाशीघ्र शान्त हो जाए ताकि वे उसकी पीठ पर खेल सकें।

इस्माइल और शहनाज के माता-पिता को कोई एतराज नहीं था और जब वे कुछ बड़े हुए तो शहनाज के पिता ने इस्माइल के पिता से मिलकर उनकी शादी तय कर दी। लेकिन शादी का दिन दो साल बाद रखा गया, क्योंकि उनकी उम्र मुश्किल से सोलह वर्ष थी और इतनी कम उम्र में उन पर गृहस्थी का बोझ लाद देना उचित नहीं था। इस्माइल और शहनाज के लिए इन दो वर्षों का समय अत्यन्त कठिन था; सबकी दृष्टि में वे भावी पति-पत्नी होने पर भी मिल नहीं सकते थे, एक दूसरे के प्रति अपना प्रेम अभिव्यक्त नहीं कर सकते थे और न ही भावी योजनाओं के सम्बन्ध में एक दूसरे से बातें कर सकते थे। जब सुप्ता नदी छह महीने सोने के बाद जागने पर पागल हाथी की तरह उत्पात करती, तब

वे तट पर खड़े हो एक दूसरे के गाँव को देर तक निहारते, फिर भारी हृदय से अपने-अपने घर लौट जाते।

एक दिन बिराज के मौलवी अब्दुल रहमान, जो गाँव में होनेवाले सारे निकाहों और विवाहों को मान्यता देने के एकमात्र अधिकृत व्यक्ति थे, उस गली से गुजरे जिसमें शहनाज के पिता का मकान था, तो उनकी नजर शहनाज पर पड़ी। उनका कलेजा एकाएक इस तरह उछला जैसे वह हाड़-मांस के पिंजड़े को तोड़कर बाहर आ जाएगा। मौलवी अब्दुल रहमान ने मेहँदी से रँगी दाढ़ी पर हाथ फेरकर अपने आप को समझाया और विचार-मग्न मुद्रा में अपने नवासे आए। कम से कम पचीस हजार रुपए का सवाल था। कोई उपाय जल्द करना था ताकि पीछे हाथ न मलना पड़े।

मौलवी अब्दुल रहमान दूसरे दिन सवेरे अपनी मोटर साइकिल पर कुतुबगंज के लिए रवाना हो गए। बरसात शुरू हो चुकी थी, इस कारण कच्ची सड़क कीचड़दार हो गई थी और कहीं-कहीं मोटर साइकिल का चक्का कीचड़ में छह इंच तक धँस जाता था; लेकिन उससे मौलवी साहब लेशमात्र भी विचलित नहीं हुए। उनकी एकमात्र चिन्ता यह थी कि किसी तरह नन्हे खाँ से मुलाकात हो जाए। यदि वह घर पर हो तो उससे मुलाकात होने में और उद्‌देश्य की सिद्धि होने में कोई दिक्कत नहीं थी; डर सिर्फ इस कारण था कि व्यापार के सिलसिले में वह अक्सर घर से बाहर रहता था।

नन्हे खाँ कच्चे चमड़े का व्यापारी था और यद्यपि उसका पुश्तैनी मकान बिराज ग्राम से दस मील की दूरी पर स्थित एक छोटे शहर कुतुबगंज में था। वह अपने व्यापार के सिलसिले में नीलांचल के कोने-कोने में चक्कर लगाता था। उसके पास दो जीपें थीं जिनका इस्तेमाल वह स्थान-स्थान से जानवरों की कच्ची खाल लाने में और उन्हें अन्य शहरों के व्यापारियों तक पहुँचाने में करता था। कुतुबगंज में उसकी कोठी के आगे एक एकड़ खाली जमीन थी जो एक ऊँची चहारदीवारी से घिरी थी और जिसमें दूर-दूर के गाँवों से लाई गई तरह-तरह के जानवरों की खाल की अलग-अलग ढेरें लगी रहती थीं। पूरा वातावरण सड़ते और सूखते मांस की दुर्गंध से भरा रहता था और बगल की सड़क पार करते समय राहगीर अपनी नाक पर कपड़ा रख लेते थे। नन्हे खाँ की कोठी भी सड़ते और सूखते मांस की गन्ध से भरी रहती थी, लेकिन वहाँ नाक पर कपड़ा रखने की हिम्मत किसी में नहीं थी।

नन्हे खाँ ठिंगने कद, कोयले के रंग और बनैले सूअर की हाड़-काठी का पचास वर्षीय खिलाड़ी था, जिसे बीस साल पहले, अपने अब्बाजान से चमरौंधे जूते की एक छोटी-सी दुकान बिरासत में मिली थी, लेकिन जिसके पास अब लाखों

की सम्पत्ति थी। वह जानवरों की खाल का असाधारण पारखी था और औरतों की खाल में भी उसकी गहरी दिलचस्पी थी। वह चार बीवियाँ हमेशा रखता था और जब भी उसकी पसन्द की खालवाली नई औरत उसे मिलती, अपनी चार बीवियों में से एक को तीन बार 'तलाक' कहकर परित्याग कर देता और नई औरत को बीवी बना लेता। वह पसन्द की खाल और नाक-नक्शेवाली औरत के लिए उचित रकम खर्च करने के लिए हमेशा तैयार रहता था और इस नेक काम में उसकी मदद के लिए उसके अनेक एजेंट थे। मौलवी अब्दुल रहमान उनमें से एक थे।

मौलवी साहब नौ बजते-बजते नन्हे खाँ की कोठी पर पहुँच गए। उस समय नन्हे खाँ, सुबह के नाश्ते के बाद, अहाते में पड़ी खालों की ढेरों को उलटवा-पलटवा रहा था। हवा दुर्गंध से भरी थी, लेकिन उससे बचने के लिए किसी ने नाक को ढँका नहीं था और नन्हे खाँ इस तरह चहक रहा था जिस तरह कोई बच्चा इनाम पाकर चहकता है।

मौलवी अब्दुल रहमान पर नजर पड़ते ही नन्हे खाँ बोला, "आइए, मौलवी साहब। मैं आपके ही बारे में सोच रहा था। आपने बहुत दिनों के बाद याद किया। क्या आप इस नाचीज से खफा हैं?"

मौलवी साहब ने जवाब दिया, "हें-हें-हें-हें! हुजूर, आप हमेशा मेरे जेहन में रहते हैं। लेकिन आपके लायक माल मिले तब न तकलीफ दूँ? जैसे ही मेरी नजर एक लजीज चीज पर पड़ी, आपको खबर करने के लिए दौड़ा आ रहा हूँ।"

नन्हे खाँ बोला, "अच्छा! वही सोचा, मेरी दाहिनी जाँघ क्यों फड़क रही है! चलिए, कोठी में चलकर बातें करें।"

कोठी में दोनों के बीच आधा घंटा तक बातें हुई और यह तय हुआ कि दूसरे दिन जानवरों की खाल खरीदने के लिए नन्हे खाँ बिराज जाएगा और शहनाज को देख लेगा; यदि माल पसन्द आ गया तो उसी समय मौलवी अब्दुल रहमान को बीस हजार की पेशगी देगा और यह मौलवी साहब की जिम्मेवारी होगी कि उसका विवाह शहनाज से करा दें।

दूसरे दिन नन्हे खाँ ने एक जीप ली और जानवरों की खाल खरीदने बिराज पहुँचा। वह हर बार की तरह इस बार भी मौलवी अब्दुल रहमान के घर रुका। गाँववाले उसे जानते थे और अपने घर में रखी खालों को लेकर उसके पास आ गए। नन्हे खाँ को गाय, बैल, भैंस, बकरी, गदहा और ऐसे ही अन्य पालतू जानवरों की दर्जनों खालें मिलीं और उसने सबको उचित कीमत पर खरीद लिया। उसने शहनाज को देखा और निश्चय किया कि उसे पाने के लिए वह कुछ भी उठा नहीं रखेगा।

उसने मौलवी अब्दुल रहमान को पेशगी के बीच हजार रुपए दिए और आवश्यक हिदायतें देकर शाम होते-होते वह कुतुबगंज लौट गया।

मौलवी अब्दुल रहमान ने रात में गाँव के एक दर्जन प्रभावशाली लोगों को बुलाया, गोश्त के साथ सेवई और पूड़ी खिलाई और उन्हें बताया कि नन्हे खाँ गाँव में रिश्ता करना चाहते हैं। यदि यह रिश्ता हो गया तो वे गाँव की सभी खालें ड्योढ़ी कीमत पर खरीदा करेंगे। उन्हें सुलेमान की लड़की शहनाज पसन्द है और यदि यह शादी हो जाए तो सुलेमान की ही नहीं, बल्कि पूरे गाँव की तकदीर खुल जाएगी।

एक मेहमान ने कहा, ''सुना है कि शहनाज की शादी फुलवरिया के एक लड़के से तय हो चुकी है?''

मौलवी अब्दुल रहमान ने आश्चर्य और क्षोभ से चीखते हुए कहा, ''क्या कहा? फुलवरिया के लड़के से? फुलवरिया काफिरों के मुल्क में है। है या नहीं? क्या सुलेमान अपनी बेटी की शादी काफिरों के मुल्क में करेगा? क्या इससे काफिरों की तादाद नहीं बढ़ेगी? अगर सुलेमान अपने बेटे की शादी काफिरों के मुल्क में करता तो माफ किया जा सकता था, क्योंकि इनसे काफिरों की तादाद घटती। लेकिन बेटी की शादी! उसे दोजख में भी जगह नहीं मिलेगी। नहीं, इसकी इजाजत हम कभी नहीं देंगे।''

सबने मौलवी साहब की बात का एक मत से समर्थन किया और इस फैसले की जानकारी देने के लिए उसी समय सुलेमान को बुलाया गया। मौलवी अब्दुल रहमान ने सुलेमान को उसकी बेटी की शादी काफिरों के मुल्क में करने से रोकने का फैसला सुनाया और बोले, ''हमने तुम्हारी दिक्कत को भी महसूस किया है और तुम्हारी बेटी के एक अच्छा दूल्हा खोज दिया है। कुतुबगंज के नन्हे खाँ तुम्हारी बेटी को अपनी बीवी बनाना चाहते हैं। इस शादी से तुम्हारी बेटी जन्नत का सुख भोगेगी और इस पूरे गाँव की तकदीर खुल जाएगी। नन्हे खाँ इस शादी के बाद बिराज की सभी खालों को ड्योढ़े दाम पर खरीदेंगे। आज से आठवें दिन नन्हे खाँ बारात लेकर आएँगे उसी दिन सारी रस्में पूरी हो जाएँगी।''

एक मेहमान ने शंका प्रकट की, ''जहाँ तक मुझे मालूम है, नन्हे खाँ की चार बीवियाँ हैं। वे पाँच बीवियाँ कैसे रखेंगे? क्या यह शरीयत के खिलाफ नहीं होगा?''

मौलवी अब्दुल रहमान ने कहा, ''भाईजान, हम मौलवी हैं कि आप? मेरी नन्हे खाँ से इस मसले पर भी बात हो चुकी है। वे कल ही तीन बार 'तलाक' कहकर अपनी एक बीवी को तलाक दे देंगे।''

मौलवी अब्दुल रहमान और उनके साथियों की बातें सुनकर सुलेमान स्तब्ध-सा घर लौटा। उसकी बीवी ने मौलवी साहब से हुई बातों के सम्बन्ध में उससे बार-बार पूछा, लेकिन उसने मौन साध लिया, मानो वह कोई ऐसा विषय हो जिस पर बातचीत करना अपराध हो। लेकिन दो दिनों में पूरे गाँव में बात फैल गई कि नन्हे खाँ ने शहनाज को खुद ही देखकर पसन्द कर लिया है और उसकी शादी पाँच दिन बाद, जुमा को होनेवाली है। उन औरतों ने, जिनकी बेटियाँ शादी के योग्य हो गई थीं, शहनाज की तकदीर सराही और खुदा से मिन्नत की कि वह उनकी बेटियों को भी वैसी ही तकदीर दे। गाँव की शादीयोग्य लड़कियों के दिलों पर छुरियाँ चल गईं, लेकिन उन्होंने चेहरों पर मुस्कुराहट के साथ उसे बधाई दी। शहनाज ने पहले-पहल उनसे ही नन्हे खाँ से अपनी शादी की बात सुनी और उसे ऐसा सदमा हुआ कि उसने खाट पकड़ ली। उसने खाना छोड़ दिया और इस तरह चुप हो गई, जैसे उसने बोलने की शक्ति खो दी हो। उसकी माँ ने समझा, 'बचपना है। चाँदी की सेज पर जाते ही उसे अपनी भूल मालूम होगी और वह अपने बचकानेपन पर हँसेगी।' बेटी की खुशनसीबी से वह बहुत प्रसन्न थी और उसकी शादी की तैयारी में जोर-शोर से लग गई। लेकिन सुलेमान बेटी की शादी के प्रति पूर्णतः अन्यमनस्क था और अपने दिन-प्रतिदिन के कामों में निर्विकार भाव से लगा था।

शादी का दिन आया। मौलवी अब्दुल रहमान ने सारा भार सँभाल लिया था और खाना-पीना से लेकर बाजार-गाजा तक की व्यवस्था की थी। शादी के दो दिन पहले से सुप्ता पागल हाथी बन गई थी और ऐसा लगता था कि वह पूरे गाँव को बहा ले जाएगी। मौलवी अब्दुल रहमान और उनके साथी इससे बहुत खुश थे, क्योंकि इससे फुलवरिया की तरफ से शादी में किसी अड़चन की सम्भावना खत्म हो चुकी थी।

शहनाज चार दिनों से बिना खाए-पिए खाट पर पड़ी थी, लेकिन उसकी तरफ बहुत कम लोगों का ध्यान था, क्योंकि उनका विश्वास था कि यह एक नाटक है जो अवधि पूरी होते ही खत्म हो जाएगी और सबकुछ सामान्य हो जाएगा। शादी के एक दिन पहले वह चुपके से घर से निकली और अशान्त सुप्ता के किनारे खड़ी हो, फुलवरिया ग्राम की तरफ चेहरा कर चिल्लाई, "इस्माइल, मेरी बात सुनो। कल रात मेरी शादी है। शादी के पहले आओ और मुझे अपने साथ ले चलो। यदि शादी के बाद आए तो तुम्हें मेरी लाश मिलेगी।"

इसके बाद वह शान्त कदमों से घर लौटी और खाट पर लेट रही।

इस्माइल अपनी खाट पर गहरी नींद में सोया हुआ था। उसे शहनाज की शादी के सम्बन्ध में कुछ भी नहीं मालूम था। उसने शहनाज की आवाज साफ सुनी और

उठ बैठा। उसने सोचा—'इस तूफानी रात में शहनाज की आवाज यहाँ कैसे आ सकती है? मैंने जरूर ही सपना देखा होगा।' लेकिन वह फिर सो नहीं पाया और सन्देह दूर करने के लिए सुप्ता के किनारे गया।

सुप्ता पागल हाथी की तरह चिंघाड़ रही थी और इस तरह धमाचौकड़ी कर रही थी मानो वह बादलों के पहाड़ को ढाह देना चाहती हो। इस्माइल ने सोचा—'नहीं, वह सपना था। इस तूफान में शहनाज की आवाज मेरे पास तक कैसे पहुँच सकती है?'

लेकिन उसने हाथ जोड़कर सुप्ता से कहा, "माँ, क्या मैंने जो सुना, वह सच है?"

सुप्ता का गर्जन थम गया और इस्माइल ने एक बार फिर शहनाज की आवाज सुनी—'इस्माइल, मेरी बात सुनो। कल रात में मेरी शादी है। शादी के पहले आओ और मुझे अपने साथ ले चलो। यदि शादी के बाद आए तो तुम्हें मेरी लाश मिलेगी।'

इस्माइल सिर झुकाए घर लौटा।

वह दूसरे दिन शाम को, अँधेरा होते ही, सुप्ता नदी के तट पर पहुँचा। सुप्ता, जो आधे घंटे पहले तक पागल हाथी बनी हुई थी, इस समय मेमने की तरह अबोध हो गई थी और उसमें घुटनों तक पानी रह गया था। इस्माइल ने नदी को पार किया और बिराज की गलियों से होता हुआ शहनाज के दरवाजे पर पहुँच गया। शहनाज बुर्का ओढ़े दरवाजे की बगल में खड़ी थी। शादी की गहमागहमी में किसी को पता नहीं चला और वह इस्माइल के पीछे-पीछे गाँव के बाहर निकल गई।

आधे घंटे में शादी की रस्में शुरू होनेवाली थीं। कुछ औरतें लड़की को लाने उसके कमरे में गईं, लेकिन उसका कहीं पता नहीं था। कुहराम मच गया। मौलवी अब्दुल रहमान ने कहा, "जरूर फुलवरिया की तरफ गई होगी। दौड़ो, पकड़ो!"

दो दर्जन लोग बत्तियाँ, बन्दूकें और राइफलें लेकर सुप्ता नदी की तरफ दौड़े। भगोड़े नदी के बीच तक ही पहुँच पाए थे। गोलियाँ चलीं और वे एक-दूसरे का हाथ पकड़े ढेर हो गए।

उन्हें उठा लाने के लिए उनका पीछा करनेवाले नदी में घुसे, लेकिन एकाएक सुप्ता पागल हाथी बन गई और वे डरकर पीछे हट गए। सुप्ता लाशों को अपनी गोद में ले सागर की तरफ बढ़ चली।

मुस्कान

अब्दुल मजीद एक धर्मपरायण व्यक्ति था। अपने धर्म में उसकी ऐसी प्रबल आस्था थी कि वह अन्य सभी धर्मों को हेय दृष्टि से देखता था। उसे बुत-परस्ती से विशेष रूप से नफरत थी और यदि उसका वश चलता तो वह इस कुकर्म का हमेशा के लिए खत्म कर देता, इसके लिए उसे चाहे जितने लोगों का सर कलम करने की जरूरत पड़ती। गाँव के बीचोबीच स्थित राम मन्दिर से उसे विशेष रूप से नफरत थी, जिसके पुजारी रामलखन तिवारी हर रोज दो बार मूर्तियों का शृंगार और पूजा करते थे। पूजा के समय गाँव के पचासों मर्द औरतें और बच्चे मन्दिर में जमा हो जाते थे और मूर्तियों के सामने हाथ जोड़कर इस दीनभाव से खड़े रहते थे, जैसे उनमें उनकी हर इच्छा पूरी करने की क्षमता हो। अब्दुल मजीद ने, उस समय जब मन्दिर में पूजा नहीं हो रही होती थी और पुजारी रामलखन तिवारी अपने कमरे में विश्राम कर रहे होते थे, कई बार मन्दिर के दरवाजे के सामने खड़े होकर मूर्तियों को ध्यान से देखा था और जानना चाहा था कि उनमें कौन-सी विशेषता थी कि पचासों लोग उनके सामने दास-भाव से नतमस्तक रहते थे और उस समय उसे ऐसा लगा था कि मूर्तियाँ जीवित हैं और उनकी मुस्कान पत्थर पर की गई चित्रकारी नहीं बल्कि जीवित व्यक्तियों के चेहरे पर उभरी वास्तविक मुस्कान है। उसे ऐसा लगा कि वे खतरनाक जिन्न हैं और उनकी मुस्कान के पीछे उनका भयानक इरादा झाँक रहा है। वे अतुल शक्ति से सम्पन्न हैं और उस व्यक्ति का, जो उनका विरोध करे, भारी अहित करने की क्षमता रखती हैं।

जब कभी वह मन्दिर के सामने से गुजरता, उसकी देह में कँपकँपी होने लगती, उसके रोंगटे खड़े हो जाते और उसे पेशाब लग जाता। इस कारण उसकी चाल में तेजी आ जाती और वह यथाशीघ्र जितना सम्भव होता, उतनी दूर चला जाता, फिर किसी साधारण मकान की दीवाल के सामने खड़ा होकर पेशाब करता। उसके बाद उसका भय कुछ कम होता और वह अपनी स्वाभाविक गति से आगे बढ़ता। मन्दिर की दीवाल पर या उसके आस-पास पेशाब करने की हिम्मत उसकी

नहीं होती, यद्यपि उसका विश्वास था कि इससे वह बुतों के आतंक का बदला एक हद तक ले लेगा। इस अक्षमता के कारण बुतों के प्रति और बुतपरस्ती के प्रति उसकी नफरत दिनोदिन बढ़ती गई थी और कभी-कभी उनसे उसकी मुलाकात सपने में भी हो जाती और वह हड़बड़ाकर उठ जाता।

बुतों से इस नफरत का एक नतीजा यह हुआ था कि बुतपरस्तों से भी अब्दुल मजीद की घोर नफरत हो गई थी। वह उनसे जितनी अधिक हो सके उतनी दूरी बनाए रखता और पूरी कोशिश करता कि उनसे किसी तरह का सम्पर्क न हो। यदि गली से कोई बुतपरस्त गुजरता होता तो वह दीवाल से सटकर खड़ा हो जाता और जब तक बुतपरस्त दूर नहीं चला जाता, वह उसी जगह पर खड़ा रहकर आँखें तरेर किसी दूसरी दिशा में ताकता रहता। अपने हाथों की बुनी हुई रंग-बिरंग की चादरें और लुंगियाँ कन्धों पर रख उन्हें वह अपने गाँव हमीदपुर से पाँच किलोमीटर दूर स्थित शहर रोहितपुर की रंगीला साह की थोकवाली दुकान में पहुँचा आता, यद्यपि रंगीला साह के ललाट की लाल टीका पर नजर पड़ते ही उसके उदर की नसें सिकुड़ जाती थीं और उसे भयंकर पीड़ा होती थी, लेकिन वह अनुभव से जान गया था कि रंगीला साह उसकी चादरों और लुंगियों की कीमत उन दुकानदारों से अधिक देता था जो बुतपरस्त नहीं थे। इस कारण वह सामान लेकर सीधे उसी की दुकान में जाता था। रंगीला साह के प्रति उसके मन में कमजोरी इस कारण भी थी कि उसकी यहाँ न तो हिसाब-किताब में गड़बड़ी होती थी और न रुपए मिलने में दिक्कत होती थी। क्या सभी लोग एक जैसे ही होते हैं? लेकिन अन्य किसी बुतपरस्त के प्रति उसके मन में कोई सहानुभूति नहीं थी और उसका वश चलता तो धरती से उनका नामोनिशान मिटा देता।

इस कारण जब रोहितपुर में एक मन्दिर में मरा हुआ सूअर मिलने के कारण दंगे भड़क उठे, तो अब्दुल मजीद ने कहा कि परवरदीगार ने बुतपरस्ती से निबटने के लिए एक अच्छा मौका दिया है। रोहितपुर में हो रहे दंगों के कारण शहर की दुकानें बन्द हो गई थीं और अब्दुल मजीद का रोजगार भी कुछ दिनों के लिए बन्द हो गया था। चादरों और लुंगियों को रंगीला साह की दुकान में पहुँचा नहीं पाने के कारण उसने उनकी बुनाई भी बन्द कर दी थी, जिससे अन्य जरूरी बातों पर विचार करने के लिए उसके पास पर्याप्त समय था। उसने सोचा—'क्यों न ऐसा कोई उपायं किया जाए कि अमीरपुर में भी दंगा भड़क उठे जिससे यहाँ के बुतपरस्तों को सबक सिखाया जाए? यह सही है कि इस गाँव में बुतपरस्तों की तादाद करीब-करीब उतनी ही है जितनी खुदा के बन्दों की है और दंगा होने पर खुदा के बन्दों को भी उतना ही खतरा है जितना बुतपरस्तों को है। लेकिन खुदा के बन्दे पहले से तैयार रहेंगे और इस तरह एकाएक हमला करेंगे कि दुश्मनों

को सँभलने का मौका नहीं मिलेगा और फतह हमारी होगी। इस फतह से इस दुनिया में वाहवाही होगी ही, जन्नत में हूरों की बाढ़ लग जाएगी।'

अमीरपुर, जहाँ अब्दुल मजीद बीसों पीढ़ियों से रह रहा था, कैमूर की तलहटी में बसा एक हजार की आबादीवाला गाँव था। यहाँ पचास वर्ष पहले तक सैफुद्दीन खाँ और उनके पूर्वजों की जमींदारी थी। उनकी हवेली गाँव के दक्षिणी-पश्चिमी कोने में चार एकड़ के अहाते में थी जहाँ उन्होंने एक सुन्दर मस्जिद भी बनवा दी थी। डेढ़ सौ साल पहले सैफुद्दीन खाँ के वंशज गाँव में आकर बसे थे और उन्होंने उसके पुराने नाम पहाड़पुर को बदलकर नया नाम अमीरपुर रख दिया था। सैफुद्दीन खाँ अपने खानदान के आखिरी जमींदार थे और जब सरकार ने जमींदारी खत्म कर दी तो वे अमीरपुर को छोड़ प्रान्त की राजधानी कुसुमपुर चले गए, जहाँ उनके पूर्वजों ने एक हवेली बनवा ली थी।

सैफुद्दीन खाँ के पूर्वज बहुत ही नेक दिल इनसान थे और गाँव के गरीबों की मदद करने के लिए हमेशा तैयार रहते थे। लेकिन इसके लिए उनकी एक साधारण शर्त थी। उनकी मदद उसी आदमी को मिलती जो अपने परिवार की एक लड़की की शादी जमींदार से कर देता। वैसे सैफुद्दीन खाँ के किसी भी पूर्वज ने चार से अधिक बीवियाँ एक साथ नहीं रखीं। जब कभी नई शादी करनी होती, किसी एक पुरानी बीवी को तीन बार 'तलाक' कहकर तलाक दे दिया जाता और उसके नाम दो बीघे जमीन कर उसे अपने पुराने परिवार में भेज दिया जाता। सामाजिक बन्धनों की जकड़ इतनी मजबूत थी कि कुछ ही दिनों में परित्यक्ता औरत का पूरा परिवार बुतपरस्ती छोड़ खुदा के बन्दों में शामिल हो जाता। जमींदार को इस दुनिया में यश मिलता और दूसरी दुनिया में अगणित हूरों की सेवा मिलने की गारण्टी होती।

इस तरह धीरे-धीरे अमीरपुर गाँव की आधी आबादी बुतपरस्तों की टोली को छोड़ खुदा के बन्दों की जमात में शामिल हो गई। जमींदार के अहाते में स्थित जामा मस्जिद के अलावा गाँव के उत्तर-पश्चिम के कोने पर एक और मस्जिद खड़ी हो गई और दोनों मस्जिदों पर शक्तिशाली ध्वनि-विस्तारक यन्त्र लग गए जिनकी मदद से अरदास की आवाज़ खुदा के घर सीधे पहुँचने लगी। मन्दिर से सवेरे और शाम उठनेवाली घंटा-घड़ियाल और प्रार्थना की आवाजें भी अधिक सघन और ऊँची होती गईं। अमीरपुर में परलोक में अच्छा स्थान और मान-सम्मान की पूरी गारन्टी चाहनेवालों की संख्या नवेश्वरपूजकों और पुरातनेश्वरपूजकों में प्रतिस्पर्द्धा के कारण बहुत बढ़ गई और उसका एक परिणाम यह हुआ कि दोनों समुदायों के बीच,

आराधना की विधियों में भिन्नता के कारण, कलह भी उसी अनुपात में बढ़ा। दो बच्चों के बीच का झगड़ा सुरसा के मुँह की तरह विस्तारित हो जाता, गाँव दो युद्धरत सेनाओं में बदल जाता, लाठी और भाला से लेकर बन्दूक और बम का प्रयोग होने लगता। इन अस्त्र-शस्त्र से उठनेवाली आवाज देश के विभिन्न भागों में ही नहीं, विदेशों में भी सुनाई पड़ती। अब्दुल मजीद ने ऐसे अवसरों के लिए एक देशी पिस्तौल खरीद ली थी यद्यपि कलह के अवसरों पर वह अपने घर से बाहर निकलने की हिम्मत कभी-कभी ही करता। वह रात के अँधेरे में गली से गुजरनेवाले बुतपरस्तों पर अपने कमरे की खिड़की में बने छेद से गोली चला देता। वह कल्पना करता कि गोली से बुतपरस्त घायल हो गए हैं और उनकी मुस्कान पीड़ा की विकृति में बदल गई है। लेकिन गोली चलाते समय वह इस बात का ध्यान रखता कि वह बुतपरस्तों के सिवा अन्य किसी को नहीं लगे। क्योंकि उसे इस बात का डर बना रहता था कि गोली किसी अन्य को लगने पर उसके घर पर आक्रमण हो सकता है और ऐसे आक्रमण के परिणाम की कल्पना से ही वह काँप उठता था। वह खुदा के बन्दों के उस दल का सक्रिय सदस्य था जो अमीरपुर से सभी बुतपरस्तों को मार भगाने के लिए बना था। उस दल की किसी बन्द कमरे में नियमित रूप से बैठकें होती थीं, अपने उद्देश्य की सफलता के लिए योजनाएँ बनाई जाती थीं और उस दिशा में प्रगति के लिए कदम बढ़ाने की योजनाओं को अन्तिम रूप दिया जाता था। इस कारण गाँव में बुतपरस्तों से उनकी झड़पें अक्सर होती रहती थीं और इन झड़पों में हमेशा उनकी जीत होती थी।

इन जीतों से उत्साहित होकर उस गुट ने पुरातनेश्वरपूजकों को अपमानित करने और सम्भव हो तो उन्हें गाँव से निकाल बाहर करने की एक बड़ी योजना बनाई। जब से कुसुमांचल में जमींदारी को खत्म करने का कानून लागू हुआ था और गाँव के जमींदार सैफुद्दीन खाँ सपरिवार कुसुमपुर में बस गए थे, तब से अमीरपुर में एक परिवार भी बुतपरस्ती को छोड़कर नवेश्वरपूजकों की जमात में शामिल नहीं हुआ था। यह सिर्फ हैरानी की ही नहीं बल्कि शर्म की बात थी। उन्होंने तय किया कि वे ऐसा उपाय करेंगे कि पुरातनेश्वरपूजक, जो सामान्यतः कलह से दूर रहते थे, झगड़ा शुरू करने पर बाध्य हो जाएँगे और तब वे पूरी तैयारी के साथ उन पर टूट पड़ेंगे। अब्दुल मजीद ने इस योजना की सफलता के लिए अपनी पूरी ताकत लगाने का निश्चय किया। उसने तय किया कि इस बार रात के अँधेरे में वह दो-चार बुतपरस्तों के माथे पर गोली मारने से नहीं हिचकेगा।

पास-पड़ोस के गाँवों से उत्साही नवेश्वरपूजकों के अनेक दल बुलाए गए और उन्हें इस तरह रखा गया कि अमीरपुर के पुरातनेश्वरपूजकों को कोई खबर नहीं हो पाई। वे हथियारों से पूरी तरह सुसज्जित थे ताकि योजना की सफलता में कोई

सन्देह नहीं रहे। अब्दुल मजीद ने ऐसे चार बन्दों को छिपा रखा था। वह यह सोचकर बहुत खुश था कि दूसरे दिन ही मन्दिर के बुतों के चेहरों की मुस्कान नष्ट हो जाएगी और वह उसकी दीवाल पर निडर होकर पेशाब कर सकेगा।

सुबह जब मन्दिर के पुजारी रामलखन तिवारी ने पूजा की तैयारी के लिए मन्दिर के कपाट खोले तो पाया कि उसमें एक बछड़ी जिसकी गर्दन आधी कटी थी, मरी पड़ी है। रामलखन तिवारी ने पूजा के घंटे को इतने जोर-जोर से पीटना शुरू किया कि सुननेवालों को आश्चर्य हुआ। अभी पूजा का समय होने में दो घंटों की देर थी और पूजा का घंटा इतने जोर से बज रहा था मानो मन्दिर गिरने जा रहा हो। थोड़ी ही देर में पुरातनेश्वरपूजकों की एक बड़ी भीड़ जमा हो गई। नौजवानों ने अपराधियों को अविलम्ब दंडित करने का निश्चय व्यक्त किया, लेकिन बड़े-बूढ़ों ने समझाया—'जब तक हम अपराधी को जान न लें, उसे दंड देने की बात कैसे की जा सकती है?'

भीड़ छँट गई और सभी अपने-अपने घर चले गए।

लेकिन शाम को, अँधेरा होते-होते, गाँव की मस्जिद की तरफ से आधा दर्जन हवाई फायर हुए, मानो युद्ध का पूर्वाभ्यास किया जा रहा हो। इधर दिनभर में पुरातनेश्वरपूजक युवकों ने भी पूरी तैयारी कर ली थी। रात के अँधेरे में दोनों दलों में संग्राम छिड़ गया। एक दर्जन जानें गईं, दर्जनों घायल हुए और बीसों घर जलकर राख हो गए। अब्दुल मजीद गोलीबारी में घर से निकलना नहीं चाहता था, लेकिन उसके घर में छिपे बन्दों ने उसे ललकारकर बाहर निकाला और दुश्मनों पर गोली चलाने को विवश किया। अब्दुल मजीद की गोलियाँ दुश्मनों को लगी या नहीं, लेकिन एक गोली उसे अवश्य लगी। यह उसकी बाईं बाँह में कन्धे से कुछ नीचे लगी और मांस को छेदती हुई बाहर निकल गई। अब्दुल मजीद ने पिस्तौल को गली में ही फेक दिया और घाव को दाएँ हाथ से पकड़े गली के एक कोने से दूसरे कोने तक दौड़ गया। उसकी इच्छा हुई कि किसी घर में घुस जाए और किसी कोने में शरण ले। लेकिन उसके अन्दर जान का ऐसा भय समाया हुआ था कि उसकी हिम्मत किसी घर में घुसने की नहीं हुई। लेकिन जब वह भागते-भागते मन्दिर के सामने आया तो उसे लगा कि उसी में उसकी प्राण-रक्षा हो सकती है। अहाते का फाटक, हमेशा की तरह, उठा हुआ था और मन्दिर का दरवाजा खुला था। उसने अहाते के फाटक के पास एक क्षण के लिए रुककर मन्दिर के अन्दर दृष्टिपात किया। अन्दर जलते दीये के प्रकाश में उसने देखा कि बुतों के चेहरों पर जो मुस्कान है, वह दया और स्नेह का है, जैसे वे उसे अभयदान दे रहे हों। वह तेजी से मन्दिर के अन्दर घुसा और बुतों के सामने सिर झुकाकर खड़ा हो गया।

दूसरे क्षण मन्दिर के पुजारी रामलखन तिवारी ने, जो गाँव में होनेवाले कोलाहल के कारण अभी जगे हुए थे, अन्दर प्रवेश किया। उन्होंने अब्दुल मजीद की बाँह के घाव को, जिससे लहू टपक रहा था, देखा और घबड़ाकर बोले, ''बेटा, तुम तो घायल हो! मेरे कमरे में चलो। पट्टी बाँध दूँ, नहीं तो घाव खतरनाक हो सकता है।''

रामलखन तिवारी ने घाव धोया और पट्टी बाँधी, फिर बोले, ''बेटा, सवेरा होनेवाला ही है। तुम्हारे लिए यहाँ रुकना खतरे से खाली नहीं। मेरे साथ रोहितपुर चलो। डॉक्टर रमन के यहाँ दिखा दिया जाए।''

अब्दुल मजीद रामलखन तिवारी के साथ चल पड़ा।

दूसरे दिन सुबह मन्दिर में पूजा नहीं हुई, लेकिन बुतों के चेहरों की स्नेहिल मुस्कान ज्यों की त्यों बनी रही।

सामाजिक न्याय

भादों महीने के दूसरे पक्ष की काली रात है। बूँदा-बाँदी हो रही है और हर दो-चार मिनटों पर चमकनेवाली बिजली से पूरा क्षेत्र प्रकाशित हो जाता है। उजियारपुर गाँव की गलियाँ नहरें बनी हुई हैं और गाँव के बाहर मीलों तक का क्षेत्र सागर बना हुआ है जिसकी लहरें यदा-कदा कौंध उठनेवाली बिजली की रोशनी में सागर की लहरों की तरह उत्ताल दीखती हैं। बाहर सागर-गर्जन तो नहीं, लेकिन बैशाख के महीने में कहीं दूर से उठनेवाली हू-हू की आवाज इस तरह आ रही है, मानो सैकड़ों लोमड़ियाँ महाविपत्ति के स्वागत में एक साथ गाना गा रही हों!

उजियारपुर गाँव कोशी, गंडक और बूढ़ी गंडक नदियो के अंचल में है, जहाँ हजारों वर्गमील का क्षेत्र वर्ष के चार महीनों में सागर बन जाता है और उसमें बसे सैकड़ों गाँव और नगर छोटे-बड़े टापुओं में बदल जाते हैं जिनके एक-दूसरे से सम्पर्क में बने रहने का साधन नावें होती हैं। इस गाँव के सारे वयस्क पुरुष, अंचल के अन्य गाँवों के वयस्क पुरुषों की तरह, रोजी की तलाश में वर्ष के छह महीनों तक देश के अन्य प्रान्तों में रहते हैं। गाँव में दस वर्ष से कम के बच्चे, साठ वर्ष से ऊपर के बुजुर्ग और सभी उम्र की लड़कियाँ और औरतें रह जाते हैं जो घर में बचे चावल और मकई के भात और माँड़ पर गुजारा करते हैं। बरसात के चार महीने बीतने के बाद जब गाँवों और नगरों के आस-पास का पानी कुछ दूर सरक जाता है, वे घास-पात और झाड़ियों से कन्द-मूल आदि लाते हैं जिनका उपयोग खाद्य-सामग्री की तरह होता है। इससे तरह-तरह के रोग पैदा होते हैं, जो हजारों के लिए शारीरिक विकृतियों और मृत्यु का कारण बनते हैं। जब पानी चारों तरफ फैला रहता है, गाँव के लोग अपने-अपने घरों में बन्द रहते हैं, लेकिन सबका ध्यान सम्भावित घटनाओं की तरफ लगा रहता है जिनसे वे भयभीत रहते हैं; फिर भी उनकी आतुरता से प्रतीक्षा करते हैं। यह है जल-दस्युओं का आक्रमण जो हर वर्ष बरसात में, जब पूरा इलाका सागर बन जाता है, होता है और जिससे

हर गाँव में दस-बीस परिवार प्रभावित होते हैं।

उजियारपुर में भी हर वर्ष बरसात में जल-दस्युओं के आक्रमण होते हैं। लेकिन बुधनदास का परिवार पिछले दो वर्षों से इन आक्रमणों से अछूता रहा है। यह बात बुधनदास और उसके परिवारवालों को उतनी प्रिय नहीं जितनी बाहरवालों को लगती होगी और इसके कतिपय ठोस कारण हैं। इन्हीं कारणों से बुधनदास का परिवार पिछले एक महीने से, जब से पूरा क्षेत्र जल-मग्न हो गया है, अत्यन्त उत्सुकता से, सारे समय जागकर अपनी रातें बिताता है। बुधनदास के दोनों लड़के, सोहन और दोहन, अन्य वर्षों की तरह, बरसात शुरू होने के एक महीना पहले से ही रोजी की तलाश में दूसरे प्रान्तों में चले गए हैं, लेकिन अब भी घर में ग्यारह सदस्य हैं—बुधनदास स्वयं जो साठ से ऊपर का है, बुधनदास की पत्नी छबीली जो उसी की उम्र की है, उसकी पुत्री झरोखा जो सोलह वर्ष की है, दोनों पुत्रवधुएँ शनीचरी और पतुरिया जो क्रमशः बत्तीस और तीस वर्ष की हैं और शनीचरी और पतुरिया के छह लड़के-लड़कियाँ जो सभी दस वर्ष से कम के हैं। जब दो वर्ष पहले जल-दस्युओं ने उजियारपुर गाँव पर धावा बोला था तो वे अपने साथ शनीचरी, पतुरिया और झरोखा की बड़ी बहन पियारो को ले गए थे। एक महीना बाद उन्होंने जब गाँव पर दूसरी बार धावा बोला तो शनीचरी और पतुरिया को साथ लेते आए और उसे बुधनदास के घर पहुँचा दिया, लेकिन पियारो को नहीं लौटाया। बुधनदास के परिवारवालों को इससे बहुत कष्ट हुआ लेकिन कुछ राहत भी हुई क्योंकि वे लड़की के लिए वर खोजने के झंझट से बच गए थे। पिछले वर्ष भी उन्होंने दस्युओं के आने की उत्सुकता से प्रतीक्षा की थी, लेकिन उन्हें निराशा ही हाथ लगी थी। इस साल जब से जल-मग्न हुआ था, बुधनदास की पत्नी छबीली हर रविवार को उपवास कर सूरज को जल चढ़ाने लगी। यद्यपि उसने परिवार के अन्य लोगों से इसका कारण नहीं बताया था, लेकिन सभी इसे भली भाँति समझते थे।

बुधनदास लोकगाथाओं का अच्छा जानकार था और रात का खाना, जो माँड़-भात या मकई का उबला हुआ दाना होता था, खाने के बाद अपने पोते-पोतियों को आल्हा-उदल, सोरठी-बृजाभार, राजा भरथरी, राजा सासोढ़मल और ऐसे ही अन्य लोगों की कहानियाँ गाकर सुनाया करता था। आज भी उसके पोते-पोतियाँ टाट पर सिकुड़े हुए थे और वह मैना जोगन की कहानी गाकर सुना रहा था। आधी रात बीत चुकी थी, लेकिन उसकी आवाज का गीलापन लेशमात्र भी कम नहीं हुआ था और न उसके पोते-पोतियों की उत्सुकता में कमी आई थी। बुधनदास की पत्नी

छबीली, अपनी पुत्री झरोखा और दोनों पुत्रवधुओं के साथ, खिड़की के पास बैठी बाहर कान लगाए हुए थी और कहीं दूर छूटनेवाली गोलियों की आवाज को ध्यान से सुन रही थी। जब कभी पानी में हलचल बढ़ जाती, या छप-छप की आवाज सामान्य से अधिक हो जाती, वे उत्सुकता से कमरे की एकमात्र खिड़की के पास खड़ी हो जातीं और बाहर के अँधेरे में आँख गड़ा देतीं और कुछ मिनटों के बाद, निराश होकर, अपनी जगह पर बैठ जातीं। कभी-कभी कहीं दूर गोलियाँ छूटतीं, जिसे सुनकर औरतों की आँखों में चमक आ जाती और उनमें से कुछ घर के दरवाजे के पास जाकर बाहर अँधेरे में आँखें गड़ा देतीं; लेकिन पाँच-दस मिनटों के बाद उदास होकर लौट जातीं।

औरतों की निराशा बढ़ती जा रही थी और उनकी आँखों की चमक बुझती जा रही थी। सुबह होने में मुश्किल से तीन घंटे बाकी रह गए। लगता था, यह रात भी बेकार ही जाएगी। वैसे बरसात बीतने में भी अब कितने दिन रह गए थे? दो महीने बीतते-बीतते पानी उतर जाएगा, नावों का चलना बन्द हो जाएगा और पैदल आने-जाने के रास्ते खुल जाएँगे। औरतों ने गहरी साँस लीं और भारी मन से अपनी जगहों पर बैठ गईं।

पाँच मिनट भी नहीं बीते होंगे कि छबीली अपनी जगह पर बैठी-बैठी झूमने लगी। उसके झूमने की गति बढ़ती गई, उसके बाल सिर के चारों तरफ बिखर गए, उसकी आँखें लाल हो गईं और वह एक अस्पष्ट गीत इस तरह बड़बड़ाने लगी मानो किसी आसुरी शक्ति का आह्वान कर रही हो! कमरे की अन्य औरतों में खुशी की लहर दौड़ गई क्योंकि उनके मन में यह आशा जगी कि उनकी इच्छा पूरी होगी और यह वर्ष पिछले वर्ष की तरह व्यर्थ नहीं जाएगा।

छबीली के झूमते और मन्त्र-सा गीत गाते मुश्किल से पन्द्रह मिनट बीते होंगे कि गाँव से कुछ दूरी पर बन्दूक छूटने की आवाज हुई। छबीली की दोनों पुत्रवधुएँ खिड़की के पास खड़ी होकर बाहर देखने लगीं। चार मिनट भी नहीं बीते होंगे कि एक बार फिर गोलियों की आवाज हुई। झरोखा प्रसन्नतापूर्ण उत्तेजना के साथ छबीली के आगे बैठती हुई बोली, "अरी माँ, वे लोग आ गए!" लेकिन छबीली ने जैसे उसकी बात को सुना ही नहीं और पूरी तन्मयता से अपने काम में लगी रही। झरोखा ने विघ्न पहुँचाना उचित नहीं समझा और अपनी दोनों भाभियों के साथ खिड़की के पास खड़ी हो गई।

बाहर अँधेरा अवश्य था, लेकिन पानी के ऊपर तैरती नावें साफ देखी जा सकती थीं। चार नावें गाँव की तरफ बढ़ती आ रही थीं। गाँव से पचास गज की दूरी पर वे नावें एक दूसरे से अलग होकर आगे बढ़ीं। तीनों औरतों ने देखा कि एक नाव उनके घर की ओर बढ़ती आ रही है। उनका कलेजा मुँह को आ गया।

उन्हें तो पहले से ही मालूम था कि छबीली का इष्टदेव इतना ताकतवर है कि वह आसमान में छेद कर सकता है और धरती में आग लगा सकता है। झरोखा ने अपनी भाभियों से दबी जुबान में कहा, "नाव अपने घर की तरफ आ रही है!"

बड़ी भाभी बोली, "जाओ, दरवाजा खोल दो। चारों भांड दरवाजे की बगल में रखना न भूलना।"

झरोखा ने दरवाजे की चिटकिनी खोल दी, लेकिन किवाड़ भिड़का दिए। फिर उसने चारों भांड़ों को, जो मिट्टी के थे, दरवाजे के पास रख दिया। तत्पश्चात् वह खिड़की के पास जाकर अपनी दोनों भाभियों के साथ खड़ी हो गई।

इस बीच बुधनदास ने अपने पोते-पोतियों से कहा, "तुम लोग चादर ओढ़कर सो जाओ। कुछ लोग आ रहे हैं। उठोगे तो मार खाओगे।"

पोते-पोतियों को मालूम था कि कौन लोग आ रहे हैं। वे एक-दूसरे से सटकर लेटे रहे और आँखें मूँद लीं।

दो मिनट के अन्दर दरवाजे के पास बन्दूक छूटने की आवाज हुई, बाहर एक नाव रुकी और चार दस्युओं ने घर में प्रवेश किया। उनमें से दो के हाथों में बन्दूकें थीं और अन्य दो के हाथों में बड़ी-बड़ी टार्चें थीं। उनमें से एक ने चारों भांड़ों को ठोकर मारकर फोड़ दिया और बुधनदास के चेहरे पर टॉर्च जलाकर गरजा, "अरे बूढ़े, तुम्हारी बेटी और बहूएँ कहाँ हैं?"

बुधनदास ने गिड़गिड़ाते हुए कहा, "बगल के कमरे में हैं, हुजूर। आप उन्हें बख़्श दें। वे घर की सेवा में लगी रहती हैं। बिलकुल बेगुनाह हैं।"

इस बीच छबीली अपना मन्त्र-गान छोड़कर उस कमरे के दरवाजे के पास बैठ गई थी जिसमें उसकी बेटी और पुत्र-वधुएँ थीं। एक जल-दस्यु ने उसे ठोकर मारते हुए कहा, "अलग बैठ। रास्ता घेरकर क्यों बैठी है?"

छबीली ने दरवाजे से हटते हुए गिड़गिड़ाकर कहा, "इन्हीं तीनों का सहारा है, हुजूर, नहीं तो हम भूखों मर जाएँगे।"

एक दस्यु ने झरोखा और उसकी दोनों भाभियों को कमरे के बाहर ढकेलते हुए छबीली के पास एक झोला गिराया और बोला, "पूरे बारह सौ हैं। बाकी पैसे दो महीनों के बाद मिल जाएँगे; उसी समय तुम्हारी बहुएँ भी आ जाएँगी।"

छबीली ने झोले को अपनी साड़ी के नीचे छिपा लिया और दरवाजे को पूरा खोल दिया।

विक्रमपुर के ब्रह्मदेव

हीराबाई अपने दोमंजिले मकान के ऊपर स्थित राधा-कृष्ण के मन्दिर में देव-मूर्तियों के सामने पूजा की थाल लिए बैठी मौन प्रार्थना कर रही थी। उसके मन में इस समय एक ही इच्छा थी—सन्तान की प्राप्ति। यदि वह कृष्ण और राधा दोनों में से किसी एक की तरह सन्तान पा लेती, तो स्वयं को दुनिया की सबसे सुखी औरत समझती। पुत्र होता तो कुछ अधिक खुशी होती, लेकिन पुत्री पाकर भी वह बहुत खुश होती। जिस दिन से उसने अपने देवर माखनदास की पत्नी चमेली को उसे 'बाँझ' कहते सुना था, उस दिन से उसके कलेजे में शूल गड़ गया था जो चौबीसों घंटे सालता रहता था। पहले उसे अपनी सुन्दरता पर, थुल-थुल लेकिन सुडौल देह पर, अपने रंग पर जो हलके पीले संगमरमर का था, अपनी जंघाओं पर जो केले के थम्ब की तरह थीं, अपने उरोजों पर जो अमृत से भरे कलश जैसे थे, अपनी आँखों पर जो प्रातःकालीन आकाश की तरह थीं, गर्व था; और उसे लगता था कि वह बहुत सुखी है और उसे किसी चीज की जरूरत नहीं है। उसकी जिन्दगी ने एक निश्चित गति पकड़ ली थी और उसे ऐसा प्रतीत होता था कि इस गति से चलती हुई वह अर्थ, धर्म, काम और मोक्ष सबको प्राप्त कर लेगी। शादी के पाँच वर्ष बाद, जब उसे ऐसा लगने लगा था कि वह निस्सन्तान ही रह जाएगी, उसने अपने पति गोपालदास बिजलानी से जो रोहितपुर की आभूषणों की प्रसिद्ध दुकान 'स्वार्णालय' का मालिक था, परिवार के मकान की छत के एक कोने में राधा कृष्ण का एक छोटा-सा मन्दिर बनवाया था, काशीधाम से राधा और कृष्ण की संगमरमर की मूर्तियाँ मँगाकर शुभ मुहूर्त में उनकी स्थापना कराई थी और प्रतिदिन दो घंटे उनकी पूजा में लगाने लगी थी। वह मूर्तियों के सामने ध्यान में बैठी हुई पत्नीत्व और मातृत्व दोनों के भावों की अनुभूति से आह्लादित रहती थी।

यद्यपि घर में हीराबाई और उसकी देवरानी चमेलीबाई के परिवारों का खाना साथ बनता था, लेकिन मकान में दोनों परिवारों के कमरे बँटे हुए थे और हीराबाई

की एक अलग दाई थी जो उसकी सेवा में लगी रहती थी। दस वर्ष पहले जब उसकी शादी हुई थी, वह बीस वर्ष की थी और उसके पति ने उसकी सेवा के लिए जो दाई रखी थी, वह मध्यवय की थी। उसे उसने किसी कारणवश छह महीने के बाद छुट्टी दे दी थी और उसकी जगह पन्द्रह वर्ष की एक अविवाहित लड़की को रख लिया था। उसकी सेवा से वह इतना प्रभावित हुई थी कि उसने उसे पाँच वर्षों तक, जब तक उसकी शादी नहीं हुई, अपनी सेवा में रखा। उसके बाद उसने एक अन्य लड़की को, जो पाँच वर्ष पहले पन्द्रह वर्ष की थी, अपनी सेवा में रख लिया। वह नई दाई की सेवा से सन्तुष्ट थी और उसे तब तक अपने साथ रखने का मन बना लिया था जब तक उसकी शादी नहीं हो जाती। गोपालदास दिनभर दुकान में रहता और दाई घर में हीराबाई की सेवा में लगी रहती। इससे उसके मानसिक और शारीरिक कष्ट आधे हो जाते। यद्यपि गोपालदास दिनभर दुकान में व्यस्त रहने के कारण रात में जल्दी ही सो जाता और हीराबाई देर तक जगी रहती, उसने स्थिति से समझौता कर लिया था। वह जानती थी कि हर व्यक्ति को हर वस्तु नहीं मिलती, अतएव ईश्वर ने जो देने की कृपा की है, उससे सन्तोष करना चाहिए।

हीराबाई को निस्सन्तान होना बहुत खलता था और जब दाई उसके सुन्दर और सुडौल अंगों की प्रशंसा करती तो उसका मन एक विचित्र किस्म की उदासी से भर जाता। उस समय उसे ऐसा लगता कि उसकी सारी उपलब्धियाँ महत्त्वहीन हैं और उनकी जगह पर उसे एक सन्तान होती तो वह अधिक सुखी होती। रात में जब गोपालदास उसकी बगल में लेटा खर्राटे ले रहा होता, वह अपने अंगों को, एक प्रेमी के अन्दाज से, बारी-बारी से स्पर्श करती और उसके गले से एक गहरा निःश्वास निकलता। उस समय उसे अपनी देवरानी चमेली बाई से गहरी ईर्ष्या होती जो बूढ़ी बन्दरी की तरह थी, लेकिन जिसने तीन बच्चे पैदा किए थे—दो लड़कियाँ, बेला और कनेला और एक लड़का—मथुरादास। यद्यपि हीराबाई को अपने देवर माखनदास, देवरानी चमेलीबाई या उनके बच्चों से व्यक्तिगत रूप से कोई शिकायत नहीं थी, क्योंकि उसके प्रति उनका व्यवहार आदर का था और वे उसके सामने कभी ऐसी कोई बात नहीं करते थे जिससे उसे तकलीफ पहुँचे, लेकिन चमेलीबाई के सौभाग्य से उसे ईर्ष्या अवश्य होती थी। लेकिन वह अपने मन को मना लेती थी, क्योंकि उसके कलेजे का घाव ढका रहता था।

लेकिन एक दिन उसके कलेजे का घाव इस तरह कुरेद दिया गया कि वह छटपटा उठी और पीड़ा से मुक्ति पाने की इच्छा असाधारण रूप से बलवती हो उठी। उस दिन उसकी दाई छुट्टी पर थी और दोपहर को, जब वह देह दबवाती थी, अपनी देवरानी की दाई को बुलाने के लिए निचले तल्ले पर गई जहाँ

चमेलीबाई अपने परिवार के साथ रहती थी। चमेलीबाई के तीनों बच्चे स्कूल गए थे और वह स्वयं भी कहीं दिखाई नहीं पड़ रही थी। हीराबाई उस कमरे के पास गई जिसमें चमेलीबाई और माखनदास सोते थे। किवाड़ उठगाये हुए थे और भीतर से चमेलीबाई के हँसने की आवाज आ रही थी। हीराबाई के कदम दरवाजे के बाहर ही रुक गए। चमेलीबाई से हँसते हुए ही कहा, "छोड़ो! छोड़ो! आज मैंने दवा नहीं खाई है। हमें अब बच्चों की जरूरत नहीं। मैं उस चुड़ैल की तरह बाँझ थोड़े हूँ! न जाने कितने घाटों का पानी पी चुकी, लेकिन एक चूहा भी पैदा नहीं हुआ।"

हीराबाई के कलेजे में ऐसी पीड़ा हुई कि उसे लगा कि वह मूर्च्छित होकर गिर जाएगी। लेकिन उसने अपने-आपको सँभाला और अस्थिर कदमों से अपने कमरे में लौट आई।

शाम को जब गोपालदास दुकान से घर लौटा तो वह बहुत खुश था। उसने पत्नी से कहा, "आज का दिन खूब अच्छा रहा, हीराबाई। एक लाख से ऊपर की बिक्री हुई। पचीस हजार का शुद्ध लाभ समझो। शादी का मौसम आ गया है न!"

हीराबाई ने मुँह फुलाकर कहा, "पचीस हजार हो या पचीस लाख हो, हमें क्या फायदा? जिसे बाल-बच्चे हैं, वह भोगेगा।"

गोपालदास समझ गया कि उसकी पत्नी अपनी स्वाभाविक मनोदशा में नहीं है। इससे उसे भी जिन्दगी की सबसे बड़ी कमी का एहसास हुआ और उसने उदास आवाज में कहा, "बाई, लगता है कि बाल-बच्चे हमारी तकदीर में ही नहीं। हमने सन्तान के लिए क्या नहीं किया? डॉक्टर गीता मिश्र से बारे-बार जाँच कराई, कुसुमपुर के आधे दर्जन डॉक्टरों को दिखाया, न जाने कितने देवी-देवताओं के मन्दिर छान मारे। घर में ही राधा-कृष्ण का मन्दिर बनवाया और वर्षों से उनकी पूजा कर रहे हैं। लेकिन भाग्य के लेख को कैसे बदला जा सकता है?"

हीराबाई पति की शान्त प्रकृति से बहुत प्रभावित थी और उसका शायद ही कभी विरोध करती थी। लेकिन इस समय उसका मन कटुता की आग से तप रहा था और गोपालदास की बातें ज्वालाओं को स्पर्श करने के पहले ही भाप बनकर उड़ गई।

उसने कहा, "भलेमानस, अभी न तुम बूढ़े हुए हो और न मैं बूढ़ी हुई हूँ। मेरी समझ में नहीं आता कि हम हार क्यों मान लें? इस घर में जब बन्दरियों के बच्चे हैं, तो हमारे क्यों नहीं होंगे?",

गोपालदास ने कहा, "बाई, हमने कोशिश कहाँ छोड़ी है? तकदीर में होगा तो बच्चे जरूर होंगे।"

हीराबाई ने तुनककर कहा, "फिर वही पुरानी बात! अपनी तरफ से कोशिश नहीं करेंगे तो क्या तकदीर खुद ही बच्चे लाकर झोली में डाल देगी? यदि ऐसा हो तो तुम दिन भर दुकान में क्यों बैठे रहते हो? चाय पी लो और चलो डॉक्टर शीला शर्मा के यहाँ। मैं जब पिछली बार उससे मिली थी तो उसने विक्रमपुर के ब्रह्मदेव की बात कही थी जिनके दरबार में जाने से बहुतों की गोद भरी है। तुम साथ नहीं थे, इस कारण मैंने ज्यादा पूछताछ नहीं की। आज तुम मेरे साथ चलो। देखें, क्या कहती है। अगर वह सलाह देगी तो विक्रमपुर के ब्रह्मदेव के दरबार में एक बार चलेंगे।"

गोपालदास ने भी विक्रमपुर के ब्रह्मदेव के दरबार में होनेवाले चमत्कारों की बात सुनी थी, लेकिन वह किसी कारणवश, अपनी पत्नी को उनकी सेवा में ले जाने से कतराता था। उसने कहा, "हीराबाई, तुम भी कैसे-कैसे देवता के फेर में पड़ी रहती हो! अपने मकान में ही राधा-कृष्ण का मन्दिर है और उनकी पूजा तुम हर रोज करती ही हो। वे ही हमारी मनोकामना पूरी करेंगे। क्या विक्रमपुर के घिनहू ब्रह्म राधा-कृष्ण से बड़े हैं कि हम उनकी पूजा करें?"

हीराबाई बोली, "देखो जी, मैं इस बहस में नहीं पड़ना चाहती कि कौन देवता बड़ा है और कौन देवता छोटा है। हमें अपने काम से मतलब है। जो जीते वही सिकन्दर। तुम इसी समय मेरे साथ शीला शर्मा के यहाँ चलो, नहीं तो मैं अकेले जा रही हूँ और जो मन में आएगा, करूँगी। पीछे मत कहना कि वह गलत किया और वह सही किया।"

गोपालदास ने समझ लिया कि पत्नी को ज्यादा समझाने से बात बनने की बजाय बिगड़ेगी। इस कारण उसने बिना देर किये अपनी फियेट गाड़ी निकाली और हीराबाई के साथ शीला शर्मा की क्लिनिक जा पहुँचा।

शीला शर्मा ने अपनी फीस के रुपए लिए और हीराबाई की पीठ, पेट और अन्य अंगों की जाँच कर बोली, "मुझे कहीं कोई गड़बड़ी नहीं लगती। मुझे आश्चर्य है कि आप गर्भधारण क्यों नहीं करतीं। वैसे कभी-कभी प्रेत-बाधा भी इस विकार का कारण बन जाती है। आप एक बार विक्रमपुर के ब्रह्मदेव के दरबार में क्यों नहीं जातीं? मैं रोहितपुर के अस्पताल में आने के पहले दो वर्षों तक विक्रमपुर के अस्पताल में थी। मैं ऐसी दर्जनों औरतों को जानती हूँ, जिन्हें किसी दवा से कोई लाभ नहीं हुआ, लेकिन जिनकी गोद ब्रह्मदेव की कृपा से भर गई।"

हीराबाई ने गोपालदास की तरफ देखा, लेकिन गोपालदास कुछ बोलने के बदले सामने की दीवाल पर ताकने लगा। हीराबाई की भृकुटि तन गई। उसने क्रोध का घूँट पीकर मधुर आवाज में शीला शर्मा से पूछा, "डॉक्टर साहिबा, ब्रह्मदेव के मन्दिर में पुजारी लोग हैं या खुद ही पूजा करनी होगी?"

शीला शर्मा ने जवाब दिया, "पुजारी लोग हैं, लेकिन ओझा लोगों की मदद लेना ठीक होगा।"

हीराबाई विक्रमपुर के ब्रह्मदेव के दरबार के तौर-तरीके से अपरिचित थी। उसने कुछ आशंकित होते हुए पूछा, "ओझा? पूजा में ओझा का क्या काम?"

शीला शर्मा ने सान्त्वनाभरी आवाज में जवाब दिया, "हीराबाई, सभी देवता एक तरह के नहीं होते। अलग-अलग देवताओं तक पहुँचने के लिए अलग-अलग रास्ते हैं। क्या हर अफसर के पास पी.ए. के रास्ते ही पहुँचा जाता है? विक्रमपुर के ब्रह्मदेव को खुश करने के लिए ओझा लोगों का मदद लेना ही अच्छा होता है। मन्दिर के पास हर साल दो बार एक-एक महीना चलनेवाला मेला लगता है, एक बार वसंत पंचमी के समय और दूसरी बार दशहरे के समय। कुछ लोग उसे घिनहू ब्रह्म का मेला भी कहते हैं। उसी समय ओझा लोगों की जमात भी आती हैं। ब्रह्मदेव का आशीर्वाद पाने का सबसे अच्छा समय वही है।" फिर एक क्षण रुककर बोली, "हाँ, याद आया। वसंत पंचम तो आने ही वाला है। घिनहू ब्रह्म का मेला लग गया होगा। हीराबाई, मैं चाहूँगी कि आप कल ही चले जाइए। वहाँ आप घनश्याम ओझा से मिलिएगा जो अपने फन में माहिर है। ब्रह्मदेव की कृपा होगी तो आपकी मनोकामना अवश्य पूरी होगी। अपनी तरफ से कोताही नहीं होनी चाहिए।"

हीराबाई ने गोपालदास की तरफ देखा। गोपालदास अभी भी सामने की दीवाल पर देख रहा था। हीराबाई ने शीला शर्मा से कहा, "ठीक है, डॉक्टर साहिबा, मैं कल ही घिनहू ब्रह्म के दरबार में जाऊँगी। शुभ कार्य जितनी जल्दी हो, उतना ही अच्छा।"

दूसरे दिन गोपालदास अपनी दुकान में नहीं जा सका। उसने एक ड्राइवर किराये पर लिया। यद्यपि रोहितपुर से विक्रमपुर की दूरी चालीस किलोमीटर से अधिक नहीं थी, लेकिन सड़क ऐसी उबड़-खाबड़ थी कि दुर्घटना का डर बना रहता था। ब्रह्मदेव का मन्दिर आम, इमली, जामुन और नीम के एक बड़े बगीचे के बीच में था। गोपालदास ने अपनी गाड़ी को ड्राइवर के संरक्षण में बगीचे के एक कोने में, जहाँ अन्य कारें, ट्रैक्टरें और ट्रकें खड़े थे, छोड़ दिया और हीराबाई के साथ ब्रह्मदेव के मन्दिर की तरफ बढ़ा। वे दो-चार कदम ही बढ़े होंगे कि एक दर्जन लोग उनके पास आ गए और अपने-अपने ओझा की प्रशंसा के पुल बाँधने लगे। गोपालदास को घनश्याम ओझा का नाम याद था। उसने पूछा, "क्या आप लोगों में से कोई घनश्याम ओझा का आदमी है?"

घनी काली मूँछें और कन्धे तक बालवाले एक आदमी ने जिसके ललाट पर तीन इंच के व्यासवाली लाल बिन्दी थी, आगे बढ़कर कहा, "जी हाँ, साहब। मैं घनश्याम ओझा का हेल्पर हूँ। आप मेरे साथ आइए।"

हीराबाई इस स्थान पर पहले नहीं आई थी, इस कारण उसके मन में एक बड़ी उत्सुकता थी। उसने देखा कि हर बड़े पेड़ के नीचे टाट और पुआल की एक झोपड़ी थी, जो सूअर के मनान सी लगती थी। उसमें प्रवेश के लिए और रोशनी और हवा के लिए जो दरवाजा था, वह सूअर के मनान के दरवाजे के आकार का और उतना ही बड़ा था। हर झोपड़ी के आगे एक ओझा, जो बीस-पचीस औरतों से घिरा था, एक औरत को अपने आगे बिठाकर उसकी गतिविधियों को संचालित कर रहा था। वह औरत सिर इस तरह घुमा रही थी कि उसके खुले बाल घूमते हुए काली छतरी बन गए थे। वह अर्द्धविक्षिप्त की तरह कुछ गा रही थी। औरतों का दल उस औरत और ओझा के चारों तरफ वृत्त बनाकर बैठा धीमी आवाज में कुछ गा रहा था और गीत के लय पर तालियाँ बजा रहा था। हीराबाई के रोंगटे खड़े हो गए, लेकिन उसने अपना जी कड़ा किया और गोपालदास के साथ आगे बढ़ी।

घनश्याम ओझा का सहायक उन्हें बगीचे के एक कोने में स्थित एक झोंपड़े के पास ले गया जिसके सामने एक ओझा अर्द्धविक्षिप्त-सी औरत की, जो घूमते हुए खम्भे की तरह देह को घुमाती हुई नाच रही थी, गतिविधियों को संचालित कर रहा था। उनके चारों तरफ तीस से अधिक औरतों का एक वृत्त था जो समवेत स्वर और नीची आवाज में गाए जानेवाले गीत से और एक साथ बजनेवाली तालियों से उन्हें प्रोत्साहित कर रहा था। झोंपड़े के आस-पास एक दर्जन पुरुष मँडरा रहे थे जिनमें से अधिकांश युवा थे। घनश्याम ओझा का सहायक कहीं से लोहे के दो स्टूल ले आया और उनके सामने रखते हुए बोला, "आप लोग पाँच मिनट बैठिए। घनश्याम ओझा एक केस सँभाल रहे हैं। उसके बाद आपका केस देखेंगे।"

घनश्याम ओझा ने मुस्कुराते हुए ऊँची आवाज में कहा, "यह सीरियस केस है, हुजूर। अस्कामिनी है। लेकिन दस मिनट से अधिक नहीं लगेगा। उसके बाद आपकी सेवा में हाजिर हो जाऊँगा।"

घनश्याम ओझा एक लम्बा और तगड़ा, मध्यवय का व्यक्ति था जिसने गहरे लाल रंग का चोगा पहन रखा था, जो जमीन को छूता था। उसकी मूँछें मुँह के दोनों तरफ लटकी हुई, हँसिए की आकार की और गहरी काली थीं—स्पष्टतः उन्हें पूरी सावधानी से रंगा गया था—और उसके ललाट पर तीन इंच के व्यासवाला गहरे लाल रंग का गोल टीका था। उसकी आँखें किंचित् रक्तिम थीं, मानो उसने कोई

नशा खा रखा हो। हीराबाई डर गई, लेकिन उसी क्षण उसे चमेलीबाई के कटुवचन का स्मरण हो आया और उसका भय जलते कोयले के ऊपर गिरे पानी की बूँद की तरह भाप बनकर उड़ गया। उसे मालूम हो गया था कि ब्रह्मदेव की सेवा में जो औरतें आती हैं, उनमें से अधिकांश की एक ही इच्छा रहती है—सन्तान की प्राप्ति। उसने अनुमान कर लिया कि जो औरत प्रेत-ग्रसित व्यक्ति की तरह क्रियाएँ कर रही है, वह सन्तान की प्राप्ति की इच्छा से ही आई है। वह उसकी गतिविधियों को ध्यान से देखने लगी क्योंकि उसे मालूम हो गया कि उसे भी उसी क्रिया को सम्पन्न करना होगा।

घनश्याम ओझा के निर्देशन में जो औरत प्रेत-बाधा से मुक्ति के लिए क्रियाशील थी, वह बीस-बाईस वर्ष की युवती थी जिसने पीली साड़ी और पीला ब्लाउज पहन रखा था और भर माँग सिन्दूर लगाया था। स्पष्टतः वह अपनी व्याधि से मुक्ति के लिए पूरी तरह तैयार होकर आई थी। वह अपने सिर को इस तरह घुमा रही थी कि उसके खुले केश हवा में एक बड़ा वृत्त बनाते हुए लहरा रहे थे और वह सिर की गति से बने लय पर एक किंचित् अस्पष्ट गीत गा रही थी जिसका आशय था :

हे देवता, आपके दरवाजे पर एक धर्मी गुहार करने आया है।
आपके नगर में कसाई ने गाय को काटा है।
आप धर्म के रक्षक हैं, न्याय कीजिए।

कुछ मिनटों के बाद वह सिर के साथ-साथ हाथ भी नचाने लगी और उसके गाने की आवाज अधिक ऊँची होती गई :

मेरे गाँव के दक्षिण में पकड़ का एक पेड़ है,
जिस पर एक डायन रहती है।
वह अपने शार्गिदों के साथ जुआ खेलती रहती है।
उसी ने मुझे पकड़ लिया है और मुझे पागल बना रही है।
नीचे धरती है और ऊपर विष्णु देवता हैं।
मैं जो कह रही हूँ, सत्य कह रही हूँ।

औरत का अंग-संचालन हर क्षण जोर पकड़ता गया। कुछ मिनटों के बाद घनश्याम ओझा ने उसके हाथ पकड़कर उसे खड़ा कर दिया और वह उसके साथ नाचती हुई गाने लगी :

हे घिनहू ब्रह्म, आप इस अबला पर दया कीजिए।
इसके घर के दीवालें मिट्टी की हैं, उन्हें ईंटों की बनवा दीजिए।

इसके घर की छत फूस की है, उसे पक्के की बनवा दीजिए।
इसकी गोद खाली है, उसे एक सुन्दर ललना से भर दीजिए।
इसने अपना धन और धर्म आपके कदमों पर न्योछावर किया है।
इसकी इज्जत बचाइएगा ताकि इसे शैतान परेशान न करे।

घनश्याम ओझा औरत के साथ गाता हुआ उसके विभिन्न अंगों को दबाता था, मानो वह उन पर प्रेत की छाया देख रहा हो और उसे दूर करने की कोशिश कर रहा हो! इस बीच वृत्त बनाकर बैठी औरतें 'जय! जय!' करती रहीं, मानो असत्य पर सत्य की विजय में उन्हें कोई सन्देह नहीं रह गया हो! जय-जयकार के बीच झोंपड़े के पास खड़े चार पुरुष उसके अन्दर चले गए। औरत के साथ नाचते हुए घनश्याम ओझा उसे झोंपड़े के दरवाजे के समीप ले गया और उसे हलका धक्का देकर अन्दर कर दिया। दरवाजे पर अन्दर से टाट का पर्दा लग गया।

घनश्याम ओझा गोपालदास और हीराबाई के पास आया और बोला, "चलिए हुजूर, पहले ब्रह्मदेव के मन्दिर में प्रसाद चढ़ा दें। उसके बाद झाड़-फूँक होगा। झोंपड़ा घंटे भर में खाली हो जाएगा। घिनहू ब्रह्म बहुत पावरफुल देवता हैं। यहाँ हर किसी की मनोंकामना पूरी होती है।"

गोपालदास ने हीराबाई की तरफ देखा। हीराबाई का गला सूख रहा था और लहू गर्म होकर धमनियों में सौगुनी तेज गति से दौड़ रहा था। उसकी इच्छा हुई कि वह अविलम्ब हवन कुंड की ज्वालाओं में समाकर अपने अन्दर की जलन को शान्त करे, लेकिन उसके मन की बात किसी ने छीन ली और वह बोली, "ओझाजी, हम कल आएँगे। इस समय हम पूजा के लिए तैयार नहीं हैं।"

वह उठ खड़ी हुई और वे तुरन्त लौट पड़े। गाड़ी में वह मौन बैठी हुई थी और जब गोपालदास ने बातें करने की कोशिश की तब भी वह मौन रही। गोपालदास ने देखा कि वह किसी दूसरी दुनिया में है, उसका चेहरा इस तरह रक्तिम और भारी हो गया था जैसा शराब के नशे में होता है और उसकी देह रह-रहकर काँप उठती थी। गोपालदास ने उसे छेड़ना उचित नहीं समझा, क्योंकि वह जानता था कि इस मनोदशा में वह कोई ऐसी बात कह सकती है जिससे उसे पीछे पछताना पड़े। उसे इस बात का भी डर था कि अधिक पूछताछ करने पर वह कोई ऐसा निर्णय ले सकती है, जिससे उसे पीछे पछताना पड़े। वह चाहता था कि ब्रह्मदेव के दरबार में दुबारा जाने से बचा जाए, लेकिन वह इसका निर्णय अपनी पत्नी पर ही छोड़ना चाहता था। उसने भविष्य को भाग्य पर इस विश्वास के साथ छोड़ दिया कि वह आगे भी उसका साथ उसी तरह देगा जिस तरह अब तक दिया था।

लेकिन दूसरे दिन छह बजे ही हीराबाई की नींद खुल गई और उसने गोपालदास को जगाते हुए कहा, "उठो, तैयार हो जाओ। हम लोग विक्रमपुर के ब्रह्मदेव के दरबार में चलें। मैं राधा-कृष्ण की पूजा कर अभी आई।"

गोपालदास ने हिचकिचाते हुए कहा, "क्या राधा-कृष्ण की पूजा के बाद ब्रह्मदेव की पूजा जरूरी है? राधा-कृष्ण का स्थान ब्रह्मदेव से ऊँचा है।"

हीराबाई ने गर्म आवाज में कहा, "देखो जी, मुझे समझाने की कोशिश मत करो। अलग-अलग देवता के अलग-अलग काम हैं, समझे? ऐसा नहीं होता तो तैंतीस करोड़ देवता और चौरासी करोड़ योनियाँ क्यों होतीं?"

गोपालदास चुप हो गया। उसके मन में भी आशा जगी कि शायद हीराबाई का विश्वास सही साबित हो, इस कारण वह विक्रमपुर के ब्रह्मदेव की सेवा में जाने की तैयारी सोत्साह करने लगा।

विक्रमपुर जाने में, ब्रह्मदेव की पूजा-अर्चना में और प्रेत-बाधा से मुक्ति पाकर रोहितपुर लौटने में तीन बज गए। तब तक हीराबाई ने अन्न का एक दाना भी नहीं खाया था। लेकिन उसकी देह में थकान का नाम भी नहीं था। घिनहू ब्रह्म की आराधना एक ऐसा अनुभव था जिसके लिए उसका रोम-रोम एक युग से क्षुधित था और इस दीर्घकाल के बाद पहली बार उसे पूर्ण तृप्ति और सन्तोष का अनुभव हो रहा था।

घिनहू ब्रह्म की आराधना सम्पन्न होने के तुरन्त बाद हीराबाई को विश्वास हो गया था कि देवता ने उसकी प्रार्थना सुन ली है और उसकी मनोकामना अवश्य पूरी होगी। लेकिन उसके बाद भी उसने अपने मकान के तिमंजिले पर बने राधा-कृष्ण के मन्दिर में पूजा में कोताही नहीं की। वह पूजा के बाद आधे घंटे तक मूर्तियों के सामने बैठी रहती और प्रार्थना में डूबी रहती। लेकिन अब उसकी प्रार्थना सन्तान-प्राप्ति के लिए नहीं—इस संबंध में वह आश्वस्त थी—बल्कि कृष्ण या राधा की तरह की सुन्दर सन्तान पाने के लिए थी।

प्रार्थना में तल्लीन उसका मन किसी अज्ञात प्रेरणा से विक्रमपुर के ब्रह्मदेव की आराधना में बिताए गए घंटे भर के अनुभव की तरफ चला जाता जिसे उसने घनश्याम ओझा के झोंपड़े में बिताया था। वहाँ जो कुछ हुआ, उसके लिए वह तैयार थी। लेकिन उसे आशंका थी कि उसे शारीरिक कष्ट होगा, शायद वह उस पीड़ा को झेलने में असमर्थ हो और मूर्च्छित हो जाए। लेकिन उसका भय निर्मूल साबित हुआ। घंटे भर तक गर्म जल के झरने में स्नान करने के बाद जब वह झोंपड़े के बाहर निकली तो उसे लगा कि उसकी वर्षों की थकान मिट गई है और उसका अणु-अणु एक ऐसी शक्ति से भर गया है कि वह आसमान की ऊँचाइयों को एक छलाँग में छू सकती है। वह मिठास के ऐसे सागर में घंटों गोते लगाती

रही, जिसमें आनंद के सिवा कुछ नहीं था। निराशा और कटुता जो उसके अस्तित्व का एक अंग बन गई थी, दिन के अँधेरे की तरह तिरोहित हो गई।

घर पर उसे कोई काम नहीं था, इस कारण वह अपना अधिक समय अपने कमरे में ही पत्र-पत्रिकाओं को उलटने-पलटने में बिताती थी, जिनमें से अधिक धार्मिक चर्चाओंवाली थीं। जब उसकी आँखें उनके पृष्ठों पर गड़ी होतीं, उस समय भी उसका मन घनश्याम ओझा के झोंपड़े में चला जाता और उसकी रगों में लहू का प्रवाह तेज हो जाता। उस अनुभव से गुजरने की इच्छा इतनी प्रबल हो जाती कि उसका मुँह सूखने लगता और उसकी आँखों के आगे कुहासे की ऐसी मोटी दीवाल खिंच जाती कि उसके उस पार कुछ भी दिखाई नहीं पड़ता। उस समय वे दृश्य उसके मानस-चक्षुओं के सामने आ जाते जिन्हें उसने झोंपड़े के घुप्प अँधेरे में आँखों से नहीं, बल्कि अणु-अणु के अनुभव से देखा था। अँधेरे में अनुभव किए गए दृश्य अगणित विभिन्नताओं के साथ अगणित रंगों में उपस्थित होते और वह अपने रोम-रोम में एक ऐसी स्फूर्ति और पूर्णता का अनुभव करती जिसकी उसने पहले कल्पना भी नहीं की थी।

कभी-कभी उसके मन में उचित-अनुचित का विचार उठता, लेकिन वह तेज हवा में उड़ते रूई के फाहे की तरह क्षणभर में कहीं दूर चला जाता। उसके मानस-चक्षुओं के सामने किसी अज्ञात कारण से कृष्ण और राधा के चेहरे उपस्थित होते और तब उसके मन में एक निर्णय उभरता—इस बार यदि उसकी कोख में कृष्ण होंगे तो राधा के लिए और यदि राधा होंगी तो कृष्ण के लिए एक बार फिर विक्रमपुर के ब्रह्मदेव की आराधना के लिए घनश्याम ओझा के झोंपड़े में जाएगी।

ब्रह्मानन्द

जब कृष्णमोहन शर्मा की हृदयगति रुक जाने से अचानक मृत्यु हो गई, तो उनकी पत्नी रमा देवी और उनकी पुत्री श्यामा, जो उनकी इकलौती सन्तान थी, की जिन्दगी पर मानो वज्रपात हो गया। कृष्णमोहन शर्मा कुसुमपुर के हाईकोर्ट के सबसे सफल वकीलों में से एक थे और जब वे मरे तो उनकी उम्र मुश्किल से पैंतालीस वर्ष की थी। उनकी पत्नी रमा देवी ने जीवन के बयालीसवें वर्ष में प्रवेश किया था और पुत्री श्यामा ने बीस वर्ष भी पूरे नहीं किए थे। उन्होंने नेहरू नगर मुहल्ले में, जो शहर के सबसे अधिक सम्भ्रान्त लोगों के मुहल्ले में से एक था, दोमंजिला मकान बनवा लिया था, जहाँ वे इज्जत और शान की जिन्दगी व्यतीत करते थे। अपनी गाड़ी थी, शोफर था, एक नौकर था, दो दाइयाँ थीं, बैंकों में कई लाख रुपए थे और समाज में मान-मर्यादा थी। रमा देवी की जिन्दगी में वह सबकुछ था जिसकी कामना उसकी स्थिति की कोई औरत कर सकती थी। पुत्र का अभाव उसे अवश्य खटकता था, लेकिन उसने पुत्र से सम्बन्धित सारी महत्त्वाकांक्षाएँ पुत्री श्यामा पर केन्द्रीभूत कर ली थीं और उसे एक ऊँचा सरकारी अफसर बनाने का निश्चय कर लिया था। उसने उसका दाखिला शहर के सबसे नामी महिला कॉलेज में कराया था, जहाँ फीस बहुत ऊँची थी और जहाँ सम्पन्न परिवारों की लड़कियों का ही, प्रवेशिका परीक्षा में उत्तीर्ण होने के बाद, दाखिला होता था।

कृष्णमोहन शर्मा की मृत्यु के बाद रमा देवी को ऐसा प्रतीत हुआ कि उसकी दुनिया में आग लग गई और उसे खाक होने से कोई नहीं बचा सकता। उसकी इच्छा हुई कि वह इस आग में स्वयं भी जल मरे, ताकि उसे सारी चिन्ताओं से मुक्ति मिल जाए और उस जहालत का सामना नहीं करना पड़े जिससे बचना उसके लिए कठिन था! लेकिन उसे अपनी पुत्री श्यामा के भविष्य का खयाल आया जो एक अत्यन्त सुन्दर और तेज-तर्रार युवती थी और उसके मन का सन्तुलन लौट आया। नहीं, वह ऐसा कोई काम नहीं करेगी जिससे श्यामा का

नुकसान हो। वह अपने सारे सुखों का बलिदान कर देगी, अपनी हर इच्छा को कुचल देगी और सिर्फ अपनी बेटी के लिए जिएगी। वह उसे ऊँची से ऊँची शिक्षा देगी और उसकी शादी किसी ऊँचे खानदान में, सुन्दर और सुशील लड़के से करेगी। वह उसके बच्चों के लिए एक स्नेहमयी, त्यागमयी नानी बनेगी। अब तक समाज ने उसे सुख और भोग के पीछे दौड़नेवाली औरत के रूप में देखा है; अब लोग उसे ममता और त्याग की जीवित प्रतिमा के रूप में रखेंगे।

रमा देवी मध्यम कद और मजबूत हाड़-काठी की स्वस्थ और रूपवती महिला थी जिसे घर में हर सुख-सुविधा उपलब्ध थी और जिसके मस्तिष्क में सुख-सुविधा के परित्याग की बात कभी नहीं आई थी। लेकिन वह दृढ़ निश्चय की महिला थी और सोच-समझकर कोई रास्ता चुन लेने के बाद उसे जल्दी नहीं छोड़ती थी। लेकिन उसने अपने शरीर के आभूषण उतार दिए, कीमती साड़ियों को सन्दूक में रख दिया, दाइयों को हटा दिया और सिर्फ एक नौकर को रखा। वह सूर्योदय के पहले ही जग जाती, स्नान-पूजा करके बेटी के नाश्ते और खाने का प्रबन्ध करती और इस बात पर पूरा ध्यान देती कि उसे कोई असुविधा नहीं हो और उसकी पढ़ाई में किसी तरह का विघ्न नहीं पहुँचे। घर के कामों में बचा समय वह धर्म-पुस्तकों के पाठ में बिताने लगी। पति की मृत्यु के दो महीने बाद उसने उनके द्वारा छोड़ी गई सम्पत्ति का हिसाब किया; बैंकों में इतने पैसे थे कि बेटी की शादी पर खर्च करने के बाद भी वह अभावरहित जिन्दगी बिता सकती थी। उसके गले से राहत की साँस निकली और उसे उसके चेहरे पर हलकी मुस्कान उभर आई। न जाने क्यों उसे इच्छा हुई कि वह अपने आपको विधवा के नए वेश में आइने में देखे। उसने शयनकक्ष के आदमकद आइने को, जिस पर पति की मृत्यु के बाद उसने पर्दा डाल रखा था, झाड़ा-पोंछा और उसके सामने खड़ी हो गई। उसने देखा कि सफेद साड़ी में उसका रूप अधिक निखर आया है और उसका सुडौल शरीर अधिक लुभावना लग रहा है। उसकी आँखों में एक नई चमक आ गई, उसके गोरे चेहरे का रंग हलका गुलाबी हो गया। उसकी छाती में एक कसक उठी जिसका स्वाद उसकी प्रिय शराब की तरह था। यह शराब उसे उस क्लब में मिलती थी जहाँ वह अपने पति के साथ कभी-कभी जाती थी। उससे उसकी छाती में आग लग जाती थी, लेकिन यह आग उसे ऐसे लोक में उठा ले जाती थी जहाँ यथार्थ और कल्पना मिलकर एक हो जाते थे।

रमा देवी ने अपने मन की उड़ान पर नियन्त्रण करने का निश्चय किया। घर में बैठे-बैठे, धर्म पुस्तकों के अध्ययन के समय भी उसका मन ऐसे स्थानों में विचरण करने लगता था जो उसकी वर्तमान स्थिति में उसके लिए वर्जित थे। इससे बचने का सर्वोत्तम उपाय सत्संग था। क्या धर्म-पुस्तक यह नहीं कहती कि

गुरु ब्रह्म की तरह महान है? भौतिक लिप्सा और मोह से विरक्ति का और पूर्ण ब्रह्म की प्राप्ति का मार्ग गुरु ही जानता है; इस कारण धर्म-पुस्तकों के परायण से अधिक आवश्यक गुरु की तलाश है।

रमा देवी की कल्पना में गुरु की कोई स्पष्ट तसवीर नहीं थी, लेकिन जो अस्पष्ट तसवीर उभरती थी, वह एक आभामय व्यक्ति की थी, जो असामान्य रूप, रंग और व्यक्तित्व का धनी था। उसकी आँखों में विद्युत का प्रकाश था और वाणी में मेघ-गर्जन की शक्ति थी। वह ऐसे गुरु के चरणों में आत्मसमर्पण कर आत्म-विस्मरण के सागर में निमग्न हो जाना चाहती थी। उसे कभी-कभी अपना अस्तित्व एक बोझ की तरह लगता जिसे समाप्त करने के बाद ही शान्ति मिल सकती थी। धीरे-धीरे उसके मन में श्यामा के भविष्य की चिन्ता वसन्त के आकाश में दौड़ते मेघ-खण्डों की तरह हो गई।

अब सुयोग्य गुरु की तलाश रमा देवी के जीवन का सर्वाधिक महत्त्वपूर्ण उद्देश्य बन गया। वह मन्दिरों में जाती और देवी-देवताओं की पूजा-अर्चना में बहुत समय इस उद्देश्य से लगाती कि उसके अशान्त मन को शान्ति मिलेगी और सम्भव था कि वहाँ सुयोग्य गुरु भी मिल जाए। लेकिन उसे मन्दिरों में न तो शान्ति मिली और न गुरु ही मिला। तब उसने वैसे साधु-सन्तों की सभाओं में जाना शुरू किया जो धार्मिक प्रवचन करने के लिए देश के विभिन्न हिस्सों से कुसुमपुर में आते थे। वह इन प्रवचनों को ध्यान से सुनती और उन्हें हृदयंगम करने की कोशिश करती, लेकिन उसके पल्ले कुछ भी नहीं पड़ता। उसे प्रवचनों से असन्तोष नहीं था, उसे उन गुरुओं से असन्तोष था; उनके व्यक्तित्व में वह शक्ति नहीं थी जो उसके पूरे अस्तित्व को झकझोर देती और आनन्द के उस सागर में निमग्न कर देती जहाँ अमरत्व था। उसने धार्मिक प्रवचनों में अक्सर ब्रह्मानंद की बात सुनी और उसे विश्वास हो गया कि उसे इसकी प्राप्ति होगी, लेकिन यह तब सम्भव था जब उसके लिए सुयोग्य गुरु मिल जाता। इन्हीं प्रवचनों में से एक में उसका परिचय महिमा देवी से हुआ जो उसी की तरह एक सम्पन्न महिला थी और जो चार वर्ष पहले पचास वर्ष की उम्र में, विधवा होने के बाद धार्मिक प्रवृत्ति की हो गई थी और जो अनेक गुरुओं के सम्पर्क में आ चुकी थी। महिमा देवी ने उसे अयोध्या में महात्मा देवनाम दास से दीक्षा लेने का परामर्श किया।

महात्मा देवनाम दास अयोध्या के रामजनकी आश्रम का महन्थ था। पाँच वर्ष पहले आश्रम के पहले महन्थ महादेव नामदास की रहस्यमय परिस्थितियों में मृत्यु के बाद, देवनाम दास महन्थ बना था और तब से महिलाओं में इसकी लोकप्रियता

दिन दूनी रात चौगुनी बढ़ी थी। दूर-दूर के शहरों से पचीस से पचास वर्ष की, सम्पन्न घरों की विधवाएँ या परित्यक्ताएँ देवनाम दास के आश्रम में उसी तरह आकृष्ट होती थीं जिस तरह फूलों पर मधुमक्खियाँ और एक बार आने पर वे बार-बार आती थीं।

रामजानकी आश्रम दस कट्ठे के एक आयताकार भूखंड में था जो आठ फीट ऊँची चहारदीवारी से घिरा था। यह एक छात्रावासनुमा दोमंजिला मकान था जिसमें एक दर्जन कमरे थे–आधे पहले तल्ले पर और शेष दूसरे तल्ले पर। पहले तल्ले के कमरे ऐसी वृद्धा महिलाओं के लिए थे जो वहाँ स्थायी रूप से रहती थीं और जिनके खर्च के लिए कुछ पैसे उनके परिवारवाले भेजते थे और शेष पैसे वे मन्दिरों में या घाटों पर भीख माँगकर लाती थीं। ये औरतें सुदूर-स्थित शहरों की थीं–अयोध्या से एक सौ मील की दूरी से कम के किसी स्थान से आई विधवाओं के लिए रामजानकी आश्रम के दरवाजे स्थायी रूप से बन्द थे–और आश्रम में स्थान पाने के लिए न सिर्फ विश्वसनीय पहचान देनी पड़ती थी, बल्कि एक निश्चित रकम शुल्क के रूप में भी चुकानी पड़ती थी। दूसरे तल के चार कमरे ऐसी विधवाओं के लिए थे जिनकी उम्र पचास वर्ष से कम थी और जो हफ्ते-दो हफ्ते के लिए सिर्फ गुरु के सान्निध्य के लिए आती थीं। देवनाम दास स्वयं ऊपर के दो कमरों में रहता था और वहाँ पर ही इच्छुक विधवाओं को ज्ञान का प्रकाश दिखलाता था। प्रधान भवन के पार्श्व में चार छोटे-छोटे कमरे थे जिनमें आश्रम के सेवक, सहायक और देवनाम दास के दो शिष्य रहते थे। ये सभी रामजानकी आश्रम के स्वामी-भक्त सिपाही भी थे जो बाहर के आक्रमण और भीतर की अशान्ति से उसकी रक्षा करते थे।

महात्मा देवनाम दास चालीस वर्ष का एक तगड़ा व्यक्ति था जिसकी आँखें उस्तरे की धार की तरह थीं। वह मूँछ और दाढ़ी को सफाचट रखता था, लेकिन औरतों की तरह लम्बे बाल रखता और कन्धे से दो इंच ऊपर छँटवाता था। वह ललाट पर लाल और सफेद चन्दन लगाता था जिससे उसकी आँखों का रंग भूरा हो जाता था। वह अलग-अलग लोगों से अलग-अलग आवाजों में बातें करता था और हर आवाज में सात सुरों के अलग-अलग मेल होते थे। इस कारण उसकी बातों का प्रभाव चमत्कारी होता था। उसके व्यक्तित्व में ऐसी महिलाओं के लिए विशेष आकर्षण था जो रामजानकी आश्रम में ज्ञान के प्रकाश के लिए हफ्ते-दो हफ्ते के लिए आती थीं। ये महिलाएँ उसकी मोहिनी शक्ति से इस तरह अभिभूत हो जातीं कि वे हर दो-तीन महीनों पर कुछ दिनों के लिए आश्रम में आतीं और गुरु के साहचर्य से ज्ञान के प्रकाश का लाभ उठातीं।

रमा देवी के पति की मृत्यु के छह महीने बीत चुके थे और वह सद्गुरु के

अभाव में भयंकर शारीरिक और मानसिक तनाव से गुजर रही थी। महिमा देवी ने देवनाम दास से उसका परिचय कराया और उसे दो घंटे तक गुरु के कमरे में छोड़ दिया। रमा देवी जब कमरे से बाहर निकली तो उसका शारीरिक और मानसिक तनाव समाप्त हो गया था और उसका अन्तर मानसरोवर की तरह स्वच्छ और शीतल हो गया था।

देवनाम दास से सम्पर्क के बाद रमा देवी की जिन्दगी में एक ऐसा रंग आ गया जो वहाँ पहले कभी नहीं था। इस रंग में सारी दुनिया रंगीन लगने लगी और हर वस्तु अधिक सुन्दर और आकर्षक हो गई। रामजानकी आश्रम से घर लौटने के बाद उसे रातों में, पहले की तरह ही, देर तक नींद नहीं आती थी, लेकिन यह मन में उठती हुई आनन्द की लहरों के कारण था, मरुभूमि की तपिश के कारण नहीं था। मकान की बगल की सड़क पर होनेवाला शोरगुल उसकी मानसिक उद्विग्नता के लिए शान्ति का मलहम था और खिड़की से दिखाई पड़नेवाले तारों की आँख मिचौनी नए जीवन की खुशियों के लिए बधाई थी। उसका मन रामजानकी आश्रम में लगा रहता और गुरु के साथ बिताए गए क्षणों की मधुर स्मृतियों में डूबा रहता। उसकी आँखों में मुस्कुराहट से भरी कोमलता और उसकी देह में नवयौवना की स्फूर्ति आ गई थी।

महिमा देवी से उसे ज्ञात हो गया था कि देवनाम दास के पास ज्ञान के प्रकाश के लिए बहुत-सी महिलाएँ आया करती हैं और एक बार जो महिला उस प्रकाश के दर्शन कर लेती है, उसकी ज्ञान-पिपासा इतनी बढ़ जाती है कि वह बार-बार आती है। इस खयाल से रमा देवी के मन में द्वेष की आग सुलगने लगी थी, जिससे उसकी आनन्द का वृक्ष झुलसने लगा था। वह कभी-कभी उन औरतों की कल्पना करती जो देवनाम दास के पास जाती थी; और चूँकि उनमें से किसी का चेहरा ही उसकी आँखों के सामने बार-बार उपस्थित होता। देवनाम दास से ज्ञानार्जन करनेवाली सारी औरतें उसके लिए महिमा देवी में सिमट गई थीं और द्वेष का सारा जहर उसी की तरफ निर्देशित था।

रमा देवी ने देवनाम दास के लक्ष्मी के प्रति आकर्षण का लक्ष्य किया और उसने तय किया कि प्रेम के पौधे को सुवर्ण के अमृत से सिंचित करेगी। पति ने बहुत पैसे छोड़े थे और वह उनकी रक्षा, भविष्य को ध्यान में रखकर, पूरी तन्मयता से करती थी। इसका एक कारण पुत्री श्यामा की चिन्ता थी। लेकिन देवनाम दास से परिचय के बाद पुत्री के भविष्य की चिन्ता एकाएक लुप्त हो गई, देवनाम दास के सान्निध्य से उत्पन्न नशे के ज्वार में वर्तमान और भविष्य की

सारी योजनाएँ, उचित और अनुचित के सारे विचार बह गए। देवनाम दास को हर सम्भव उपाय से प्रसन्न कर उसके प्यार को पाने का निश्चय उसके अस्तित्व का एकमात्र उद्देश्य बन गया।

वह रामजानकी आश्रम में पहली बार महिमा देवी के साथ गई थी, लेकिन जब तीन महीने के बाद दूसरी बार गई तो अकेले गई। वह अपने साथ दो तोले की सोने की चेन लेती गई थी और जब देवनाम दास के कमरे में गई तो अपने हाथों उसे उसके गले में डाल दिया। देवनाम दास बहुत प्रसन्न हुआ और यद्यपि आश्रम के ऊपरी तले पर अन्य तीन महिलाएँ भी ठहरी हुई थीं; उसने अपना अधिक समय रमा देवी को ही ज्ञानदान करने में लगाया। इससे रमा देवी प्रसन्न अवश्य हुई लेकिन ईर्ष्या के वृक्ष का बढ़ना नहीं रुका।

रमा देवी ने सोचा—'रामजानकी आश्रम में महात्मा देवनाम दास अनेक औरतों से घिरे रहते हैं। इस कारण वे मेरे ऊपर पूरा ध्यान नहीं दे पाते। इसमें उनका दोष नहीं, सारा दोष इन रंडियों का है जो उन्हें चौबीसों घंटे घेरे रहती हैं। बेचारे करें तो क्या करें? चाहते हुए भी मेरे ऊपर पूरा ध्यान नहीं दे पाते। एक उपाय है। यदि मैं इन्हें दस-बीस दिनों के लिए कुसुमपुर में निमन्त्रित करूँ तो ये मेरे ऊपर पूरा ध्यान केन्द्रित कर सकेंगे। लेकिन ये मेरा निमन्त्रण स्वीकार करेंगे तब न?'

उसने डरते-डरते देवनाम दास से प्रार्थना की कि वे एक-दो सप्ताह के लिए कुसुमपुर में उसका आतिथ्य स्वीकार करें। देवनाम दास ने जिस तत्परता से उसकी प्रार्थना स्वीकार कर ली, उससे उसे विश्वास हो गया कि उसके लिए उसके हृदय में गहरा प्यार है। वह खुशी से झूम उठी।

महात्मा देवनाम दास पन्द्रह दिनों के अन्दर ही कुसुमपुर में रमा देवी के मकान पर पहुँचा। वस्तुतः वह हर दो महीने पर अपनी किसी न किसी शिष्या के मकान पर कुछ दिन बिताता था और उसे ज्ञान-दान कराता था। लेकिन इसकी जानकारी किसी अन्य शिष्या को नहीं हो पाती थी। इस कारण उसकी अधिकांश शिष्याएँ यही समझती थीं कि वह उनके प्रति सबसे अधिक आकृष्ट था। रमा देवी इतना प्रसन्न हुई जैसे उसने जीवन की सबसे बहुमूल्य वस्तु प्राप्त कर ली हो। उसने मकान के दूसरे तले पर स्थित वह कमरा, जिसमें उसके पति के जीवन-काल में उनके विशेष अतिथि ठहरते थे, साफ कराया और उसी में देवनाम दास को ठहराया। उसने मल-मलकर स्नान किया, बालों को सँवारा, सफेद कीमती ब्लाउज और साड़ी पहनी, धीमी सुगन्धवाली इत्र लगाई और देवनाम दास के स्वागत के

लिए तैयार हो गई। फिर स्वयं ही, नौकर की मदद से, उसके लिए नाश्ता-खाना तैयार करने लगी और उसकी अन्य आवश्यकताओं की पूर्ति में लग गई।

इस बीच देवनाम दास ने स्नानादि से निवृत्त होकर नए धुले कपड़े पहने, ललाट पर सुदर्शन चक्र के आकार की टीका लगाई और एक धर्म-पुस्तक को खोलकर पलँग पर बैठ गया। वह रमा देवी के निवास-स्थान से और आतिथ्य से, बहुत प्रभावित था। वह कोई ऐसा तरीका ढूँढ़ रहा था जिससे सम्बन्ध दिनों दिन अधिक प्रगाढ़ होता जाए। वह जानता था कि औरतों के प्रेम में फिसलन होती है और इस फिसलन को दूर करने के लिए विशेष प्रयत्न की जरूरत होती है।

देवनाम दास अपने विचारों में डूबा भविष्य की योजनाएँ बना रहा था, उसी समय श्यामा उसके कमरे के दरवाजे से गुजरी। देवनाम दास को मालूम था कि घर में रमा देवी के अलावा उसकी युवा पुत्री श्यामा भी है, लेकिन उसने कल्पना भी नहीं की थी कि वह इतनी सुन्दर है। वह तत्क्षण उठ खड़ा हुआ और दरवाजे के पास आकर बोला, "देवि, आप रमा देवी की पुत्री हैं न? आपको देखकर चित प्रसन्न हो गया। यह लीजिए, रामजानकी आश्रम का प्रसाद है।"

उसने सोने की एक चेन, जिसके लॉकेट पर राम और सीता की तसवीरें बनी थीं, निकाली और जब श्यामा उसके पास आई तो उसके गले में पहना दिया। श्यामा के चेहरे पर प्रसन्नता की मुस्कुराहट फैल गई; लेकिन वह वहाँ रुकी नहीं, तेज कदमों से आगे बढ़ गई। जब वह सीढ़ियाँ उतर रही थी, तो रमा देवी देवनाम दास के लिए नाश्ता ले जाती हुई मिली। उनकी नजरें मिलीं, लेकिन श्यामा बिना कुछ बोले आगे बढ़ गई। रमा देवी ने एक क्षण रुककर सीढ़ियों के नीचे उतरती अपनी पुत्री को देखा, फिर उसकी नजर उसके गले की सोने की चेन पर पड़ी। रमा देवी की आँखों में खून उतर आया और उसका चेहरा काला पड़ गया।

जब वह ऊपर गई तो देवनाम दास ने पलंग से उठकर नाश्ते की थाल को ले लिया और उसे मेज पर रखता हुआ बोला, "प्यारी रमा, तुम्हारी पुत्री बहुत होनहार है। उसके ललाट की रेखाओं से स्पष्ट है कि उसका भविष्य उज्ज्वल है।"

रमा देवी एक क्षण मौन रही, फिर सपाट आवाज में बोली, "जिसकी तकदीर में जो होता है, वह मिलता ही है।"

देवनाम दास ने आगे कुरेदना उचित नहीं समझा और चुपचाप नाश्ता करने लगा। उसकी चुप्पी के कारण रमा देवी दस मिनटों में ही अशान्त हो गई और उसने पूछा, "गुरुजी, क्या और दही ला दूँ?"

देवनाम दास ने बिना कुछ बोले नाश्ता समाप्त किया, मानो रमा देवी के व्यवहार में कोई ऐसी बात हो जो उसे लग गई हो। इससे रमा देवी के मन का सारा क्षोभ तिरोहित हो गया और उसका स्थान आशंका ने ले लिया। देवनाम दास

से सम्बन्ध एक ऐसी उपलब्धि थी जिसके समक्ष अन्य सारी उपलब्धियाँ गौण थीं और देवनाम दास की उदासीनता की कल्पना भी उसके लिए असह्य थी। लेकिन उस समय देवनाम दास के मन में रमा देवी से सम्बन्ध की कोई बात नहीं थी; उसके मन में एक मुस्कुराती हुई युवती की ऐसी तसवीर थी जिससे वर्तमान ढक गया था और उसका पूरा अस्तित्व एक प्रबल कामना में बदल गया था। रमा देवी उसके आदेश की प्रतीक्षा में खड़ी रही, लेकिन वह कुछ नहीं बोला।

नाश्ते के बाद उसने कमरे के दरवाजे को अन्दर से बन्द कर लिया और रमा देवी के कंधे पर हाथ रख उसे पलँग पर ले जाता हुआ बोला, ''प्यारी रमा, जब से तुम रामजानकी आश्रम से आईं, मैं एक क्षण के लिए भी चैन नहीं पा सका। आओ, कुछ बातें करें।''

इस क्षण के लिए रमा देवी के अन्दर कुछ लावा की तरह तप रहा था। उसने देवनाम दास के गले में हाथ डाल दिया और उससे इस तरह चिपक गई मानो उससे अलग नहीं होने का निश्चय कर लिया हो।

आधा घंटे के बाद जब वे अलग हुए तो देवनाम दास ने उसे पलँग पर अपनी बगल में लिटाते हुए कहा, ''रमा प्यारी, मेरी इच्छा होती है कि मैं तुम्हें इसी तरह बगल में लिटाकर पड़ा रहूँ। लेकिन सिर पर इतना जंजाल है कि दो दिनों से अधिक कहीं नहीं ठहर सकता।''

रमा देवी ने सोचा था कि वह देवनाम दास के साथ कम से कम एक सप्ताह उस आनन्दलोक में बिताएगी जो उसे पारिवारिक और सामाजिक जीवन की कटुताओं और चिन्ताओं से ऊपर उठा देता था। देवनाम दास के सम्पर्क में आने के बाद से वह सुख मिला था, जो उसे दो दशकों के विवाहित जीवन में कभी नहीं मिला था। विवाह के प्रारंभिक दिनांक से ही वह ऐसी कुंठाओं की शिकार थी, जो उसे आनन्द के चरमोत्कर्ष पर पहुँचने से रोक देती थीं। अब वे कुंठाएँ लुप्त हो गई थीं और वह आनन्द के उस लोक में थी जहाँ कटुताओं और चिन्ताओं का अस्तित्व नहीं था। जब देवनाम दास ने सिर्फ दो दिन रुकने की बात कही तो उसका गला सूखने लगा और वह बोली, ''गुरुजी, कम से कम एक सप्ताह रुकिए। आपके बिना मैं कैसे रह पाऊँगी?''

देवनाम दास ने विचारमग्न मुद्रा में कहा, ''प्यारी रमा, हम साधु-सन्तों के पैर में पंख होते हैं। हमारे लिए यही उचित है कि हम एक स्थान पर अधिक दिनों तक न रहें। यदि हम एक जगह पर अधिक समय तक रुक जाएँ तो लोगों के मन में तरह-तरह की बातें उठने लगती हैं।''

रमा देवी के मन में खटका लगा—अवश्य ही देवनाम दास ने उसके मन में उठे प्रतिरोध को भाँप लिया है। उसका मन अपनी पुत्री श्यामा की तरफ अधिक

कठोर हो गया। उसे ऐसा लगा कि उसने एक पुत्री नहीं बल्कि एक नागिन को जन्म दिया है। उसने भविष्य के लिए कल्पना के जो महल बनाए थे, उसमें आग लग गई और वह ज्वालाओं के ऊपर एक राक्षसी की तरह जलती आँखों से उसकी तरफ ताकती हुई खड़ी थी। रमा देवी को लगा कि उस राक्षसी से मुक्ति के बिना उसके जीवन में सुख और शान्ति का होना असम्भव है। उसका मन भय और आशंका से ग्रस्त हो गया और उसकी बेचैनी असाधारण रूप से बढ़ गई।

देवनाम दास ने रमा देवी की प्रार्थना स्वीकार कर ली और उसके यहाँ दस दिनों तक रुकने के लिए तैयार हो गया। इससे रमा देवी को खुशी नहीं हुई; पहले दिन से ही उसे ऐसा लगने लगा कि वह उसके लिए नहीं बल्कि श्यामा के लिए रुका है। लेकिन उसने श्यामा के प्रति अपने व्यवहार में कटुता नहीं आने दी।

दूसरे दिन नाश्ते के बाद वह श्यामा के कमरे में गई, कुछ देर तक इधर-उधर की बातें कीं, फिर कहा, "बेटी, एक मिनट के लिए वह सोने की चेन दिखाना जिसे गुरुजी ने तुम्हें दिया है। क्या उसमें लॉकेट भी है?"

श्यामा ने मुस्कुराकर जवाब दिया, "ममी, तुम भ्रम में हो। महात्मा देवनाम दास मुझे चेन क्यों देंगे? क्या मैं उनकी शिष्या हूँ?"

रमा देवी को कोई जवाब नहीं सूझा, लेकिन श्यामा के शब्दों में निहित व्यंग्य के कारण उसके प्रति कटुता का जहर गहरा गया और स्नेह के पौधे सूख गए। उसने बात को आगे नहीं बढ़ाया क्योंकि वह जानती थी कि इससे अपमान के सिवा कुछ भी हासिल नहीं होगा। उसने श्यामा को न डाँट लगाई और न कोई कड़ी बात की, लेकिन अनजाने ही उसके हृदय में एक भयंकर निश्चय ने जन्म ले लिया।

उसने हँसकर कहा, "हाँ बेटी, मुझे भ्रम ही हुआ। मैं बूढ़ी हुई न, इस कारण आँखों को कभी-कभी धोखा हो जाता है। मैं तुम्हारी शादी किसी बड़े घर में करना चाहती हूँ। इसी कारण कभी-कभी कुछ का कुछ दिखाई पड़ जाता है। बेटी, तुम्हारी पढ़ाई-लिखाई अच्छी तरह चल रही है न?"

श्यामा ने उत्तर दिया, "हाँ, मम्मी। मैं मेहनत करने से बाज कहाँ आती हूँ? लेकिन भविष्य में क्या है, इसे कौन जानता है!"

माँ-बेटी की बातचीत पारस्परिक स्नेह और समझदारी से समाप्त हुई। लेकिन इससे एक दूसरे के प्रति अविश्वास और कटुता की भावना भी बढ़ गई। जब रमादेवी अपने कमरे में होती तो उसके कान श्यामा के कमरे में लगे होते। यदि सीढ़ियों पर कोई आवाज होती तो उसे लगता कि श्यामा ऊपर, देवनाम दास के

कमरे की तरफ जा रही है। यदि वह देवनाम दास के कमरे में होती तो उसे लगता कि श्यामा सीढ़ियों पर खड़ी होकर कमरे में होनेवाली हर आवाज को सुन रही है। हर दिन बीतने के साथ उसे यह भी लगने लगा कि देवनाम दास उसके प्रति अन्यमनस्क होता जा रहा है। उस समय भी जब वह उसकी बाँहों में होती है, उसका ध्यान अन्यत्र रहता है। चार दिन बीतते-बीतते रमा देवी की रातों की नींद गायब हो गई। वह देवनाम दास के कमरे में जाने के लिए छटपटाती, लेकिन उसे ऐसा लगता कि अँधेरे में भी दो आँखें उसे घूर रही हैं और वह अपने बिछावन से उठने का साहस नहीं जुटा पाती। उसका विश्वास था कि अंगों की तरह चमकती वे आँखें श्यामा के सिवा अन्य किसी की नहीं हो सकतीं। उन आँखों में क्रूर बिल्ली की आँखों की धार दीखती थी और उनके पीछे जो काया थी वह किसी राक्षसी की लगती थी, जिसकी भयानक दाढ़ थी, बनैले सूअर की तरह दाँत थे और भालू की तरह पंजेवाले पैर थे। यदि वह दिन में भी देवनाम दास के पास जाती तो उसे ऐसा लगता कि दो जलती आँखों की ज्वाला से उसके सिर के पिछले हिस्से में दो छेद हो जाएँगे और वह तत्क्षण पीछे घूमकर देखती कि वहाँ कौन है। देवनाम दास की गोद में लेटी हुई भी वह श्यामा के भूत से मुक्ति नहीं पाती और वह आनन्द, जो उसने रामजानकी आश्रम में देवनाम दास की बाँहों में प्राप्त किया था, एक मधुर याद बनकर कष्ट का कारण बन जाता।

आठ दिन बीतते-बीतते उसे ऐसा लगने लगा कि यदि देवनाम दास उसके घर से शीघ्र नहीं गया, तो वह पागल हो जाएगी। लेकिन देवनाम दास था कि इस तरह जमा हुआ था मानो वह रामजानकी आश्रम के अस्तित्व को भूल गया हो। श्यामा की एम.ए. की परीक्षा तीन महीने बाद होनेवाली थी, इस कारण वह घर से बाहर कम जाती थी और कमरे में ही बैठकर परीक्षा की तैयारी करती रहती थी। देवनाम दास अक्सर छत पर के कमरे से नीचे उतरकर मकान के छोटे-से अहाते के फूल-पौधों को पानी से सींचने में लग जाता और चूँकि फूलों के अधिक पौधे उसी तरफ थे जिस तरफ श्यामा का कमरा था, वह अधिक समय उसी तरफ बिताता। उस समय रमा देवी के लिए अपने कमरे में रुकना कठिन हो जाता और वह भी पौधों की सेवा में लग जाती। जब वह श्यामा के कमरे की खिड़की के पास जाती तो वह पाती कि वह खिड़की के पास बैठी किताबों में डूबी हुई है। लेकिन उड़ती हुई नजरों से ऐसा लगता कि उसके चेहरे पर एक रहस्यभरी मुस्कुराहट है। इससे रमा देवी के हृदय में भाला गड़ जाता और वह असह्य पीड़ा से छटपटा जाती।

एक दिन दोपहर को, जब रमा देवी खाना लेकर देवनाम दास के कमरे में गई, उसने कहा, "प्यारी रमा, मैं तुम्हारे आतिथ्य से बहुत प्रभावित हुआ हूँ। मेरा

वश चलता तो मैं यहाँ महीनों पड़ा रहता; लेकिन कर्तव्य मेरा आह्वान कर रहा है। मैं कल सुबह दस बजे की गाड़ी से अयोध्या लौट जाऊँगा।''

रमा देवी के हृदय में एक ऐसा झटका लगा कि वह तिलमिला गई, लेकिन वह समझ नहीं पाई कि यह खुशी के कारण था या दुःख के कारण। लेकिन उसके मस्तिष्क की उस योजना ने, जो अब तक अस्थिर जल में पड़नेवाली परछाई की तरह निरूपा थी, एकाएक स्पष्ट रूप ले लिया।

उसने किंचित् उदास स्वर में पूछा, ''गुरुजी, क्या आप कल ही चले जाएँगे? मैं शीघ्र आपसे मिलने आऊँगी।''

दस वर्षों के ऊपर से, जब से रमादेवी को विश्वास हो गया था कि वह दूसरी सन्तान पैदा नहीं कर सकेगी, वह अपनी पुत्री श्यामा को हर रात, सोने के पहले, एक गिलास दूध उसके कमरे में जाकर देती थी और जब श्यामा दूध पी लेती, वह गिलास लेकर लौटती। काल-क्रम से यह उसके दैनिक जीवन का एक अंग बन गया था और उसे ऐसा लगने लगा था कि यह माता के रूप में पुत्री के प्रति कर्तव्य का एक महत्त्वपूर्ण अंग है। पिछले दस दिनों में जब भी उसके मन में अपनी पुत्री के प्रति विरोध भावना बढ़ती गई थी, अपने दैनिक कार्यक्रम के इस अंग को नहीं छोड़ा था। लेकिन एक दिन, बिना पूर्व योजना के, वह एक दुकान से जिससे उसका पुराना सम्बन्ध था, चूहा मारने का तेज जहर ले आई थी। जब देवनाम दास ने रामजानकी आश्रम लौटने का निर्णय सुनाया, रमा देवी के मन में उस योजना ने मूर्त रूप ले लिया जो अब तक स्पष्ट नहीं थी।

शाम को आठ बजे उसने नौकर को सिनेमा देखने के लिए जाने की अनुमति दे दी, अतएव स्वयं ही कुत्ते के लिए, जिसे उसके पति ने प्यार से पाल रखा था, खाना ले जाकर उसके बर्तन में दिया और ऊपर से एक गिलास दूध डाल दिया। कुत्ते ने जल्दी-जल्दी खाना खाया और जाकर कोने में लेट गया। रमा देवी ने आधे घंटे के बाद जाकर कुत्ते को हिलाया-डुलाया, लेकिन वह मर चुका था। रमा देवी चुपचाप अपने कमरे में लौट गई।

घंटे भर बाद उसने एक गिलास दूध लिया और श्यामा के कमरे में गई। श्यामा अपनी पुस्तकों में व्यस्त थी। रमा देवी ने दूध का गिलास उसकी मेज पर रख दिया और एक कुर्सी पर बैठ गई। श्यामा किताबों से आँखें हटाए बिना ही बोली, ''पी लूँगी माँ, तुम जाओ, सो जाओ।''

रमा देवी ने कहा, ''नहीं बेटी। तुम भूल जाती हो, पी लो, मैं गिलास लेती जाऊँगी।''

श्यामा ने दूध पीया और रमा देवी गिलास लेकर चली गई। उसने गिलास को ठीक से धोया और सड़क के पार के नाले में फेंक दिया। आधे घंटे बाद श्यामा

के कमरे में जाकर उसने देखा, श्यामा बिछावन पर मरी पड़ी थी। रमा देवी ने बत्ती बुझा दी, किवाड़ उठंगा दिए और अपने कमरे में लेट रही।

एक घंटे के बाद नौकर ने गेट का दरवाजा खोला, फिर हाथ-मुँह धोकर गैरेज में, जहाँ वह रहता था, सोने चला गया। जब नीचे सबकुछ शान्त हो गया, तब रमा देवी ने अपने कमरे का दरवाजा उठंगाया और ऊपर देवनाम दास के कमरे में चली गई।

दिव्य ज्ञान

स्वामी हंसदेव महाराज का हरिद्वार में गंगा के किनारे पाँच एकड़ के अहाते में दिव्य ज्ञान आश्रम है। यह देश-विदेश में फैले दिव्य ज्ञान संघ का केन्द्र है। आश्रम का अहाता आठ फीट ऊँची चहारदीवारी से घिरा है जिस पर बर्छे की तरह नोकवाले तीन फीट ऊँचे कील हर पाँच ईंट पर गड़े हैं। प्रधान फाटक इतना बड़ा है कि उसमें हौदे से सुसज्जित दो हाथी एक साथ समा जाएँ, लेकिन यह चौबीसों घंटे लोहे के फाटक से बन्द रहता है और फाटक की दोनों तरफ दो राइफलधारी पहरेदार पहरे पर खड़े रहते हैं। आश्रम के अहाते के बीचोबीच प्रधान द्वार के ठीक सामने करुणेश्वरजी का मन्दिर है जिसके आराध्यदेव मुरली बजाते हुए कृष्ण हैं। मन्दिर के पीछे, अहाते की दीवाल से सटे, एक दोमंजिला भवन है जिसके नीचे के कमरों में पुस्तकालय, कार्यालय और प्रशासनिक तन्त्र का केन्द्र है और ऊपर के कमरों में स्वामी हंसदेव महाराज अपनी आधा दर्जन शिष्याओं के साथ निवास करते हैं। मन्दिर के दाएँ और बाएँ, अहाते की दीवाल से सटे, दो अतिथि-गृह हैं जिनमें से प्रत्येक में पचास कमरे हैं। इनमें से एक अतिथि-गृह पुरुषों के लिए है और दूसरा महिलाओं के लिए है। वैसे पति-पत्नी दोनों अतिथि-गृहों में से किसी में भी रह सकते हैं। अतिथि-गृहों में निवास के लिए एक निश्चित शुल्क है। लेकिन उससे अधिक रकम, दान के रूप में देने के लिए, किसी पर प्रतिबंध नहीं है। अतिथि-गृहों में देश-विदेश से आए लोगों की सालों भर भीड़ रहती है और बिना पूर्व-सूचना के उनमें स्थान पाना कठिन होता है। अतिथि-गृहों में ठहरनेवालों से और करुणेश्वरजी के मन्दिर में प्राप्त दान से आश्रम को हर महीने लाखों रुपए की आय होती है। इसके अलावा, हरिद्वार के बारह दिव्य ज्ञान संघ की जो सैकड़ों शाखाएँ हैं, उनसे हर महीने उससे भी अधिक रकम मिलती है।

दिव्य ज्ञान संघ में करुणेश्वरजी की पूजा होती अवश्य है लेकिन गुरु की महिमा पर विशेष जोर दिया जाता है। सभी मकानों की दीवालों पर स्थान-स्थान

पर मोटे अक्षरों में लिखा है—'जय गुरुदेव!', 'गुरु की पूजा ही ब्रह्म की पूजा है'। करुणेश्वरजी का मन्दिर चौबीस घंटों में बारह घंटे खुला रहता है, हंसदेवजी के दर्शन चौबीस घंटों में सिर्फ एक घंटा के लिए होते हैं। नियत समय पर हंसदेवीजी महाराज एक कमरे में सिंहासन पर बैठते हैं। उस समय उनके सिर पर मोर-मुकुट होता है, लेकिन पहनावा नित्य नूतन होता है—वे कभी सोने का काम किया हुआ सिल्क का कुर्ता, जैकेट और पाजामा पहनते हैं, कभी सिल्क की चादर में लिपटे रहते हैं और कभी-कभी अँग्रेजी सूट भी धारण कर लेते हैं। सिंहासन की दोनों तरफ चार-चार शिष्याएँ चमचमाते कीमती वस्त्र धारण किए, हाथों में चाँवर और होंठों पर मुस्कान लिए खड़ी रहती हैं। दर्शनार्थी पंक्तिबद्ध होकर कमरे में प्रवेश करते हैं। सिंहासन से चार फीट अलग खड़े होकर हंसदेवजी महाराज को प्रणाम करते हैं। सिंहासन की दाहिनी तरफ रखे दान-पात्र में रुपए, जेवर, सोना-चाँदी, हीरे-मोती और अन्य बहुमूल्य वस्तुएँ डालते हैं और प्रणाम कर लौट जाते हैं। हंसदेवजी महाराज दर्शन के समय एक शब्द भी नहीं बोलते; उनके मौन में ही ऐसा ब्रह्मनाद भरा है कि दर्शनार्थी ज्ञान और भक्ति से परिपूर्ण हो जाते हैं।

हंसदेवजी महाराज अपने को कृष्ण का कलियुगी अवतार बताते हैं और पूरी तरह राजसी ठाठ-बाट में रहते हैं। उन्हें कीमती वस्त्रों, विदेशी इत्रों और प्रसाधन की महँगी वस्तुओं और सुस्वादु व्यंजनों से बहुत प्रेम है और इसे वे अपने अन्दर कृष्ण-तत्त्व के विद्यमान होने का अकाट्य प्रमाण मानते हैं। वे हमेशा दर्जनों युवती शिष्याओं से घिरे रहते हैं, जो उन्हें कृष्ण और स्वयं को गोपियाँ समझती हैं और उसी भाव से उनकी सेवा में लगी रहती हैं। कुछ लोगों का कहना है कि देहरादून में, जहाँ उन्होंने एक मकान खरीद लिया है, उनकी दो विवाहिता पत्नियाँ भी हैं और वे हर दो महीनों में एक सप्ताह वहाँ बिताते हैं, लेकिन अन्य लोग इसकी सचाई में सन्देह करते हैं। लेकिन यह निर्विवाद है कि हंसदेवजी महाराज असाधारण व्यक्तित्व के धनी हैं और इस असाधारणता में उनके शिष्यों को देवत्व के दर्शन होते हैं। हंसदेवजी महाराज ने पन्द्रह वर्षों में ही दिव्य ज्ञान का जो साम्राज्य खड़ा किया है, वह भी उनके व्यक्तित्व की असाधारणता का कम विश्वसनीय प्रमाण नहीं है। जयपुर में रानी सावित्री देवी अस्पताल के एक पुरुष नर्स की नौकरी से पैंतीस वर्ष की उम्र में बर्खास्त हंसासिंह तोमर का पचास वर्ष की उम्र होते-होते स्वामी हंसदेवजी महाराज के रूप में भक्तों का साम्राज्य खड़ा करना स्वयं उसे भी एक चमत्कार लगता था और उसके स्मरण से उसके होंठों पर कुटिल मुस्कान फैल जाती थी। इस कहानी में वर्णित घटना तब की है जब हंसदेवजी महाराज पैंसठ वर्ष की आयु प्राप्त कर चुके थे, लेकिन उनके मस्तिष्क

की तीक्ष्णता में कोई कमी नहीं आई थी और न अपनी हर योजना को कार्यान्वित करने की दक्षता में कमी हुई थी।

हंसदेवजी महाराज जब कभी अपने भूत, वर्तमान और भविष्य पर दृष्टि डालते, उनका मन आह्लाद और उत्साह से भर जाता। लेकिन अतीत का एक ऐसा दृश्य भी था जिसकी छाया मानस-चक्षुओं पर पड़ते ही वे तिलमिला जाते और तुरन्त उठकर 'हरिओम! हरिओम!' कहते हुए गुसलखाने में चले जाते। लेकिन आज कटु स्मृतियों पर एक ऐसा पर्दा डालने का समय आ गया था जिसके अन्दर वे अपनी सारी कटुता खो देतीं और करुणेश्वरजी के मन्दिर की दीवारों से सटी नर्क की तसवीरों की तरह किसी प्रकार का मानसिक उद्वेग उत्पन्न करने में असमर्थ होतीं। रानी सावित्री देवी अस्पताल का डॉक्टर समरजीत सिंह सिसोदिया जो अस्पताल में उनके अपमान का और नौकरी से निष्कासन का कारण था, दिव्य ज्ञान आश्रम की अतिथिशाला में अपनी पत्नी के साथ ठहरा हुआ धा। हंसदेव महाराज ने उसे तब देखा जब वह अपनी पत्नी के साथ, दर्शनार्थियों की पंक्ति में उनके कमरे में आया। हंसदेव महाराज ने उसे तुरन्त पहचान लिया था क्योंकि उसमें तीस वर्षों के लम्बे अन्तराल के बाद भी बाहर से कोई परिवर्तन नहीं दिखाई पड़ता था, सिवा इसके कि कनपट्टी के बाल सफेद हो गए थे; लेकिन उसकी पत्नी बूढ़ी लग रही थी। हंसदेव महाराज को विश्वास था कि समरजीत सिंह ने उन्हें नहीं पहचाना, क्योंकि उन्हें देखने के बाद उसके चेहरे के भावों में किसी तरह का परिवर्तन नहीं हुआ।

जब दर्शन का समय खत्म हुआ तो हंसदेव ने अपने भृत्यों से पता लगाया कि समरजीत सिंह की पत्नी को पक्षाघात हो गया है और जब दवा से रोग का निदान नहीं हुआ तो पति-पत्नी दिव्य ज्ञान आश्रम में ईश्वरीय अनुकम्पा की तलाश में आए हैं और आश्रम में एक सप्ताह तक रुकेंगे। हंसदेव के मन में गुदगुदी हुई, वैसी ही जैसी किसी नई औरत को अपने जाल में फँसा लेने के बाद होती थी और उनके होंठों पर विजय की मुस्कान और आँखों में भेदक तीक्ष्णता आ गई। उस व्यक्ति से बदला लेने का समय आ गया था जिसने तीस वर्ष पहले उनका अपमान किया था और उनकी नौकरी ले ली थी। महारानी सावित्री देवी अस्पताल की वह घटना उनकी आँखों के सामने आ गई, लेकिन आज उन्होंने उससे मुक्ति पाने की कोशिश नहीं की।

उस दिन हंसासिंह तोमर नर्सों के कमरे में, जहाँ उसकी ड्यूटी थी, सुभगा बाई नाम की नर्स को अपनी गोद में बैठाए हुए उसकी ऊँचाइयों और गहराइयों की मापी ले रहा था। सुबह के नौ बजे थे और कम-से-कम आधा घंटा तक किसी तरह की विघ्न की आशंका नहीं थी। इस कारण वह उतना सतर्क नहीं था जितना अक्सर रहता था। उसी समय अस्पताल के आधा दर्जन युवक डॉक्टरों का एक दल, जिसके आगे-आगे समरजीत सिंह शिशोदिया था, अचानक कमरे में घुस गया। सुभगा बाई तत्क्षण खड़ी होकर अपने कपड़े ठीक करने लगी, लेकिन हंसासिंह उसी क्षण उठ नहीं सका। समरजीत सिंह ने, जो उससे कम से कम एक फुट ऊँचा था और जो किसी पेशेवर पहलवान की तरह हाड़-काठी का था, उसकी गर्दन पकड़ ली और उसे इस तरह ऊपर उठा लिया, जैसे कोई बच्चा किसी गुड्डे को उठा लेता है। हंसासिंह की पैंट, जो ढीली थी, खिसककर नीचे आ गई और वह कमर के नीचे नंगा हो गया। इस बीच समरजीत सिंह के साथियों ने उसे बेतों से पीटना शुरू किया जिन्हें वे अपने साथ लें आए थे। बेतों की मार उन्हीं अंगों पर पड़ती जिन पर कपड़े नहीं थे। हंसासिंह मुक्ति के लिए रोता और चिल्लाता रहा, लेकिन समरजीत और उसके साथियों ने उसे तभी छोड़ा जब वह लहुलूहान हो गया।

हंसासिंह ने उठकर भागने की कोशिश नहीं की क्योंकि वह जानता था कि यह व्यर्थ था; इसके अलावा वह जानने के लिए भी उत्सुक था कि उसके प्रति इस व्यवहार का कारण क्या है। सुभगा बाई में ऐसी कोई विशेषता नहीं थी कि उसके प्रति उसकी कमजोरी के कारण उसे इस तरह दंडित होना पड़े। वह अस्पताल की एक दर्जन नर्सों और उतनी ही दाइयों-मेहतरानियों का अकेला कृष्ण था, तो क्या सबने उसके विरुद्ध शिकायत की थी? यह कदापि सम्भव नहीं था। वह उन्हें समय-समय पर रुपए, मिठाइयाँ, चाकलेट, क्रीम, आलता और ऐसी ही अन्य वस्तुएँ देता रहता था, उसके लिए उनका अनुराग निर्व्याज नहीं था, तो क्या उसके किसी अन्य रहस्य का उद्घाटन हुआ था?

वह फर्श पर पड़ा रो और गिड़गिड़ा रहा था, लेकिन उसका मस्तिष्क तेजी से काम कर रहा था और समरजीत सिंह और उसके साथियों की आक्रामकता का कारण ढूँढ़ रहा था। समरजीत सिंह ने अपनी जेब से एक रंगीन रूमाल निकाला जिसके बीच में सुनहले अक्षरों में लिखा था—'तुम्हारी ही'। लेकिन 'तुम्हारी' को स्याही से सुधारकर 'तुम्हारा' कर दिया गया था। उसने उसे हंसासिंह के सामने लहराते हुए पूछा, "तुम्हें यह रूमाल कहाँ मिला?"

हंसासिंह ने इधर-उधर देखा; समरजीत सिंह के ठीक पीछे सलोनी बाई खड़ी थी। सलोनी बाई एक अत्यंत सुन्दर नर्स थी और उसकी गोपियों में से एक थी।

उसने यह रूमाल समरजीत सिंह के कोट से निकाला था और 'तुम्हारी' को 'तुम्हारा' बनाकर सलोनी बाई को दिया था। उसे क्या मालूम था कि वह उसे इस तरह धोखा देगी। तब तो उसके कुछ और रहस्य भी डॉक्टरों को मालूम हो गए होंगे! उसे जब कभी भी अवसर मिलता, डॉक्टरों की जेब से रुपए निकाल लेता और उसका एक हिस्सा नर्सों, दाइयों और मेहतरानियों पर खर्च कर देता था। खैर, अब जो होना होगा, होगा ही। उसने जी कड़ा करके कहा, ''सर, यह रूमाल आपके कोट के नीचे फर्श पर मिला था। मैंने इसे सलोनी बाई को यह सोचकर दे दिया कि शायद यह उनका ही हो।''

''कोट की जेब में दो सौ रुपए थे, वे कहाँ गए?''

हंसासिंह ने गिड़गिड़ाते हुए कहा, ''सर, मैं रुपयों के बारे में कुछ नहीं जानता। मैं कसम खाकर कहता हूँ कि मैंने कोट की जेब में रुपए देखे ही नहीं।''

आधा दर्जन बेंत उसकी देह के वस्त्रहीन स्थानों पर फिर बरसीं। आधे घंटे तक बेंतों की मार खाने के बाद हंसासिंह ने स्वीकार किया कि वह डॉक्टरों की जेब से रुपए निकालता रहा था। लेकिन उसने किसी की जेब से पूरे पैसे कभी नहीं निकाले; हर बार कुछ पैसे जेब में छोड़ देता था ताकि डॉक्टर लोगों के जरूरी काम न रुकें। लेकिन उसकी उदारता के इस प्रमाण से भी डॉक्टर लोगों का क्रोध कम नहीं हुआ और उन्होंने न सिर्फ उसे नंगा करके मारा-पीटा बल्कि नौकरी से भी निकलवा दिया। इस पूरे कांड में डॉक्टर समरजीत सिंह सिसोदिया सबसे आगे रहा था। आज वही समरजीत सिंह उनकी मुट्ठी में था।

हंसदेवजी महाराज की आँखों की छुरी की धार अधिक तेज हो गई। लेकिन दूसरे क्षण जब उन्होंने उस क्लेशपूर्ण घटना के बाद के घटनाक्रम पर विचार किया, उनके चेहरे पर खुशी की मुस्कान उभर आई।

महारानी सावित्री देवी अस्पताल से निकाले जाने के बाद हंसासिंह तोमर दो महीनों तक इधर-उधर घूमता रहा और भविष्य के लिए उपयुक्त पेशे की तलाश करता रहा। अन्त में वह इस निष्कर्ष पर पहुँचा कि सन्तों का पेशा ऐसा है जिससे लोक और परलोक दोनों सुधर सकते हैं। वह हरिद्वार पहुँचा और वहाँ के सन्तों की दुनिया का लेखा-जोखा लेने के लिए एक धर्मशाले में ठहर गया। धर्मशाला के रजिस्टर में उसने अपना नाम प्रेमसिंह लिखवाया और पता जयपुर के समीप के एक कल्पित गाँव का दिया। धर्मशाला की मालकिन मुम्बई की एक पचपन वर्षीया विधवा जानकी बाई थी जो वर्ष में दो महीने धर्मशाला में बिताती थी और बाकी समय मुम्बई में रहकर अपना रोजगार देखती थी। जब हंसासिंह धर्मशाले में रुका, जानकी बाई दो महीने

के प्रवास के लिए वहाँ आई हुई थी। दस दिनों के अन्दर हंसासिंह ने जानकी बाई को ऐसा प्रभावित किया कि उसने उसे धर्मशाले का व्यवस्थापक बना दिया और रात का अधिक समय उसके साथ बन्द कमरे में बैठकर धर्मशाला के आय-व्यय का लेखा-जोखा लेने और भविष्य की योजनाएँ बनाने में बिताने लगी। वह इस बार दो महीने के बदले चार महीने धर्मशाले में रुक गई, तत्पश्चात मुम्बई में दो महीने बिताकर फिर धर्मशाले में वापस आ गई। दस साल बीतते-बीतते हंसासिंह धर्मशाले का असली मालिक हो गया और साथ-साथ, धर्मशाले से थोड़ी दूर पर, गंगा के किनारे, अपने नाम से जमीन का एक बड़ा प्लॉट खरीद लिया जिस पर आगे चलकर दिव्य ज्ञान आश्रम की स्थापना हुई।

हंसदेवजी महाराज के मस्तिष्क में तीन दशाब्दियों की मधुर स्मृतियाँ चक्कर काटने लगीं। इस अवधि में एक से एक चमत्कारपूर्ण घटनाएँ घटी थीं, एक से एक विचित्र व्यक्ति उनके जीवन में आए थे, एक से एक कठिन परिस्थितियाँ म्यान से तलवार निकाले उनके रास्ते में आ खड़ी हुई थीं; लेकिन उन्होंने हर घटना को, हर व्यक्ति को और हर परिस्थिति को अपने मनोनुकूल साँचे में ढाल दिया था। लेकिन महारानी सावित्री देवी अस्पताल में घटी घटना की याद ने, जिसने उनके जीवन की धारा बदल दी थी, ऐसा कड़वा स्वाद उत्पन्न कर दिया जिससे उनके चेहरे की मुस्कान विरूप हो गई और आँखों की छुरी की धार गीली गोबर हो गई। अब इस कड़वे स्वाद से मुक्ति का समय आ गया था। हंसदेव महाराज ने परिस्थिति के हर पक्ष पर सम्यक् विचार करने के बाद उसके लिए अपनी सर्वाधिक विश्वसनीय योजना को कार्यान्वित करने का निश्चय किया। यह ऐसी योजना थी जिसमें व्यक्ति और काल के अनुरूप संशोधन कर कठिन से कठिन कार्य का सम्पादन किया जा सकता था।

दूसरे दिन समरजीत सिंह दर्शनार्थियों की पंक्ति में हंसदेवजी महाराज के सामने आया तो उन्होंने हाथ के इशारे से उससे कहा कि वह एक कोने में बैठ जाए और उनके आदेश की प्रतीक्षा करे। वह एक महती कृपा थी और इसका महत्त्व समरजीत सिंह समझता था; इस कारण वह श्रद्धा और भक्ति के भार से दबा हुआ कमरे के एक कोने में बैठ गया। जब सारे दर्शनार्थी चले गए तो हंसदेव महाराज ने गंभीर आवाज में कहा, ''वत्स, भगवान करुणेश्वर ने बताया कि तुम अटूट आस्थावाले व्यक्ति हो और मुझे आदेश दिया कि मैं तुम्हारी मदद करूँ। इसी

कारण मैंने तुम्हें रुकने को कहा।''

समरजीत सिंह इतना भावाभिभूत था कि उसके कंठ से आवाज नहीं निकली और वह हाथ जोड़ और सिर झुकाकर हंसदेवजी के आदेश की प्रतीक्षा करने लगा। हंसदेवजी ने एक मिनट रुककर कहा, ''वत्स, तुमने देवी रति को अपने व्यवहार से कुपित किया है, इसी कारण वे तुमसे नाराज हैं और तुम्हारी पत्नी को अपने क्रोध का शिकार बना रही हैं। देवी रति मानवी के रूप में, इस आश्रम में कभी-कभी आती हैं और भक्तों का दुख दूर करती हैं। हमारे सौभाग्य से वे आजकल इस आश्रम में आई हुई हैं। तुम पूजा-अर्चना से उन्हें प्रसन्न करो और वे तुम्हारे कष्टों का अन्त करेंगी। तुम अपने कमरे में जाओ और एक-वस्त्री तुरन्त आ जाओ। मेरे भृत्य देवी के कक्ष में पहुँचा देंगे। देवी जो कहे, वैसा करो। देवी के प्रसन्न होते ही तुम्हारे कष्टों का अन्त हो जाएगा।''

समरजीत सिंह को ऐसा लगा कि हंसदेवजी महाराज की आवाज उसकी पहचानी हुई है। उसने सिर उठाया और उनकी तरफ ध्यान से देखा। सफेद मूँछ-दाढ़ी से ढका हंसदेव जी महाराज का गोल चेहरा, मोर मुकुट से मंडित सिर और स्नेह और करुणा से भरी आँखें—नहीं, उसने आश्रम के बाहर उन्हें कभी नहीं देखा और न पहले कभी उनकी आवाज सुनी।

वह अतिथि-गृह के अपने कमरे में गया, शरीर के कपड़ों को उतारकर सिर्फ एक धोती पहनी और आधा घंटे के अन्दर ही स्वामी-भवन में लौट आया। हंसदेवजी महाराज का कक्ष बन्द हो चुका था, लेकिन कक्ष के सामने आश्रम की एक युवती सेविका उसकी प्रतीक्षा कर रही थी। उसने समरजीत सिंह को गम्भीरता से कहा, ''आइए वत्स, देवी रति आपकी प्रतीक्षा कर रही हैं।''

उसने एक कमरे का दरवाजा खोल उसे अन्दर जाने दिया और दरवाजे को उठंगा दिया।

कमरे में मद्धिम प्रकाश था और सामने एक पलँग, जिस पर मखमली चादर बिछी थी, एक अनिंद्य सुन्दरी लेटी हुई थी। वह पूरी तरह निर्वस्त्र थी, लेकिन उसने एक ऐसी झीनी चादर ओढ़ रखी थी जिससे उसकी नग्नता को एक रहस्यमय आकर्षण प्राप्त हो जाता था। समरजीत सिंह पलँग के पार्श्व में किंकर्तव्यविमूढ़-सा खड़ा हो गया। एक मिनट बाद युवती अपने शरीर से चादर को हटाकर समरजीत सिंह की तरफ हाथ फैलाती हुई बोली, ''वत्स समरजीत, आओ, मैं देवी रति हूँ। मैं जाने कब से तुम्हारी प्रतीक्षा कर रही हूँ। आओ, मेरे पास इस पलँग पर आओ और मेरी सेवा करो। मैं तुम्हारे सारे कष्टों को दूर करूँगी।''

समरजीत सिंह का मस्तिष्क तीव्र गति से काम कर रहा था। वह एकाएक

उस आवाज को पहचान गया जिसके सम्बन्ध में वह अभी तक ऊहापोह में था। हंसासिंह तोमर ही हंसदेवजी महाराज बना हुआ था।

उसने युवती से कहा, "देवि, मैं दो मिनटों में आया। आप मेरी प्रतीक्षा करें।"

वह तेजी से अतिथि-गृह के अपने कमरे में गया, बिखरे सामान को दोनों अटैचियो में रखा और पत्नी को साथ लेकर दिव्य ज्ञान आश्रम के अहाते से बाहर हो गया। अँधेरा घिर चुका था, इस कारण यह पता लगाना कठिन था कि वे कहाँ गए।

पन्द्रह मिनटों के बाद हंसदेवजी महाराज अपने आधे दर्जन शागिर्दों के साथ, जिनके हाथों में मोटी-मोटी लाठियाँ थीं, देवि रति के कमरे में घुसे। देवी रति पलँग पर निर्वस्त्र बैठी समरजीत सिंह की प्रतीक्षा कर रही थी। जब हंसदेवजी महाराज ने कमरे में समरजीत सिंह को नहीं पाया तो कड़ककर देवी रति ने पूछा, "वह कहाँ गया? तुम नंग-धड़ंग बैठी क्या कर रही हो?"

युवती बोली, "थोड़ी देर पहले गया है। अभी आ जाएगा। शायद बाथरूम गया है।"

हंसदेवजी महाराज का माथा ठनका। उन्होंने अपने भृत्यों को समरजीत सिंह की तलाश में भेजा। भृत्यों ने दिव्य ज्ञान आश्रम का कोना-कोना छान मारा, लेकिन वह कहीं नहीं मिला।

हंसदेव महाराज ने दाँत पीसते हुए अपने-आप से कहा, "इस बार हाथ से निकल गया, लेकिन वह जाएगा कहाँ? मैं उसे दिव्य ज्ञान दिए बिना नहीं रहूँगा।"

अध्यवसाय

सकलू महतो अपने छोटे बेटे जुन्हाई की शादी होने के दो महीने के अन्दर ही चल बसा, जैसे वह इस शादी की प्रतीक्षा में ही जी रहा था। उसका बड़ा बेटा ननकू घर का मालिक हो गया और परिवार की डेढ़ बीघे जमीन की खेती पर अपना पूरा ध्यान लगाने लगा। मिट्टी का घर था और आँगन में दो कमरे थे, जिनमें से एक में ननकू अपनी बीवी सावित्री के साथ रहता था और दूसरे में परिवार की भैंस, जिसका नाम गोबा था, रहती थी। बाहर के ओसारे में लगी दो चौकियों पर सकलू और जुन्हाई सोते थे। जुन्हाई की शादी के बाद गोबा का कमरा उसे और उसकी बीवी लीला को मिल गया और गोबा का खूँटा बाहर के ओसारे में, सकलू महतो की चौकी की बगल में गाड़ दिया गया। जब सकलू महतो की मौत हो गई तो जुन्हाई अपनी शादी में मिली पाड़ी को, जिसका नाम टीका था क्योंकि उसके ललाट पर सफेद बालों का एक वृत्त था, ससुराल से ले आया और जहाँ सकलू महतो की चौकी रहती थी, वहाँ पर खूँटा गाड़ उसे बाँध दिया।

गोबा की देखभाल और उसके दूध को कुसुमपुर में ले जाकर बेचने का काम, जो पहले ननकू देखता था, अब जुनाई के जिम्मे आ गया। जुन्हाई दूध के पैसे का पूरा हिसाब ननकू को दे देता था, लेकिन सावित्री को अन्देशा बना रहता था और वह जुन्हाई से उलटे-सीधे सवाल पूछती और ननकू को उसके खिलाफ भड़काती। उसकी अप्रसन्नता लीला के प्रति उसके व्यवहार में भी परिलक्षित होती। लीला ईंट का जवाब पत्थर से देती और टीका की सेवा में दुगुने जोश से लग जाती, क्योंकि टीका गाभिन थी और उसके नैहर के पंडित रामगुलाम दूबे ने उसे बताया था कि टीका के बच्चा जनते ही उसकी मालकिन की तकदीर खुल जाएगी। छह महीने बाद टीका ने पाड़ी को जन्म दिया, लीला ने पंडित रामगुलाम दूबे को बुलाकर सत्यनारायण पूजा कराई और दूसरे दिन से परिवार में बँटवारे के लिए खाना-पीना छोड़ दिया। तीन दिनों के अन्दर आँगन और ओसारे में दीवालें

उठ गईं और डेढ़ बीघे जमीन के दो टुकड़े हो गए। गोबा ननकू को मिली और इसके लिए जुन्हाई के हिस्से के एवज में उसने पैसे दिए।

कुसुमपुर लीला के नैहर से दस किलोमीटर की दूरी पर था। वह शादी के पहले मट्ठा बेचने दर्जनों बार कुसुमपुर गई थी और हर बार मट्ठा के उचित मूल्य से कई गुने अधिक पैसे लेकर लौटी थी। नैहर के पास ही रेलवे स्टेशन था और वहाँ से हर दो घंटे पर रेलगाड़ी कुसुमपुर जाती थी। रेलगाड़ी में चलनेवाले सिपाहियों को आठ आने देकर और टिकट चेकरों को एक अर्थपूर्ण मुस्कान से बहलाया जा सकता था। कुसुमपुर में थोड़ी होशियारी की मदद से गठरी भर पैसे कमा लेना और बदनामी से बचे रहना मुश्किल नहीं था। उसकी ससुराल भी रेलवे स्टेशन से दूर नहीं थी, वहाँ से भी कुसुमपुर के लिए बहुत गाड़ियाँ थीं। उसने अपने पति जुन्हाई को इस बात के लिए राजी कर लिया कि वह उसे ही दूध बेचने के लिए कुसुमपुर जाने दे और स्वयं टीका भैंस और खेती को सँभाले। उसने उसे आश्वासन दिया कि वह कुसुमपुर में ऐसे अनेक होटलों को जानती है जहाँ तत्काल भुगतान होता है।

जुन्हाई छह महीने में ही अपनी पत्नी की व्यवहार-कुशलता का कायल हो चुका था और उसे विश्वास हो गया था कि वह लक्ष्मी बनकर आई है। उसने बिना हीला-हवाला के उसके प्रस्ताव को स्वीकार कर लिया और उसके लिए स्टील का कैन खरीद लाया। लीला दूध लेकर कुसुमपुर के राजा बाजार मुहल्ले में स्थित सिपाहियों के उस बैरक में गई जहाँ वह शादी के पहले मट्ठा बेचने जाती थी। सिपाहियों ने दिल खोलकर उसका स्वागत किया और उसे बैरक के अन्दर ले गए। दो-तीन घंटों के बाद जब वह बैरक से निकली तो उसके लाल रूमाल की गठरी में, जिसे उसने ब्लाउज के अन्दर रख ली थी, दूध के दाम से दस गुना अधिक पैसे थे।

पंडित रामगुलाम दूबे ने टीका भैंस के बारे में जो भविष्यवाणी की थी, वह सही निकली और जुन्हाई महतो के घर में सोना बरसने लगा। लीला देवी स्टेनलेस स्टील के कैन में दूध लेकर सुबह में कुसुमपुर जाती और अपने लाल रूमाल में रुपए बाँधकर उसे ब्लाउज के नीचे रखकर शाम को घर लौटती। वह रूमाल की गठरी को ब्लाउज के अन्दर से धीरे-धीरे बाहर लाकर उसे जुन्हाई के सामने खोलती, चेहरे पर प्रसन्नता की मुस्कान और आँखों में जीत की चमक के साथ रुपयों को गिनती, फिर टाटा स्टील के बक्से में, जिसे वह कुसुमपुर से ही खरीद लाई थी, रखकर गोदरेज का ताला लगा देती। जुन्हाई के दिमाग में दो-चार

छोटे-बड़े प्रश्न उठते, लेकिन वह अपने परिवार के प्रति लक्ष्मी की उदारता से इतना अधिक भावाभिभूत था कि ये प्रश्न दब जाते और वह आनन्द के सागर में गोते लगाने लगता।

साल बीतते-बीतते जुन्हाई ने अपने पड़ोसी मीठू महतो की एक बीघा जमीन, जो उसकी अपनी जमीन की बगल में थी, खरीद ली और उस अवसर पर पंडित रामगुलाम दूबे से सत्यनारायण पूजा कराई। उसने पूजा में पड़ोस के आधे दर्जन लोगों को और साथ-साथ अपने भाई ननकू महतो और भाभी सावित्री देवी को भी आमन्त्रित किया—पंडित रामगुलाम दूबे ने उसे बताया था कि पूजा का प्रसाद दुश्मनों के बीच बाँटने से उनकी शक्ति क्षीण होती है। प्रसाद में टीका भैंस के दूध से बनी खीर खाकर सभी बहुत प्रभावित हुए; लेकिन सबसे अधिक प्रभावित हुई सावित्री देवी, जब उसने देखा कि टीका भैंस के प्रताप से लीला देवी के ऊपर न सिर्फ लक्ष्मी की कृपा हुई है, बल्कि विष्णु भी प्रसन्न हैं, क्योंकि महीना बीतते-बीतते वह माँ बननेवाली है। सावित्री देवी की शादी हुए सात वर्ष बीत गए थे, लेकिन वह अभी तक सन्तानवती नहीं हुई थी। इस कारण उसके मन के एक कोने में एक फोड़ा बन गया था जो बहुत पीड़ा देता था। जब उसने देखा कि उसकी छोटी गोतिन इस क्षेत्र में भी उससे आगे निकल गई है, तो उसके कलेजे पर साँप लोट गया। लेकिन उसने तय किया कि अपनी जलन को अपने व्यवहार में प्रकट नहीं होने देगी और छींका टूटने का रहस्य जानकर उससे लाभ उठाने का प्रयास करेगी। वह मन की खटास के कारण महीनों से लीला देवी से बोली भी नहीं थी। लेकिन आज वह उससे इस तरह मिली जिस तरह एक बड़ी बहन वर्षों से बिछड़ी अपनी छोटी बहन से मिलती है और घर के हर काम में पूरी तन्मयता से हाथ बँटाने लगी।

लीला देवी सतर्क थी, लेकिन सावित्री देवी के निश्छल व्यवहार ने उसके मन की कालिख की एक परत को धो दिया और रस्सी की ऐंठन कम हो गई। उसने सोचा—'यह औरत उतनी बुरी नहीं जितनी बुरी मैं इसे समझती थी। हो सकता है कि यह टीका भैंस के पुण्य का प्रताप हो। यह भैंस जरूर ही पिछले जन्म में किसी मन्दिर की पुजारिन थी। उसने दो दिलों को मिला दिया। अब मैं इस औरत से छत्तीस का नाता खत्म करूँगी। आखिर है तो मेरी ही गोतिन!'

यह विचार मन में आते ही लीला देवी की आँखों में आँसू आ गए और उसने आँचल के कोने से उन्हें पोंछ लिया।

सावित्री देवी का अपनी गोतिन के प्रति स्नेह सत्यनारायण पूजा के दिन के बाद भी बना रहा। उसे जब कभी फुर्सत होती, उसके घर आ धमकती और उसके छोटे-बड़े कामों में हाथ बँटाती। जब लीला देवी के प्रसव का समय आया, उसने

गाँव की चमाइन के साथ मिलकर दिन-रात उसकी सेवा की, बच्चे के जन्म के बाद कई दिनों तक उसकी देह में तेल-मालिश की और उसे सोंठ का हलवा बनाकर खिलाया। लीला देवी के मन की मैल पूरी तरह धुल गई।

एक दिन उसने सावित्री देवी को बड़े आदर से खाट पर बिठाया और बोली, "दीदी, आप गोबा भैंस का दूध बेचने कभी-कभी खुद ही कुसुमपुर क्यों नहीं जातीं? मैं देखती हूँ कि हमेशा जेठजी ही जाते हैं।"

सावित्री देवी समझ गई कि उसकी सेवा रंग ला रही है और वह अधिक सतर्क हो गई। उसने अत्यंत भोली आवाज में कहा, "बहन, मैं उतने बड़े शहर में कहाँ दूध बेचूँगी? मुझे वहाँ कौन पूछेगा? कहते हैं कि नाक न हो तो औरत जात मैला खाए। मैं जाऊँगी तो जो दो-चार पैसे आते हैं, वे भी चले जाएँगे।"

लीला देवी ने अपनी आवाज को नीची कर षड्यंत्र की भंगिमा में कहा, "दीदी, ऐसी बात नहीं। कुसुमपुर में औरतों का बहुत मान होता है। सभी मर्द एक जैसे थोड़े होते हैं!"

सावित्री देवी लम्बी साँस खींचती हुई लीला देवी की तरह ही नीची आवाज में बोली, "हाँ, बहन, मैं जानती हूँ कि सभी मर्द एक ही तरह के नहीं होते। लेकिन औरत का गुण पहचाननेवाले मर्द मिलते भी कहाँ हैं!"

लीला देवी ने पहले की तरह ही नीची आवाज में कहा, "दीदी, मैं एक ऐसी जगह जानती हूँ जहाँ हर सामान का वाजिब दाम मिलता है। मैं टीका भैंस का दूध लेकर वहाँ पर ही जाती हूँ। मैं दूसरे किसी को यह भेद नहीं बताती, लेकिन तुम्हें बता रही हूँ क्योंकि तुम्हारी तरक्की चाहती हूँ। लक्ष्मी को ऐरे-गैरे घर ढकेलने में कोई होशियारी नहीं।"

वह एक मिनट के लिए चुप हो गई। सावित्री देवी ने उदास आँखों से उसकी तरफ देखा, फिर सिर झुका लिया, मानो वह यह कहना चाहती हो कि यद्यपि उसे अपनी योग्यता पर भरोसा नहीं है, लेकिन वह लीला देवी की बातों को पूरे ध्यान से सुन रही है।

लीला देवी ने कहा, "दीदी, हिम्मत हारने से काम कैसे चलेगा? एक बार आजमाकर तो देखिए।"

सावित्री देवी बोली, "ठीक है, बहन, तुम कहती हो तो जरूर जाऊँगी।"

लीला देवी ने कहा, "हो सकता है कि शुरू में काम कुछ भारी लगे, लेकिन दो-चार दिनों में ही अभ्यास हो जाता है। पुलिस चौकी में बारह सिपाही हैं, लेकिन सभी वहाँ मौजूद थोड़े रहते हैं? आधे लोग हमेशा ड्यूटी पर रहते हैं।"

सावित्री देवी के मन में यह सोचकर गुदगुदी होने लगी कि सोने से भरे सन्दूक की चाभी उसे मिलने ही वाली है, लेकिन उसने अन्यमनस्कता का भाव

दिखाते हुए कहा, “ना बहना, मैं पुलिसचौकी में दूध बेचने नहीं जाऊँगी। मुझे सिपाही लोगों से बहुत डर लगता है। वैसे वह है कहाँ?”

लीला देवी बात को कुछ देर तक लटका ए रखना चाहती थी, लेकिन वह सावित्री देवी के झाँसे में आ गई। बोली, “राजा बाजार में हनुमान मन्दिर के मोड़ के सामने है। रेलवे स्टेशन से मुश्किल से पन्द्रह मिनट का रास्ता है। हर मिनट टेम्पों भी मिलते हैं। तीन रुपए दीजिए और पाँच मिनट में हनुमान मन्दिर उतर जाइए। मैं तो हमेशा टेम्पो से ही जाती हूँ।”

सावित्री देवी ने कहा, “लेकिन वहाँ मुझे जानेगा कौन? ना बहना, मैं सिपाही लोगों के पास नहीं जाऊँगी। मुझे डर लगता है।”

लीला देवी को हँसी आ गई। जब उसकी हँसी रुकी, तो वह बोली, “दीदी, वहाँ मेरा नाम ले लेना काफी है। कहना, लीला देवी की गोतिन हूँ—अपनी गोतिन। मेरा नाम सुनते ही सिपाही लोग तुम्हें गोद में उठा लेंगे। वैसे सन्तजी उनके मेस के मैनेजर हैं। उन्हें पहचानना आसान है; माथे पर बाल नहीं है और ललाट पर कटोरे के बराबर लाल टीका लगाए रहते हैं। सन्तजी सिपाही जरूर हैं लेकिन भीतर से वे सन्त हैं। काम खत्म होते ही सिपाही लोगों से पैसा वसूल कर चुकता कर देते हैं।”

सावित्री देवी का मानसिक तनाव खत्म हो गया। वह हँसकर बोली, “ठीक है, बहन। जब तुम कहती हो तो मैं सिपाही लोगों की चौकी में जाऊँगी।”

दूसरे दिन से ही सावित्री देवी राजा बाजार के हनुमान मन्दिर के पास स्थित पुलिस चौकी में दूध लेकर जाने लगी और उसके भी घर में चाँदी की वर्षा होने लगी। महीना बीतते-बीतते लीला देवी स्वस्थ हो गई और दोनों गोतिनें स्टील के कैनों में दूध लेकर एक साथ चौकी पर जा पहुँचीं। सन्तजी ने दोनों का उसी गर्मजोशी से स्वागत किया और सावित्री देवी का परिचय एक अन्य पुलिस चौकी से करा दिया, जहाँ उसका स्वागत पूर्वपरिचित की तरह हुआ। लेकिन सन्तजी की पुलिस चौकी के सिपाही भी सावित्री देवी की कार्यकुशलता से उतने ही प्रभावित थे जितने लीला देवी के व्यक्तित्व से और अन्त में यह तय हुआ कि दोनों गोतिनें बारी-बारी से एक-एक महीना के लिए दोनों पुलिस चौकियों पर जाएँगी।

ननकू भगत और जुन्हाई भगत के बीच की कटुता खत्म हो गई और दोनों परिवारों के बीच ऐसा सौहार्द स्थापित हो गया जो गाँव के अन्य परिवारों के लिए आदर्श की तरह था। दस महीने बीतते-बीतते सावित्री देवी को भी पुत्र-रत्न की प्राप्ति हुई और पंडित रामगुलाम दूबे ने बच्चे की छठी के दिन सत्यनारायण पूजा

की। पंडित रामगुलाम दूबे ने सावित्री देवी और लीला देवी की भूरि-भूरि प्रशंसा की और पूजा में आए लोगों को बताया कि किस तरह धर्मपरायण महिलाएँ, सच्ची कर्मठता से, घर को ऐसे स्वर्ग में बदल सकती हैं जहाँ लक्ष्मी का स्थायी निवास होता है।

सावित्री देवी को भी, लीला देवी की तरह, चार वर्षों में चार बच्चे हुए और तब उसने लीला देवी की तरह ही बंध्याकरण करा लिया। ननकू भी, जुन्हाई की तरह हर वर्ष एक बीघा जमीन खरीदने लगा और कुछ ही वर्षों में दोनों भाइयों ने मिट्टी के दीवालोंवाले घर की जगह ईंट के दीवालोंवाले घर बनवा लिए। जुन्हाई सामाजिक न्याय दल का सक्रिय कार्यकर्ता बन गया और कुसुमांचल की विधान सभा की सदस्यता के लिए चुनाव लड़ने का सपना देखने लगा। लेकिन इस बात से ननकू में ईर्ष्या के बदले आत्म-सम्मान का भाव जगा; आखिर जुन्हाई भाई किसका था? चार वर्ष बीतते-बीतते दोनों घरों में भैंसों की सेवा के लिए और खेती में मदद के लिए नौकर रख लिए गए; लेकिन सावित्री देवी और लीला देवी ने स्टेनलेस स्टील के कैन में दूध लेकर कुसुमपुर जाना नहीं छोड़ा। दोनों गोतिनों में ऐसा सौहार्द था कि गाँववाले ईर्ष्या करते। वे कुसुमपुर जाने के लिए एक तरह की साड़ी और ब्लाउज पहनतीं, एक साथ रेलगाड़ी पकड़तीं और शाम को साथ ही घर लौटतीं। इतना परिश्रम करने के बाद भी उनके चेहरों पर मुस्कान और आँखों में चमक होती, जिससे स्पष्ट था कि सफलता की ऊँची चोटियों पर चढ़ने का उनका निश्चय अभी जवान है।

मित्र–लाभ

विपिनबिहारी दास के पिता गगनबिहारी दास ने, जो रोहितपुर की एक सरकारी ऑफिस में किरानी थे, अपने तीसरे पुत्र को बचपन से ही ईमानदारी और जनसेवा का पाठ पढ़ाया और शिक्षा के साथ-साथ अपने उदाहरण से भी जीवन में इन गुणों की आवश्यकता का विचार कूट-कूटकर उसके मस्तिष्क में भर दिया कि ईमानदारी के साथ की गई जनसेवा आदमी का सबसे बड़ा मित्र ही नहीं है, वह सरकारी अफसरों के लिए गुरु-मन्त्र भी है। ईमानदारी और निःस्वार्थ जनसेवा के कारण कभी-कभी कष्ट होता है, लेकिन इस कष्ट को सहने से आदमी के अन्दर आन्तरिक शक्ति का विकास होता है, जिससे वह सफलता की सबसे ऊँची सीढ़ी पर चढ़ता है।

गगनबिहारी दास ने बाएँ हाथ की कमाई कभी नहीं की, ऑफिस का काम ईमानदारी से किया, किसी फाइल को अपनी मेज पर रोककर नहीं रखा और जो कोई किसी उचित काम के लिए उनके पास आया, उसकी पूरी मदद की। घर पर पढ़ने-लिखने का वातावरण था और विपिनबिहारी की दोनों बहनें, स्थानीय कॉलेज से बी.ए. पास कर, स्कूल शिक्षिका बन गईं और उनकी शादी बिना तिलक-दहेज के ही दो ऐसे युवकों से हो गई जो स्वयं भी स्कूल शिक्षक थे। गगनबिहारी दास की गृहस्थी शान्त और सुखी थी और विपिनबिहारी दास ने, अपने पिता द्वारा स्थापित आदर्शों का अनुशरण कर अपने लिए भी शान्त और सुखी जिन्दगी के सपने देखे। उसने जी-जान लगाकर अध्ययन किया और बी.ए. की परीक्षा में इतने अच्छे अंक प्राप्त किए कि एम.ए. की पढ़ाई के लिए उसे छात्रवृत्ति मिल गई। उसने बी.ए. की पढ़ाई रोहितपुर से पूरी की, लेकिन एम.ए. के लिए उसने प्रान्त की राजधानी कुसुमपुर के सबसे अच्छे कॉलेज में नाम लिखाया। वह इतना मेधावी था कि एम.ए. पास करने के पहले ही राष्ट्रीय प्रशासनिक सेवा के लिए चुन लिया गया और कुसुमांचल की सरकार में एक ऊँचा अफसर बन गया। ईश्वर ने विपिनबिहारी दास को जनसेवा का एक अच्छा अवसर दे दिया। उसने तय किया

कि वह इस अवसर का सदुपयोग करेगा और लोक और परलोक दोनों को सुधारने की कोशिश करेगा।

विपिनबिहारी दास के ऑफिस सफाई कर्मचारी सभासन खटिक एक हरिजन था। वह कभी-कभी गगनबिहारी दास के घर पर भी सफाई का काम करता था, उसका उसी समय स्वर्गवास हो गया। सभासन खटिक अपने पीछे पत्नी पद्मा के अलावा तीन पुत्रियाँ छोड़ गया था, जिनके नाम थे—चम्पा, नेहा और कल्याणी। लड़कियाँ सुन्दर और सुशील थीं, कभी-कभी गगनबिहारी के घर आया-जाया करती थीं। विपिनबिहारी दास के मन में जनसेवा की भावना प्रबल हुई, उसने अपने रिश्तेदारों और मित्रों के विरोध के बावजूद चम्पा से शादी कर ली। उसने न इस बात का खयाल किया कि एक हरिजन की बेटी से शादी करके वह सामाजिक मान्यताओं की अवहेलना कर रहा है क्योंकि इसकी उसे बड़ी कीमत चुकानी पड़ सकती है और न लाखों रुपयों के घाटे का खयाल किया जो सुदेश की प्रशासनिक सेवा में एक ऊँचा अफसर होने के कारण उसे तिलक और दहेज के रूप में मिल रहा था। चम्पा से शादी करने के बाद उसके मन में उसकी माँ पद्मा देवी और उसकी दोनों बहनों, नेहा और कल्याणी, के प्रति भी कर्तव्य की भावना उदित हुई और उसने तय किया कि वह उनकी यथासम्भव सहायता करता रहेगा। उसने अपनी तनख्वाह में से कुछ पैसे उन्हें देना शुरू किया ताकि वे भी सभ्य और सुसंस्कृत समाज के अंग की तरह सम्मान के साथ रह सकें।

कुसुमांचल एक बड़ा प्रान्त था जिसमें पचास जिले थे। नौकरी के प्रारम्भ के कुछ वर्षों में विपिनबिहारी दास का पदस्थापन जिलों में ही होता रहा, जहाँ बड़े-बड़े बँगले थे और अनेक चपरासी और सेवक थे। लेकिन उसके मन में न कभी दम्भ की भावना आई और न ही उसने कभी कोई ऐसा काम किया कि ईमानदारी और जनसेवा के आदर्शों को लेशमात्र भी आघात पहुँचे। चम्पा की माँ और बहनों को मदद की जरूरत थी, अतएव विपिनबिहारी उन्हें भी अपने साथ रखने लगा। शादी के चार वर्षों के अन्दर चम्पा ने दो पुत्रों को जन्म दिया। यद्यपि विपिनबिहारी दास का बोझ बढ़ गया, लेकिन पारिवारिक शान्ति और सन्तोष के कारण चम्पा के रूप में अधिक निखार आ गया।

उस समय कुसुमांचल में सामाजिक न्याय दल की सरकार थी। मल्लू गोप जो दल का सबसे बड़ा नेता था, कुसुमांचल का मुख्यमन्त्री था। सामाजिक न्याय दल अपराधकर्मियों की जमात था। जो जितना बड़ा अपराधकर्मी था, वह दल का उतना ही बड़ा नेता था। प्रान्त में अपराधकर्मियों का अहर्निश तांडव-नृत्य चलता रहता

था। प्रशासन-तन्त्र उनकी सुरक्षा और सेवा में सन्नद्ध रहता था। जो प्रशासनिक या पुलिस अफसर सामाजिक न्याय दल के अपराधियों के प्रति अवहेलना या अन्यमनस्कता का भाव दिखाता था, उसके सुधार की सम्भावना नहीं रहने पर उसे बरबाद करने की पूरी व्यवस्था थी ताकि उसे वांछित मार्ग से स्खलित होने से रोका जा सके। विभिन्न जिलों के सामाजिक न्याय दल के नेताओं से जो रिपोर्ट्स मल्लू के पास आ रही थीं, वे सन्तोषप्रद नहीं थीं, अतएव यह तय किया गया कि विपिनबिहारी दास को दूसरे सरकारी अफसरों के लिए एक सबक बना दिया जाए, ताकि कोई अन्य अफसर घिसे-पिटे आदर्शों पर चलने और सामाजिक न्याय दल के आदर्शों की अवहेलना करने की हिम्मत न कर सकें।

विपिनबिहारी दास को कुसुमपुर के सरकारी सचिवालय में पदस्थापित कर दिया गया और उसे निवास के लिए एक सरकारी अपार्टमेंट के सबसे ऊपरी तले पर एक फ्लैट दे दिया गया। फ्लैट में छोटे-छोटे तीन कमरे थे; एक कमरे में विपिनबिहारी दास अपनी पत्नी और दोनों बच्चों के साथ रहने लगा, दूसरे कमरे में चम्पा देवी अपनी दोनों छोटी पुत्रियों के साथ स्थापित हो गई और तीसरा कमरा मिलने-जुलनेवालों के लिए खाली रखा गया। यहाँ जगह की तंगी थी और उन सुविधाओं का अभाव था जो जिलों में पदस्थापन होने पर सरकारी अफसरों को मिलती थीं। विपिनबिहारी दास को पता था कि उसका कुसुमपुर में पदस्थापन सामाजिक न्याय दल के नेताओं की सेवा में कमी होने के कारण उसे सबक सिखाने के लिए किया गया है, लेकिन उसका विश्वास था कि यदि वह पूरी ईमानदारी से जनसेवा करता तो देर-सवेर उसे इसका सुफल अवश्य मिलेगा और वह सफलता की सीढ़ियों पर चढ़ता जाएगा।

अपार्टमेंट में चार तले थे। हर तले पर पचास फ्लैट थे जो एक बरामदे की दोनों तरफ खुलते थे। हर तले के फ्लैटों में निवास करनेवाले लोगों की मुलाकात एक दूसरे से कभी न कभी हो जाती थी और परिचय अक्सर मित्रता में बदल जाता था। विपिनबिहारी दास के फ्लैट की बगलवाले फ्लैट में एक परित्यक्ता महिला कान्ता गोप रहती थी जो सामाजिक न्याय दल की एक बड़ी नेत्री थी। यद्यपि वह पैंतालीस पार कर चुकी थी, फिर भी उसकी देह में बीस साल की युवती की फुर्ती थी और जब वह सलवार-कुर्ता और छह इंच ऊँची एड़ी की सैंडिल पहनकर, कान तक कटे केश को दाएँ-बाएँ लहराते हुए चलती तो लगता कि वह प्रशंसकों की भीड़ में भाषण देने के लिए जा रही है। वह सामाजिक न्याय दल के सर्वोच्च नेता और कुसुमांचल के मुख्यमन्त्री मल्लू गोप की प्रिय पात्राओं में से एक थी, इसलिए उसे कुसुमांचल की महिला उत्थान समिति की अध्यक्षा नियुक्त की गई थी। महिला उत्थान समिति एक सरकारी संस्था थी। उसकी अध्यक्षा के

रूप में कान्ता गोप को सामाजिक न्याय दल के बड़े नेताओं के यहाँ अच्छी पहुँच थी। सामाजिक मान-सम्मान के साथ आर्थिक लाभ भी था। उसका पति, जो एक प्राइवेट कम्पनी में किरानी था, उसके पास कोई भी फटकने की हिम्मत नहीं करता था। उसके साथ उसका पचीसवर्षीय पुत्र मुन्ना गोप रहता था, जो तीन प्रयत्नों के बाद बी.ए. पास कर सामाजिक न्याय दल के उदीयमान नेताओं में ऊँचा स्थान बना चुका था। कान्ता गोप अपनी ऑफिस में और अन्य दर्जनों स्थान पर नारी-उत्थान के लिए कार्य करती थी। सामाजिक न्याय दल के नेताओं को जहाँ जितनी नारियों की आवश्यकता होती थी, अविलम्ब आपूर्ति करती थी जिससे न्याय दल के नेताओं के सामाजिक और शारीरिक स्वास्थ्य में उत्तरोत्तर विकास होता था। महिला-उत्थान समिति के माध्यम से कान्ता गोप ऐसे लोगों को भी रास्ते पर लाने का काम करती थी जो सामाजिक न्याय के मार्ग से किसी कारणवश भटक गए थे। वह उस परिवार की महिलाओं से परिचय करती जिसे सबक सिखाने का निश्चय किया जाता और सम्बद्ध परिवार के गले में रस्सी डालकर धीरे-धीरे तब तक कसती जब तक उसकी साँसों का चलना बन्द नहीं हो जाता।

विपिनबिहारी दास की बगल के फ्लैट में आ जाने के तीसरे दिन बाद ही कान्ता गोप ने सत्यनारायण की पूजा कराई और उसमें भाग लेने के लिए आमन्त्रित करने स्वयं विपिनबिहारी दास के फ्लैट में गई। उसने उस अवसर के लिए शोख रंग की सलवार और फ्रॉक के बदले सफेद रंग की साड़ी धारण की थी और पैरों में ऊँची एड़ी की सैंडल की जगह खरपा पहन लिया था। उसके चेहरे पर कोई मेकअप नहीं था, इससे उसकी आँखों के नीचे की अर्द्धचन्द्राकार पट्टियाँ गहरी हो गई थीं। उसने चम्पा देवी और उसकी माँ पद्मा देवी को अपना परिचय दिया और बताया कि उसने किस तरह अपना जीवन नारी-उत्थान के लिए समर्पित कर दिया है, इसके लिए अपने पति से भी सम्बन्ध तोड़ लिए हैं, क्योंकि पुरुष के अधीन रहने के कारण नारी-उत्थान के पुण्य कार्य में व्यवधान होता था। उसने नारी-उत्थान समिति के कार्यों पर प्रकाश डाला और उनसे निवेदन किया कि वे समिति के कार्यों में बढ़-चढ़कर भाग लें, क्योंकि समिति को प्रचुर मात्रा में सरकारी अनुदान मिलता था जिससे जनसेवा के साथ-साथ आत्मसेवा के अवसर भी सुलभ थे। जनसेवा के साथ-साथ आत्म-सेवा के भी अच्छे अवसर होने की बात सुनकर चम्पा देवी और पद्मा देवी बहुत प्रभावित हुईं और एक-दूसरे की तरफ देखकर रहस्यपूर्ण ढंग से मुस्कुराईं। तब कान्ता गोप ने उनसे निवेदन किया कि वे उसके फ्लैट में चलकर सत्यनारायण पूजा में भाग लें क्योंकि किसी भी शुभ कार्य का प्रारम्भ करने के पहले देवपूजा कर लेने से सफलता की गारण्टी हो जाती है।

विपिनबिहारी दास के ऑफिस चले जाने के बाद चम्पा देवी और पद्मा देवी

ने भड़कदार कपड़े पहने और सत्यनारायण पूजा में भाग लेने के लिए कान्ता गोप के फ्लैट में गईं। वे नारी-उत्थान की योजना से बहुत प्रभावित थीं और मन-ही-मन उसमें पूरा सहयोग करने का निश्चय कर लिया था। वे इस कथन से बहुत प्रभावित थीं कि नारी-उत्थान से ही समाज का उत्थान सम्भव है और कौन ऐसा होगा जो समाज का उत्थान नहीं करना चाहेगा, विशेष रूप से तब जब इससे अपने उत्थान की भी पूरी सम्भावना हो? उन्हें इस बात से किंचित् आश्चर्य अवश्य हुआ कि कान्ता गोप के फ्लैट में सत्यनारायण पूजा के लिए जमा लोगों में उन दोनों और कान्ता गोप के सिवा अन्य कोई महिला नहीं थी; बाकी सभी पचीस से पैंतीस वर्ष तक के लोग थे जो सत्य से अधिक अपराध और असत्य के पुजारी लगते थे। कान्ता गोप ने बताया कि वे उसके सुपुत्र मलटू गोप के मित्र हैं और सत्यनारायण के लिए भक्ति के वशीभूत होकर पूजा में भाग लेने के लिए आए हैं। चम्पा देवी और पद्मादेवी ने सोचा—'प्रभु की कैसी लीला है! वह कभी-कभी बबूल के पेड़ में भी बेल के फल लगा देता है।'

पूजा घंटे भर के अन्दर ही खत्म हो गई और प्रसाद के लड्डू बाँटे गए। चम्पा देवी और पद्मा देवी के प्रसाद में बेहोशी की दवा मिलाई गई थी जिसका असर खाने के तुरन्त बाद हुआ। बेहोशी की हालत में ही उनके साथ सामूहिक बलात्कार हुआ जो उनके होश में आने के बाद भी होता रहा। मलटू गोप और उसके साथियों ने कमरे में आधा दर्जन रिवॉल्वर रख छोड़े थे और उन्होंने धमकाया, "यदि तुम लोगों ने चीखने-चिल्लाने की कोशिश की, या लौटकर इस घटना का जिक्र किसी से किया तो तुम लोगों को, विपिनबिहारी दास को और उसके पूरे परिवार को दो दिनों के अन्दर खत्म कर दिया जाएगा। हम लोग सामाजिक न्याय दल के सक्रिय कार्यकर्त्ता हैं और दल के हित के खिलाफ काम करनेवालों को धूल में मिला देते हैं।"

कार्य सम्पन्न होने के बाद कान्ता गोप ने चम्पा देवी और पद्मा देवी को सोने की एक-एक अँगूठी दी और समझाया, "देवियो, नारी का उत्थान सहयोग से ही होगा। सहयोग उत्थान का मूल-मन्त्र है। असहयोग से बर्बादी के सिवा कुछ हासिल नहीं होगा। सहयोग से ही नारी-उत्थान की गाड़ी बढ़ेगी, नहीं तो दलदल में धँस जाएगी।"

अपने फ्लैट में लौटकर चम्पा देवी और पद्मा देवी ने पूरी स्थिति पर विचार किया और घटना के सम्बन्ध में चुप्पी साध लेने में ही होशियारी समझी।

दो महीने बीतते-बीतते विपिनबिहारी दास को ऐसा लगने लगा कि उसके परिवार में अशान्ति प्रवेश कर गई है और कुछ ऐसी बातें हैं जिन्हें उससे छिपाया जा रहा

है। उसने इसे अपना भ्रम समझा और इसे नजरअन्दाज करने की कोशिश की, लेकिन जब उसके दोनों बेटों के व्यवहार में भी कुछ अस्वाभाविकता आ गई तो उसने बात की तह तक जाने का निश्चय किया। उसके बेटे प्रमोदबिहारी ओर विनोदबिहारी क्रमशः आठ और छह वर्ष के हो चुके थे और अपने चारों तरफ की दुनिया को समझने लगे थे। विपिनबिहारी उन्हें, छुट्टी के दिन, अजायबघर दिखाने के लिए ले गया और बातों के क्रम में पूछा, "बेटा विनोदबिहारी, कल शाम को अपने फ्लैट में कौन लोग आए थे? जब मैं ऑफिस से लौटा तो पाया कि ड्राइंगरूम में चाय के आठ जूठे कप पड़े हुए हैं।"

विनोदबिहारी ने आँखों में प्रश्न का भाव लाते हुए प्रमोदबिहारी की तरफ देखा। प्रमोदबिहारी, जो घर में होनेवाली अवांछित गतिविधियों से ऊब चुका था, बोला, "पापा, बगल के फ्लैट की कान्ता आंटी हैं न, उनके लड़के मलटू गोप अपने पाँच-छह साथियों के साथ आए थे। वे लोग आपके जाने के बाद रोज आते हैं और मम्मी और आंटी लोगों को कान्ता आंटी के फ्लैट में ले जाते हैं।"

बिपिनबिहारी को उससे आगे पूछने का साहस नहीं हुआ। रात में उसने अपनी पत्नी से सारी बातें पूछीं। पत्नी ने रो-रोकर बताया कि उसका अपना फ्लैट दिन में और कान्ता गोप का फ्लैट चौबीसों घंटे बलात्कारियों का अड्डा बना हुआ है और घर की चारों औरतों के साथ हर रोज बलात्कार होता है। उसने यह भी बताया कि वह स्वयं, उसकी दोनों बहनें और उसकी माँ बलात्कार के कारण बार-बार गर्भवती हुई हैं और हर बार जबर्दस्ती उनका गर्भपात कराया गया है। बलात्कारियों ने उन्हें धमकी दी है कि यदि उन्होंने उनसे छुटकारा पाने के लिए कानून की शरण ली तो सबसे पहले प्रमोदबिहारी और विनोदबिहारी की हत्या की जाएगी और उसके बाद पूरे परिवार को खत्म कर दिया जाएगा।

बिपिनबिहारी दास के पैरों के नीचे से धरती खिसक गई। वह जानता था कि अपराधकर्मियों के जाल में फँस जाने के बाद उससे मुक्ति पाने का कोई रास्ता नहीं। इतने दिनों की सरकारी नौकरी के बाद वह यह भी समझ गया था कि प्रान्त के असली शासक अपराधकर्मी हैं। सारे नियम और कानून, पूरा प्रशासन-तन्त्र उनके हितों की रक्षा के लिए और उनकी इच्छाओं की पूर्ति के लिए हैं। उसे एकाएक ऐसा लगा कि वह असहाय है। ईमानदारी और निःस्वार्थ जनसेवा जिन्हें उसने जीवन का आदर्श बनाया था, उसके सबसे बड़े दुश्मन हैं। वह सामने की दीवाल पर एकटक ताकता रहा, यद्यपि उसे वहाँ कुछ भी दिख नहीं रहा था।

मुट्ठी में आसमान

नारायण गोप का नाम उसके पिता ने नकछेदी गोप रखा था, क्योंकि उसकी आवाज बचपन में बहुत पतली थी जिसे ठीक करने के लिए एक वैद्य के सुझाव पर उसकी नाक की दायीं छेद के ऊपर एक अलग छेद करा दी गई थी। इस छेद के कारण उसकी आवाज में गम्भीरता आ गई थी। यद्यपि उसकी नई आवाज, उसकी औसत से कम कद के कारण बेमेल लगती थी, लेकिन उससे उसके व्यक्तित्व की प्रभावोत्पादकता में दस गुनी वृद्धि हुई थी।

बचपन में नकछेदी गोप, परिवार में मिलनेवाले तिरस्कार के कारण, गाँव के नारायण मन्दिर में बिताता था। वह मूर्तियों को धोता, मन्दिर में झाड़ू लगाता और दिनभर मन्दिर के पुजारी हीरामन शास्त्री की सेवा-टहल में लगा रहता। पंडित हीरामन शास्त्री उसकी भक्ति से इतने प्रभावित हुए कि उसका नाम नकछेदी गोप से बदलकर नारायण गोप रख दिया और कुछ दिनों में सभी उसे इसी नाम से पुकारने लगे। पंडित हीरामन शास्त्री मन्दिर में चढ़ाए गए प्रसाद से दो-चार लड्डू और दो-चार केले नारायण गोप को दे देते, अपने खाने में से भी कुछ रोटियाँ और सब्जी देते और वह हफ्तों मन्दिर में पड़ा रहता।

नारायण गोप मन्दिर के काम में अक्सर ही शहर जाता जो उसके गाँव से तीन मील की दूरी पर था और इस क्रम में उसके ज्ञान का विस्तार हुआ और उसे ऐसी बहुत सारी बातें मालूम हुईं जो उसके उत्थान में सहायक हुईं। जब वह आठ साल का था, उसी समय वह मन्दिर की देवी सीता के गले का सोने का हार चुरा ले गया और उसे शहर के एक सोनार के यहाँ बेच दिया। दूसरे दिन पूजा के समय जब हीरामन शास्त्री ने देखा कि देवी सीता के गले का हार गायब है तो उनके होश उड़ गए; दरअसल उन्होंने सोने के हार को पहले ही अपनी पत्नी के हवाले कर दिया था और उसकी जगह पर पीतल का ठीक वैसा ही हार बनवाकर मूर्ति के गले में पहना दिया था। यदि भक्तों को पता चल गया कि देवी सीता का हार गायब है तो वे उलझन में पड़ जाएँगे, क्योंकि पंडिताइन असली हार किसी

हालत में नहीं लौटाएगी और यदि पीतल के हार का भेद खुल गया तो उनका जीवन खतरे में पड़ सकता है। उन्होंने अपनी विवेचना शक्ति पर जोर दिया और उन्हें इस निष्कर्ष पर पहुँचने में देर नहीं लगी कि पीतल के हार के गायब होने के रहस्य का उद्घाटन नारायण गोप से हो सकता है।

उन्होंने उसे पूजा-गृह के एक कोने में बुलाया और मधुमिश्रित आवाज में कहा, ''बेटा नारायण गोप, किसी पापी ने अपने लिए नर्क का रास्ता तैयार कर लिया है। उसने देवी सीता के गले के हार की चोरी कर ली है। विष्णु पुराण में साफ लिखा है कि जो उस हार को खोजकर ला देगा, उसे स्वर्ग में राजमहल मिलेगा। मैं चाहता हूँ कि वह राजमहल तुम्हें ही मिले, किसी और को नहीं। तुम यह पाँच रुपए का नोट लो और हार को खोजकर शाम तक ला दो।''

नारायण गोप ने नोट लेते हुए पूछा, ''यदि हार मिल जाएगा तो क्या यह नोट मेरा हो जाएगा?''

हीरामन शास्त्री ने कहा, ''हाँ, बेटा, देवी सीता का हार मिल जाने पर मुझे भी स्वर्ग में एक राजमहल मिलेगा। उसके लिए पाँच रुपए क्या हैं?''

शाम को पीतल का हार फिर देवी सीता के गले में सुशोभित हो गया।

पंडित हीरामन शास्त्री ने नारायण गोप के अन्तर्निहित गुणों को विकसित कर उनसे समाज को लाभान्वित करने का निश्चय किया। उनके मार्गदर्शन में वह एक सिद्धहस्त मूर्तिचोर हो गया और मन्दिरों से पुराने मूर्तियों को चुराकर बड़े शहरों में स्थित पुरातात्त्विक वस्तुओं की दुकानों में बेचने लगा। उसे शुरू में ऐसी मूर्तियों को जिनकी अन्तर्राष्ट्रीय बाजार में अच्छी कीमत थी, पहचानने में दिक्कत हुई; लेकिन उसने हीरामन शास्त्री के निर्देशन में थोड़े दिनों में ही परिपक्वता प्राप्त कर ली और बीस वर्ष के होते-होते न सिर्फ पुरानी मूर्तियों का सफल व्यापारी हो गया, बल्कि लड़कियों और औरतों के व्यापार में भी महारत हासिल कर ली। वह अपने एजेंटों को एक निश्चित रकम कमीशन के रूप में देता था और इस बात का ध्यान रखता था कि यह रकम उन्हें निश्चित समय पर मिल जाए। इस कारण वे उसके प्रति निष्ठावान होते थे। यदि कभी वे पुलिस के हाथों में पड़ जाते तब भी उसके खिलाफ कुछ नहीं कहते, क्योंकि वे जानते थे कि वह हर तरीके से उनकी मदद करेगा। यदि व्यवसाय के चलते कभी कोई हत्या या मौत होती तब भी उसके एजेंट सारी जिम्मेदारी अपने ऊपर ले लेते और उसे उलझन से बचाने की कोशिश करते।

नारायण गोप का व्यवसाय इतना फला-फूला कि वह दस वर्षों के अन्दर ही

करोड़पति बन गया और उसका स्थान सामाजिक न्याय दल के उदीयमान नेताओं की अगली पंक्ति में हो गया। यद्यपि उसकी ऊँचाई औसत से छह इंच कम थी और चौड़ाई औसत से बारह इंच अधिक थी और जब वह चलता था तो दल के अन्य नेतागण उससे दूरी बनाए रखने में ही होशियारी समझते थे। वह हर कदम सोच-समझकर उठाता था और उचित समय आने पर कुसुमांचल की विधानसभा का सदस्य बन गया। प्रान्त का मुख्यमन्त्री मल्लू गोप उसकी योग्यता से इतना प्रभावित हुआ कि उसने उसे संस्कृति राज्यमन्त्री बनाकर अपने मन्त्रिमंडल में शामिल कर लिया।

संस्कृति राज्यमन्त्री बनने के बाद नारायण गोप ने अपने कार्यक्षेत्र का विस्तार किया और उसने प्रान्त के सभी प्राचीन मन्दिरों और सांस्कृतिक धरोहरों का उत्थान करने की योजना बनाई। उसके जुड़वाँ पुत्र विकट गोप और वामन गोप ने, जो पन्द्रह वर्ष की अवस्था प्राप्त होते-होते संस्कृति के उत्थान के क्षेत्र में उसके सुयोग्य सहायक बन गए थे, उसकी योजना को कार्यान्वित करने में महत्त्वपूर्ण भूमिका अदा की। उन्होंने सांस्कृतिक उत्थान संघ नाम की एक संस्था बनाई जो सांस्कृतिक धरोहरों की सुरक्षा के लिए सरकार से मिले लाखों रुपयों का वारा-न्यारा करती, पुरानी मूर्तियों को अन्तर्राष्ट्रीय सम्बन्ध रखनेवाले तस्करों के हाथ बेचकर उनके स्थान पर नई मूर्तियों का प्रतिस्थापन करती और सम्पन्न परिवारों के लोगों से श्लाघा-गान कराकर अपने सुयश के शामियाने में चार चाँद लगाती।

कुछ ही वर्षों में विकट गोप और वामन गोप ने सामाजिक न्याय दल की सांस्कृतिक उत्थान शाखा के नेताओं की अगली पंक्ति में स्थान बना लिया। सामाजिक न्याय दल के नेताओं को जब कभी औरतों या हिजड़ों की जरूरत होती, विकट गोप और वामन गोप अविलम्ब सन्तोषप्रद व्यवस्था कर देते। दल के सर्वोच्च नेता मल्लू गोप का हिजड़ों से विशेष लगाव था, जिस कारण दल में उनका सम्माननीय स्थान था। मुख्यमन्त्री-निवास पर भिन्न-भिन्न किस्म के हिजड़ों की अबाध आपूर्ति की व्यवस्था का भार विकट गोप और वामन गोप पर था और वे इस जिम्मेवारी का निर्वाह प्रशंसनीय कुशलता से करते थे।

विकट गोप और वामन गोप का स्थान दल में रॉकेट की गति से ऊँचा होता गया और नारायण गोप पूरी तरह आश्वस्त था कि वे खानदान का नाम कुसुमांचल में ही नहीं बल्कि पूरे सुदेश में ऊँचा करेंगे। उसके पुत्र अब अपने क्षेत्र में परिपक्वता हासिल कर चुके थे और सफलता की अन्तिम चोटी पर चढ़ने से अब उन्हें कोई रोक नहीं सकता था। लेकिन वह अपनी पुत्रियों, जलेबी गोप और कचौड़ी गोप, के भविष्य के प्रति उतना आश्वस्त नहीं था। चौदह वर्ष और तेरह वर्ष की हो जाने पर भी उनमें उस मात्रा में सांस्कृतिक जागरूकता नहीं आई थी

जितनी अपेक्षित थी। वे अपने नाम सार्थक करने पर ही जोर देती थीं, जिसके कारण उनकी लम्बाई और चौड़ाई में बहुत कम अन्तर रह गया था। इस कठिन समय में नारायण गोप को पंडित हीरामन शास्त्री का स्मरण आया जिन्होंने उसके जीवन को उचित दिशा दी थी और उसकी भावी महानता के महल का शिलान्यास किया था। पंडित हीरामन शास्त्री का स्वर्गवास हो गया था, लेकिन उनके सुपुत्र पंडित मधुकर शास्त्री, जो अपने दिवंगत पिता की तरह ही मृदुभाषी और वाक्पटु थे, नारायण गोप को भा गए और उसने अपनी पुत्रियों की सांस्कृतिक चेतना के विकास के लिए उनकी ही योग्यता का उपयोग करने का निश्चय किया।

पंडित मधुकर शास्त्री की नियुक्ति संस्कृति राज्यमन्त्री के सांस्कृतिक सहायक के रूप में हो गई और उन्हें राज्यमन्त्री के बँगले पर आउट हाउस में एक कमरा मिल गया। मधुकर शास्त्री ने अपनी मीठी बातों और गगनचुम्बी आश्वासनों से नारायण गोप का विश्वास जीत लिया और जलेबी और कचौड़ी दोनों बहनों के शारीरिक और चारित्रिक पुननिर्माण का पूरा अधिकार प्राप्त कर लिया। जलेबी और कचौड़ी भी अपने पिता और भाइयों की तरह ही लम्बी कम और चौड़ी अधिक थीं और पंडित मधुकर शास्त्री, गहन विचार के उपरान्त, इस निष्कर्ष पर पहुँचे कि सर्वप्रथम उन्हें लाठी भाँजने और कमर भाँजने की कला में दीक्षित करना आवश्यक है। महिलाओं के शारीरिक और चारित्रिक सुदृढ़ीकरण के लिए लाठी भाँजने और कमर भाँजने की पारंगतता की अनिवार्यता के दर्शन का प्रतिपादन कुछ दशक पूर्व झूलन देवी नाम की एक ज्ञानी महिला ने किया था और सामाजिक न्याय दल ने इस दर्शन को अपने समाज-दर्शन के एक अविभाज्य अंग के रूप में स्वीकार कर लिया था। जब मधुकर शास्त्री ने नारायण गोप को बताया कि जलेबी और कचौड़ी की सांस्कृतिक शिक्षा का प्रारम्भ लाठी भाँजने और कमर भाँजने की कला की शिक्षा से करना उपयुक्त होगा तो उनकी अन्तर्दृष्टि की गहराई में नारायण गोप का विश्वास और अधिक सुदृढ़ हो गया। उसने निश्चय किया कि वह अपनी सुपुत्रियों की सांस्कृतिक शिक्षा की पूरी जिम्मेवारी उन पर छोड़कर निश्चिन्त हो जाएगा।

पंडित मधुकर शास्त्री कमर भाँजने की कला में निष्णात थे, यद्यपि लाठी भाँजने की कला से उनका परिचय उसके सैद्धान्तिक पक्ष तक ही सीमित था। उन्होंने नारायण गोप के बँगले के आउट हाउस के कमरे में ही जलेबी और कचौड़ी को कमर भाँजने की कला में दीक्षित करना प्रारम्भ किया। दोनों बहनें हर शाम पाँच बजे उनके कमरे में आ जातीं और मधुकर शास्त्री के निर्देशन में रात के दस बजे तक कमर भाँजने का अभ्यास करतीं। एक हफ्ता बीतते-बीतते जलेबी और कचौड़ी का प्रशंसनीय गति से चारित्रिक विकास हुआ; उनके चेहरों की स्थायी

गम्भीरता सन्तोष की मुस्कुराहट में बदल गई और उनकी देह के पिंड अधिक आकर्षक हो गए।

लेकिन जलेबी और कचौड़ी को अपने कमरे में ही कमर भाँजने की कला में दीक्षित करने का मधुकर शास्त्री का उत्साह एक हफ्ते में ही धीमा पड़ गया। मधुकर शास्त्री पैंतीस पार कर चुके थे और जलेबी और कचौड़ी को प्रतिदिन देर तक कमर भाँजने की कला में दीक्षित करने की क्षमता उनके अन्दर नहीं रह गई थी। उधर जलेबी और कचौड़ी का कमर भाँजने की कला से लगाव प्रतिदिन बढ़ता जा रहा था। इसके अलावा, सांस्कृतिक शिक्षा की पूर्णता के लिए लाठी भाँजने की कला में प्रवीणता भी अनिवार्य थी। इस कारण आठवें दिन ही मधुकर शास्त्री अपनी दोनों शिष्याओं को संस्कृति निकेतन ले गए।

संस्कृति निकेतन सामाजिक न्याय दल द्वारा संचालित और सम्पोषित ऐसा केन्द्र था जो दल के नेताओं के परिवार की महिलाओं के पूर्ण सांस्कृतिक विकास के लिए क्रियाशील था। यद्यपि इसका प्रधान कार्यालय कुसुमपुर में था, लेकिन इसके उपकेन्द्र कुसुमांचल के हर बड़े शहर में थे और पन्द्रह वर्ष से पैंतालीस वर्ष की महिलाएँ इसके विभिन्न केन्द्रों और उपकेन्द्रों पर पूरे उत्साह से शिक्षा ग्रहण करती थीं। संस्कृति निकेतन द्वारा प्रशिक्षण दी जानेवाली दोनों कलाओं—कमर भाँजने की कला और लाठी भाँजने की कला में महिलाओं की समान रूप से अभिरुचि थी क्योंकि इनसे होनेवाला शारीरिक और चारित्रिक विकास बहुत कम समय में परिलक्षित होने लगता था। इसके अलावा इन कलाओं के अभ्यास में ही एक ऐसा अन्तर्निहित आनन्द था जो महिलाओं को उसी तरह आकृष्ट करता था जिस तरह चुम्बक लोहे को आकृष्ट करता है। जलेबी और कचौड़ी को सामाजिक और राजनीतिक क्षेत्र में वांछित ऊँचाई प्राप्त करने के लिए पारंगतता की आवश्यकता थी। वे हर शाम पंडित मधुकर शास्त्री के साथ संस्कृति निकेतन जातीं और चार घंटों तक कमर भाँजने और लाठी भाँजने की कला का अभ्यास करतीं। मधुकर शास्त्री ने उनके प्रशिक्षण के लिए संस्कृति सदन के पार्श्व में स्थित पुलिस चौकी से आठ सिपाहियों को हर रोज बुलाने की व्यवस्था की थी। घंटे भर के प्रशिक्षण से एक सिपाही थककर चूर हो जाता और उसका स्थान दूसरा सिपाही ले लेता। जलेबी और कचौड़ी लगातार चार घंटों तक अभ्यास करने के बाद भी खिली-खिली रहतीं और कला-साधना में अधिक समय लगाने की इच्छा व्यक्त करतीं। लेकिन मधुकर शास्त्री ने लगातार चार घंटों से अधिक का अभ्यास वर्जित कर दिया थां, क्योंकि उन्हें प्रशिक्षकों की क्षमता का खयाल रखना था। प्रशिक्षकों को पारिश्रमिक भी देना पड़ता था लेकिन इसकी चिन्ता मधुकर शास्त्री को नहीं थी क्योंकि पारिश्रमिक संस्कृति मन्त्रालय की तरफ से दिया जाता था।

चार वर्ष बीतते-बीतते जलेबी और कचौड़ी कमर भाँजने और लाठी भाँजने की कला में पारंगत हो गईं और सामाजिक न्याय दल की महिला शाखा की अग्रणी नेत्रियों में गिनी जाने लगीं। संस्कृति राज्यमन्त्री नारायण गोप पंडित मधुकर शास्त्री के काम से इतना प्रसन्न हुआ कि उसने उनकी तनख्वाह तिगुनी कर दी और संस्कृति राज्यमन्त्री के सांस्कृतिक सहायक के रूप में उनकी नियुक्ति स्थायी कर दी।

सच ही कहा गया है कि विद्या बल की जननी है।

लाल कनेल

विभूतिभूषण लाल बालकनी में खुलनेवाले दरवाजे के पास बैठा हुआ शहर की काली छत पर जहाँ-तहाँ जलती हुई बत्तियों को देख रहा था। मार्च के महीने का दूसरा सप्ताह था, लेकिन हवा में शीतलता थी; इसके कारण उसने कंधे पर एक ऊनी चादर डाल रखी थी। सवेरा होने में बहुत देर नहीं थी, लेकिन वह एक क्षण के लिए भी नहीं सोया था। वह शाम को ही अपने वकील के यहाँ से पत्नी से सम्बन्ध-विच्छेद के लिए तैयार किए गए आवेदन-पत्र को लेकर आया था, लेकिन उसने इसे इस समय अलग रख दिया था, मानो वह कोई खतरनाक जीव हो। बहुत देर तक अनिश्चय की स्थिति में रहने के बाद उसने आवेदन-पत्र पर हस्ताक्षर कर दिए थे और तब उसे ऐसा लगा था कि उसका अतीत से सम्बन्ध कट गया है और वह बिलकुल अकेला पड़ गया है। उसे अपने शरीर के हर अंग में एक ऐसी दुर्बलता की अनुभूति हुई कि उसके लिए खड़े रहना कठिन हो गया था।

काली छत पर दूर-दूर तक जलती हुई बत्तियों ने शहर की रहस्यमयता को बढ़ा दिया था जिस कारण वह अधिक डरावना लगने लगा था। पिछले सात वर्षों से, जब से वह नौकरी में आया था, वह इस शहर को जानता था और उसके हृदय में इसके प्रति घृणा की भावना बढ़ती गई थी। गलियों में, दुकानों में, घरों में और सड़क के बीचोबीच दिन-दहाड़े होनेवाली हत्याएँ दिनोंदिन बढ़ती जा रही थीं और वातावरण में हिंसा तथा असुरक्षा की एक ऐसी भावना प्रवेश कर गई थी, जो उसकी अपनी आत्मा पर चढ़े रंग के विस्तार की तरह लगती थी।

उसकी शादी के छह वर्ष हो गए थे और इन वर्षों में यह शहर उसकी जिन्दगी का एक अविभाज्य अंग रहा था। प्रान्त के अन्य शहरों में उसकी पोस्टिंग चार-छह महीने के लिए होती थी, फिर उसकी बदली यहाँ पर ही सचिवालय में कर दी जाती थी। वह यहाँ एक जूनियर अफसर था, जिस कारण उसे कोई स्वतन्त्र निर्णय लेने और इस तरह प्रभावशाली लोगों की मर्जी के विरुद्ध काम करने का कोई अधिकार नहीं था। जब उसकी पोस्टिंग प्रान्त के किसी जिले में होती थी, भारतीय

प्रशासनिक सेवा का अफसर होने के नाते वहाँ उसे स्वतन्त्र निर्णय लेने का अधिकार प्राप्त हो जाता था और वह अपने निर्णयों में विवेक से संचालित होता था, पैरवी या दबाव से नहीं। इस कारण उसे अनेकानेक कटु अनुभवों का सामना करना पड़ता था। इन अनुभवों से उसे बहुत पीड़ा पहुँचती थी, लेकिन उसने परिस्थिति से समझौता कर लिया था और अपनी पीड़ा को अपने चेहरे पर प्रतिबिम्बित नहीं होने देता था।

लेकिन जब से उसके पारिवारिक जीवन में कटुता का समावेश हुआ था, उसकी मानसिक शान्ति नष्ट हो गई थी और उसके हृदय में उथल-पुथल मचा हुआ था। यह शहर, जो देश के इतिहास में एक अग्रणी स्थान रखता था और जिसके सम्बन्ध में यहाँ आने के पहले उसने अनेक सपने देखे थे, एक भद्दे और कुरूप खँडहर के रूप में प्रकट हुआ जिसमें तरह-तरह के अपराधकर्मियों ने अपने अड्डे बना रखे थे। प्रारम्भ के कुछ वर्षों में उसने इस स्थिति को गम्भीरता से नहीं लिया था, मानो यह यथार्थ नहीं हो बल्कि उसकी छायाकृति हो जो प्रकाश का कोण बदलते ही एक मोहक रूप प्राप्त कर लेगी। लेकिन समय बीतने के साथ-साथ यह आकृति अधिकाधिक विद्रूप होती गई थी। लेकिन वह आकर्षण, जो उसके मस्तिष्क पर नशा बनकर छाया हुआ था, कभी-कभी वास्तविकता पर इन्द्रधनुषी रंग चढ़ा देता था।

पद्मावती की ओर से हवा का एक ठंडा झोंका आया और उसके तपते मस्तिष्क को कुछ देर के लिए राहत मिली। एक क्षण के लिए उसे ऐसा लगा कि वह कुसुमपुर में नहीं, बल्कि आठ वर्ष पहले के देवल में है जहाँ उसने औरत के प्रेम को पहली बार जाना था। वह उस समय यूनिवर्सिटी की पढ़ाई के अन्तिम वर्ष में था और एक ऐसे प्रतिभा-सम्पन्न विद्यार्थी के रूप में जाना जाता था जिसका भविष्य उज्ज्वल था। लेकिन वह एक अनुसूचित जाति में पैदा हुआ था, इस कारण उसके स्वभाव में एक ऐसा संकोचीपन प्रवेश कर गया था कि वह लड़कियों से, विशेषतः सुन्दर और तेज-तर्रार लड़कियों से, बातें करने से भी हिचकता था और उनसे दूर रहता था। राजेश्वरी दूबे से, जो उसके विभाग की सर्वाधिक सुन्दर और आकर्षक लड़कियों में से एक थी और जिसके आगे-पीछे चक्कर काटनेवाले लड़कों का एक पूरा दल था, निकटता की उसने कभी कल्पना नहीं की थी और जब उसने स्वयं ही उससे बातचीत शुरू की और उससे परिचय बढ़ाने का प्रयत्न किया तो उसे आश्चर्य हुआ। उफनती जल-राशि के वेग से तटबंध टूट गया, मैदान मीलों तक जल-प्लावित हो गया और वहाँ खड़े सैकड़ों पेड़-पौधे अथाह जलराशि में निमग्न हो गए। विभूतिभूषण के मस्तिष्क में यह बात एक क्षण के लिए भी नहीं आई कि उसके लिए राजेश्वरी की कमजोरी एक योजना

का अंग हो सकती थी। उसे अच्छी तरह मालूम था कि राजेश्वरी जानती है कि वह चर्मकार जाति का है और उसे यह भी मालूम था कि उसके मन में नीची जाति के लोगों के प्रति गहरा पूर्वग्रह है। राजेश्वरी के प्रशंसकों में अधिकांश अमीर युवक थे जो उस पर बहुत सारे पैसे खर्च करते थे, जबकि वह स्वयं एक निर्धन परिवार का था और उसका खर्च उस छात्रवृत्ति से चलता था जो एक मेधावी छात्र होने के नाते उसे मिलती थी। उसने इस बात पर गौर नहीं किया कि राजेश्वरी ने दो वर्षों तक उसमें कोई दिलचस्पी नहीं दिखाई थी, लेकिन जब अन्तिम परीक्षाएँ समीप आ गई थीं और छात्र जीवन समाप्त होने को आया तो वह उसमें अचानक दिलचस्पी लेने लगी थी।

वह उसके साथ देर शाम तक किसी पार्क में बैठकर बातें करती—किताबों की बातें, देश की राजनीति की बातें और अपने प्रति और समाज के प्रति उनके कर्तव्य से सम्बन्धित बातें। ऐसा लगता था कि विभूतिभूषण के साथ रहने से उसकी वाचालता बढ़ जाती थी और अनेकानेक विषयों में उसकी अभिरुचि को वाणी मिल जाती थी। लेकिन विभूतिभूषण स्वयं बहुत कम बोलता, इस कारण नहीं कि वह बोलना नहीं चाहता था, बल्कि इस कारण कि वह राजेश्वरी की उपस्थिति से ही भावाविभूत था; उसकी आवाज संगीत के किसी ऐसे राग की तरह थी जिसके माधुर्य में मन और प्राण डूब जाते थे और शब्दों का अर्थ उस माधुर्य का एक अविभाज्य अंग बन जाता था। वह इस बात को समझने में असमर्थ था कि उसके साथ निकटता बढ़ाने में राजेश्वरी का मूल उद्देश्य अपने भविष्य के लिए एक सुरक्षित आधार तैयार करना था। राजेश्वरी की निकटता ने उसके मन में एक ऐसे लोक की सृष्टि कर दी थी जिसमें वर्तमान और भविष्य एकाकार हो गए थे और दोनों को अलग कर उनके बारे में सोचने की क्षमता उसके अन्दर नहीं रह गई थी।

विभूतिभूषण हर दूसरे या तीसरे दिन राजेश्वरी के घर जाता और उसके साथ बैठकर घंटों बिताता। राजेश्वरी की माँ कामेश्वरी, जो एक परित्यक्ता महिला थी, उसका स्वागत एक सम्मानित अतिथि की तरह करती, जिससे विभूतिभूषण की आत्मश्लाघा की भावना सम्प्रेषित होती और सिर्फ राजेश्वरी के प्रति ही नहीं बल्कि पूरे परिवार के प्रति उसका लगाव बढ़ता जाता। राजेश्वरी उसके साथ ड्राइंगरूम में घंटों बैठती और अपनी बातों में गम्भीर और हलकी बातों का ऐसा मिश्रण करती कि उसके व्यक्तित्व में एक असाधारण सम्मोहन का निवेश हो जाता। उसके प्रति विभूतिभूषण की धारणा दिनोंदिन ऊँची होती गई और उसको अपना जीवनसाथी बनाने की इच्छा प्रबल होती गई। लेकिन राजेश्वरी ने सारी अन्तरंगता के बावजूद कभी ऐसा व्यवहार नहीं किया जिससे यह लगे कि उसकी अन्तरंगता

के पीछे कोई प्रयोजन है। इसके विपरीत, विभूतिभूषण ने जब कभी उसके सामने शादी का प्रस्ताव रखा, उसने शालीनता के साथ निर्णय को भविष्य के लिए टाल दिया। लेकिन उसने निर्णय की अनिश्चितता का संकेत ऐसे मधुर व्यवहार के साथ किया कि इससे विभूतिभूषण के स्वाभिमान को न सिर्फ चोट नहीं पहुँची बल्कि उसकी आशा भी बनी रही।

उस समय राजेश्वरी का सम्बन्ध कम से कम आधा दर्जन युवकों से था और उसके घर में उनका भी स्वागत उसी तरह होता था जिस तरह विभूतिभूषण का होता था। जब कभी उनमें से किसी की मुलाकात राजेश्वरी के घर में होती, वह गर्मजोशी से विभूतिभूषण से हाथ मिलाता। उस समय उसकी आँखों में कटाक्ष की चमक होती, लेकिन विभूतिभूषण राजेश्वरी के प्रेम में इस तरह अन्धा हो गया था कि वह कटाक्ष को देख नहीं पाता और उसे इस बात से खुशी होती कि दूसरे भी राजेश्वरी से उसकी बढ़ती निकटता से प्रसन्न हैं। राजेश्वरी अपने प्रशंसकों में से किसी से विवाह कर घर बसा सकती थी, लेकिन उसने उसके लिए ही प्रतीक्षा करना उचित समझा था। यह उसके लिए गर्व और सन्तोष की बात थी।

राजेश्वरी को अपनी जीवनसंगिनी के रूप में पाने के लिए उसे बहुत दिनों तक प्रतीक्षा नहीं करनी पड़ी। उससे अन्तरंगता प्राप्त करने के सालभर के अन्दर ही वह भारतीय प्रशासनिक सेवा के लिए चुन लिया गया और जब वह शुभ समय सुनाने के लिए राजेश्वरी के घर गया तो उसकी माँ ने उसे चार तरह की मिठाइयाँ खिलाईं और बोली, "बेटा, तुम एक बड़े अफसर बन गए हो। अब तुम्हें शादी करने में देर नहीं करनी चाहिए। अब तरह-तरह की लड़कियाँ तुम्हारे रास्ते में आएँगी और तुम्हें बहकाने की कोशिश करेंगी। तुम किसी ऐसी सुयोग्य लड़की से, जिसे तुम जानते हो, जल्दी शादी कर लो।"

विभूतिभूषण खुशी से गद्‌गद हो गया। इसी शादी के लिए वह युगों से उतावला था। राजेश्वरी से अन्तरंगता के बाद उससे शादी में एक दिन का विलम्ब उसके लिए एक वर्ष के विलम्ब से अधिक कष्टदायक था। उसने कहा, "माँ जी, मैंने लड़की पसन्द कर ली है। बस, उसके हाँ कहने की देर है।"

कामेश्वरी की आँखों में मुस्कान और होंठों पर चमक आ गई। उसने कहा, "बेटा, ऐसी कौन लड़की है जो तुमसे शादी करके खुश नहीं होगी? उससे एक बार पूछकर तो देखो।"

विभूतिभूषण ने किंचित् अनिश्चितता-भरी आवाज में कहा, "माँ जी, यदि आप चाहेंगी तो वह लड़की मुझसे शादी करने के लिए अवश्य तैयार हो जाएगी।"

कामेश्वरी ने अनिश्चय की स्थिति को अधिक देर तक कायम रखना उचित नहीं समझा। उसने प्रसन्न आवाज में कहा, "बेटा, तुम्हारा इशारा मेरी बेटी राजेश्वरी की तरफ है—है न? मैं जानती हूँ कि इस जिन्दगी में राजेश्वरी की सबसे बड़ी इच्छा है तुम्हें सुखी देखना। लेकिन वह शर्मीली है, चाहकर भी कुछ बातें कह नहीं पाती। मैं उसे अभी बुलाकर लाती हूँ।"

कामेश्वरी के अन्दर जाने के पाँच मिनट के अन्दर ही राजेश्वरी आ गई। उसने आकर्षक कपड़े पहन रखे थे, जिससे मादक सुगन्ध निकल रही थी। विभूतिभूषण उसके स्वागत में खड़ा हो गया। राजेश्वरी ने उसकी बगल में खड़े होकर एक मोहक अदा के साथ उसे बधाई दी, फिर दूसरे क्षण, किसी अदृष्ट शक्ति से संचालित होकर वे एक प्रगाढ़ चुम्बन में आबद्ध हो गए।

उसी समय कामेश्वरी ने कमरे में प्रवेश किया। उसके हाथों में दो फूलमालाएँ थीं, जिन्हें उसने स्पष्टतः इस अवसर के लिए मँगाकर रख ली थीं। उसने एक-एक माला विभूतिभूषण और राजेश्वरी को देते हुए विभूतिभूषण से कहा, "बेटा, आज से तुम राजेश्वरी के पति हुए और यह तुम्हारी पत्नी हुई। तुम एक दूसरे को माला पहनाओ और मेज पर रखे लक्ष्मी और गणेश को प्रणाम करो। हम लोग इसी हफ्ते कचहरी में शादी की रस्म कानूनी तरीके से पूरी कर लेंगे ताकि दुनिया उँगली न उठाए।"

चार दिनों के अन्दर वे रजिस्ट्रार की ऑफिस में शादी की प्रक्रिया पूरी कर पति-पत्नी हो गए।

पत्नी से सम्बन्ध-विच्छेद के लिए तैयार किए गए आवेदन-पत्र पर दस्तखत करने के बाद उसे कुछ राहत मिली, लेकिन उसका मन उदासी से भर गया, मानो उसकी अत्यंत प्रिय वस्तु हमेशा के लिए उससे अलग हो गई हो! राजेश्वरी से शादी के बाद उसका जीवन अधिकाधिक विषाक्त होता गया था, लेकिन प्रेम और रोमांस का नशा मानो उसके रक्त का एक अंश बन गया था, या वह सिर्फ मोह था जो नशे के रूप में बदल गया था! इस कारण उसकी जिन्दगी के जो पन्ने उभरते और बन्द हो रहे थे, उनपर एक ऐसी कहानी लिखी थी जो कटुता और मिठास का समन्वय थी और जिसे पढ़ते समय उसके कलेजे में एक पीड़ादायक ऐंठन हो रही थी।

शादी के बाद, विभूतिभूषण के प्रशिक्षणकाल में, राजेश्वरी अपनी माँ कामेश्वरी के साथ उसके किराए के फ्लैट में देवल में ही रही। विभूतिभूषण महीने-दो महीने में दो-चार दिनों के लिए उससे मिलने जाता। कामेश्वरी के फ्लैट में उसकी

मुलाकात राजेश्वरी के पुराने और नए पुरुष-मित्रों से अक्सर होती; लेकिन वह उसके प्रेम में इस तरह निमग्न था कि इसमें उसे कुछ भी आपत्तिजनक नहीं दिखाई पड़ता। उसकी उपस्थिति में ही राजेश्वरी इन मित्रों के साथ बाहर चली जाती और देर रात गए लौटती। उसे इसमें कुछ अस्वाभाविक नहीं दिखता; वह विश्वविद्यालय में ऊँची पढ़ाई कर चुकी थी; क्या उसे इतना भी अधिकार नहीं था कि वह अपने पुरुष मित्रों के साथ घंटे-दो घंटे मन बहलाव कर सके? पति के रूप में यह उसका कर्तव्य था कि पत्नी की भावनाओं को ठेस नहीं लगने दे और उसकी सुविधा-असुविधा का खयाल रखे। लेकिन कामेश्वरी के फ्लैट में उसे एक बात खटकने लगी थी। कामेश्वरी ने ड्राइंगरूम के एक कोने को कार्डबोर्ड से घेरकर एक छोटा-सा पूजा-घर बना लिया था और उसने विनम्रता के साथ ही उसे हिदायत दी थी कि वह पूजा-घर से एक मीटर की दूरी बनाए रखे। वह अनुसूचित जाति का था, इस कारण उसे उसके देवताओं के समीप जाने का अधिकार नहीं था। कामेश्वरी के इस रुख का विरोध राजेश्वरी नहीं करती थी; लेकिन इस बात में भी विभूतिभूषण को कुछ अनुचित नहीं दिखता था। एक बेटी अपनी माँ का विरोध कैसे कर सकती थी, विशेष रूप से तब जब वह उसी के फ्लैट में रहती हो? विभूतिभूषण के मन में यह प्रश्न कभी नहीं उठा कि अपने पति की मृत्यु के बाद, जो किसी ऑफिस में किरानी था, कामेश्वरी अपना और अपनी पुत्री का खर्च कैसे वहन कर रही थी।

शादी के साल लगते-लगते राजेश्वरी ने एक पुत्र-रत्न को जन्म दिया। लड़का गोरा और अत्यन्त सुन्दर था—विभूतिभूषण स्वयं कृष्णवर्ण का था और ऐसे पुत्र को पाकर पिता ने अपने सौभाग्य को सराहा, विशेष रूप से तब जब उसकी पोस्टिंग प्रान्त के एक अच्छे जिले में हो गई। अवश्य ही उसका पुत्र उसके लिए सौभाग्य का सन्देशवाहक था। पुत्र के जन्म की खुशी में एक जलसा हुआ जिसमें राजेश्वरी के अनेक पुरुष-मित्र शामिल हुए। सबने विभूतिभूषण को मुस्कुराते हुए बधाई दी और सर्वसम्मति से पुत्र का नाम ललितभूषण रखा गया। दो महीनों के अन्दर राजेश्वरी और कामेश्वरी ने देवल का फ्लैट छोड़ दिया और विभूतिभूषण के साथ उसके बँगले में रहने लगीं।

विभूतिभूषण के लिए जीवन एक रोमांटिक कविता की तरह आकर्षक हो गया। घर में सुन्दर पत्नी थी जो उसे प्यार करती थी और वे सारी सुख-सुविधाएँ थीं, जिसकी उसने कभी कल्पना की थी। पारिवारिक जीवन में कभी-कभी थोड़ी खटास पैदा हो जाती थी, जब कामेश्वरी उसे अपने देवी-देवताओं के पास जाने से मना करती थी। लेकिन वह इसे भ्रममूलक पूर्वग्रह की अभिव्यक्ति मानता था, जिस पर अधिक ध्यान देने की जरूरत नहीं थी। लेकिन दो महीने बीतते-बीतते

राजेश्वरी के व्यवहार में भी परिवर्तन आने लगा, मानो वह नई जिन्दगी से, जिसमें कोई विविधता नहीं थी, ऊब गई हो! एक दिन उसने विभूतिभूषण से कहा, "प्यारे, यह जगह बहुत छोटी है। मैं घर में बैठे-बैठे बीमार पड़ जाऊँगी। मेरे लिए कुसुमपुर में किसी नौकरी की व्यवस्था क्यों नहीं कर देते? तुम हर महीने सरकारी काम से दो-चार दिनों के लिए कुसुमपुर जाते ही रहते हो। इधर-उधर रुकने के बदले अपने घर पर ही रुकना।"

विभूतिभूषण ने जवाब दिया, "प्यारी राजेश्वरी, तुम्हारी योग्यता का सदुपयोग हो तो इसमें मुझे क्या एतराज हो सकता है? लेकिन नौकरी खोजना उतना आसान नहीं जितना तुम समझती हो।"

राजेश्वरी बोली, "कुसुमपुर में एक नया कॉलेज है—पन्नादेवी महिला कॉलेज। कॉलेज नया है, लेकिन इसके संस्थापक लम्बी पहुँचवाले लोग हैं। निकट भविष्य में ही इसके सरकारीकरण होने की सम्भावना है। मैंने इस कॉलेज में व्याख्याता की नौकरी के लिए आवेदन दिया है। अगले महीने इंटरव्यू है। क्या इस कॉलेज में ज्वायन करने में कोई बुराई है?"

विभूतिभूषण ने इस कॉलेज के विषय में सुना था। उसका संचालक सरकारी पार्टी का एक राजनीतिज्ञ था जिसकी पहुँच दूर तक थी। उसने हिचकते हुए कहा, "नहीं, कोई बुराई नहीं। लेकिन उसमें नौकरी पाना आसान नहीं है।"

राजेश्वरी बोली, "कोशिश करने में क्या हर्ज है?"

विभूतिभूषण के मानस-चक्षुओं के सामने राजेश्वरी के साथ बिताए गए दिनों के सैकड़ों दृश्य उभरे और मिटे। शादी के कुछ ही वर्ष बाद उसे मालूम हो गया था कि वह एक षड्यन्त्र का शिकार हो गया है, इसके बावजूद वह राजेश्वरी के लिए अपने प्यार से नहीं उबर सका था। उसे प्रारम्भ से ही ऐसा सन्देह था कि वह स्वयं ललितभूषण का पिता नहीं है; लेकिन वह उसे उस तरह प्यार करने लगा था मानो वह उसके अस्तित्व का एक अविभाज्य अंग हो और उसके बिना उसका व्यक्तित्व अधूरा हो! वह परिस्थितियों द्वारा बुने जाल में फँसता गया था और सारी कोशिशों के बावजूद इस जाल से निकलने में असमर्थ था। वह अभी तक यह समझ नहीं पा रहा था कि जो कुछ हुआ था, वह सही था या गलत। लेकिन मन पर पड़े बोझ के कारण उसके अन्दर यह भावना प्रवेश कर गई थी कि जो कुछ हुआ, वह नहीं हुआ होता तो अच्छा था।

राजेश्वरी को पन्नालाल महिला कॉलेज में आसानी से नौकरी मिल गई और वह कुसुमपुर में एक फ्लैट लेकर उसमें अपनी माँ कामेश्वरी और पुत्र ललितभूषण

के साथ रहने लगी। फ्लैट में दो ही कमरे थे, अतएव जब विभूतिभूषण कुसुमपुर जाता, वह सरकारी अतिथि-भवन में रुकता। लेकिन वह राजेश्वरी और ललित भूषण से मिलने का मोह सँवरण नहीं कर पाता और कुछ देर के लिए राजेश्वरी के फ्लैट में अवश्य जाता। वहाँ उसकी मुलाकात राजेश्वरी के नए पुरुष-मित्रों से होती जो फ्लैट में इस बेतकल्लुफी से आते-जाते थे, मानो उन्हें किसी विशेष इकरारनामे से इसका अधिकार मिला हो! उनकी आँखों और व्यवहार में ऐसा विद्रूप था कि विभूतिभूषण का रोम-रोम अपमान और क्षोभ की ज्वालाओं से झुलस जाता, लेकिन किसी कारणवश वह उनका विरोध नहीं कर पाता। वह जान चुका था कि उसने एक फ्लर्ट से शादी की है, लेकिन वह उससे अलग रहने की कल्पना नहीं कर पाता था।

इस बीच उसका तबादला कुसुमपुर में हो गया और उसे एक सरकारी फ्लैट मिला। लेकिन उसकी पत्नी और उसकी सास अपने पुराने फ्लैट में ही बनी रहीं, यह कहकर कि उसका तबादला साल-दो साल में किसी अन्य शहर में होना ही है और बार-बार आवास बदलने में उन्हें असुविधा होगी। परिणाम यह हुआ कि वह न किसी अन्य शहर में, बल्कि कुसुमपुर में भी एक कुँवारा की जिन्दगी जीने के लिए बाध्य था। धीरे-धीरे परिवार के प्रति उसका सारा लगाव ललितभूषण में केन्द्रित हो गया था। वह चाहता था कि वह बड़ा आदमी बने और वह—और वह उसे अपने पिता के रूप में जाने।

वह जब भी राजेश्वरी के फ्लैट में जाता, ललितभूषण के लिए कपड़े और खिलौने ले जाता और उसका विरोध न राजेश्वरी करती और न कामेश्वरी ही। इस तरह विभूतिभूषण का अपने परिवार से सम्बन्ध मोटे धागों से बँधा रहा। राजेश्वरी के फ्लैट में जाने में उसे हमेशा एक हिचक का अनुभव होता मानो वह कोई अपमानजनक काम कर रहा हो, लेकिन ललितभूषण के प्रेम के कारण वह जहर का घूँट पी जाता।

इस बीच ललितभूषण पाँच साल का हुआ और राजेश्वरी ने उसका नाम एक अच्छे स्कूल में लिखा दिया। विभूतिभूषण को इससे कुछ राहत मिली, क्योंकि वह पत्नी के फ्लैट में जाने का अपमान सहे बिना पुत्र से मिल सकता था। एक दिन वह स्कूल में गया और प्राचार्य से बोला, "मैडम, मैं अपने पुत्र ललितभूषण से पाँच मिनटों के लिए मिलना चाहता हूँ।"

प्राचार्या ने पूछा, "महाशय, उसका पूरा नाम क्या है?"

विभूतिभूषण ने जवाब दिया, "ललितभूषण लाल।"

प्राचार्या ने रजिस्टर को उलट-पलटकर देखा और बोली, "महाशय, यहाँ ललितभूषण लाल नाम का कोई विद्यार्थी नहीं, एक ललितभूषण दूबे है। मैं उसे

ही बुला देती हूँ।''

विभूतिभूषण को ऐसा लगा जैसे किसी ने उसके सिर पर जूते जड़ दिए हों। लड़का जब आया तो उसने उससे दो-तीन मिनटों तक बातें कीं, फिर बोला, ''बेटा, मन लगाकर पढ़ाई करना। पढ़ाई करने से ही बड़े आदमी बनोगे।''

शाम को वह अपनी पत्नी के फ्लैट में गया। कामेश्वरी ने उसे देखते ही कहा, ''तुम तो अजीब आदमी हो, भाई। खर्च के लिए रुपए देने के डर से कन्नी काटते हो और चोर की तरह लड़के के स्कूल में पहुँच जाते हो।''

विभूतिभूषण हक्का-बक्का रह गया। लेकिन उसने क्रोध करना सीखा ही नहीं था। उसने शान्त आवाज में पूछा, ''क्या राजेश्वरी घर में है?''

कामेश्वरी उसके सामने तनकर खड़ी हो गई, मानो उसने उससे कुश्ती लड़ने का निश्चय कर लिया हो। बोली, ''क्यों, क्या बात है? जो कहना है, पहले मुझसे कहो। राजेश्वरी से बातें बाद में करना।''

विभूतिभूषण ने पूछा, ''स्कूल में ललितभूषण का नाम ललितभूषण दूबे क्यों रखा गया?''

कामेश्वरी अपनी कमर पर दोनों हाथ रखे, टाँगों को थोड़ा अलग कर, हिंसा की मुद्रा में खड़ी थी। इस कारण विभूतिभूषण की आवाज किंचित् अनिश्चित थी।

कामेश्वरी ने करीब-करीब चीखते हुए कहा, ''क्या कहा? दूबे क्यों लिखाया? ऐं? दूबे क्यों लिखाया? क्या ललितभूषण चमार है कि दूबे नहीं लिखाती? उसकी माँ ब्राह्मणी, उसका बाप ब्राह्मण, उसका पूरा खानदान ब्राह्मण! दूबे नहीं लिखाती तो क्या चमार लिखाती? ललितभूषण चमार! ऐं?''

विभूतिभूषण ने उसी तरह अनिश्चित आवाज में कहा, ''लेकिन उसका बाप तो ब्राह्मण नहीं है!''

कामेश्वरी हो-हो करके हँस पड़ी, मानो उसे किसी मजाक का स्मरण हो गया हो। उसने कहा, ''तुम्हें कैसे मालूम है कि इसका बाप ब्राह्मण नहीं?''

उसी समय राजेश्वरी कमरे में आ गई। वह दरवाजे के पीछे खड़ी होकर ड्राइंगरूम में होनेवाली वार्त्तालाप को सुन रही थी। विभूतिभूषण ने उसकी तरफ देखा, इस आशा से कि वह अपनी माँ की बात का खंडन करेगी। राजेश्वरी की आँखों में शरारतभरी मुस्कान नाच गई। उसने विभूतिभूषण की तरफ इस तरह देखा मानो उसे उसकी मूर्खता पर तरस आ रही हो, फिर अन्दर चली गई। विभूतिभूषण का चेहरा पीला पड़ गया। वह आगे बिना एक शब्द बोले फ्लैट से चला गया।

उसके वकील ने तलाक के लिए जो प्रार्थना-पत्र तैयार किया, उसका उसकी पत्नी ने न सिर्फ समर्थन किया बल्कि उसमें पूरी तरह सहयोग किया और बिना

किसी हीला-हवाला के उस पर हस्ताक्षर कर दिए। तब उसके वकील ने प्रार्थना-पत्र को उसके हस्ताक्षर के लिए दिया। उसने उसे बार-बार पढ़ा, फिर मेज की दराज में रख दिया। वह पिछले दस दिनों से इस तरह अशान्त था मानो गर्म लोहे के बिस्तर पर लेटा हो। वह दराज में पड़े प्रार्थना-पत्र को भूलने की कोशिश कर रहा था, लेकिन उसका ध्यान उसी की तरफ लगा था, मानो वह एक जीवित नाग हो।

आज शाम से उसकी बेचैनी अधिक बढ़ गई थी, जब वह इस निर्णय पर पहुँचा था कि अतीत से पूरी तरह सम्बन्ध-विच्छेद के सिवा उसके पास कोई विकल्प नहीं। जीवन का एक अध्याय समाप्त हो चुका था और उस अध्याय से नाता तोड़ लेना ही अच्छा था। उसने काँपते हाथों से प्रार्थना-पत्र निकाला था और उस पर हस्ताक्षर कर दिए थे। सवेरा होने में देर नहीं थी और अगले दिन ऑफिस में उसे बहुत सारे काम थे। लेकिन रातभर वह बिछावन पर छटपटाता रहा था और नींद ने उसके पास आने से इनकार कर दिया था।

सत्याग्रह

रणजीत गोप अपने भाई मनजीत गोप से सिर्फ दस साल बड़ा था, लेकिन उसके हृदय में उसके लिए वैसा ही स्नेह था जैसा पिता के हृदय में पुत्र के लिए होता है। जब वह बीस वर्ष का था, उसी समय उसके पिता और माता किसी अज्ञात बीमारी से एक महीना के अन्तर पर चल बसे थे। उसने उसे प्यार दिया और उसकी सुख-सुविधा में किसी तरह की कमी नहीं होने दी। उसकी पत्नी हीरामन ने भी जो सास-ससुर की मृत्यु के एक साल पहले ससुराल आई थी और जिसकी कोई सन्तान नहीं हुई, मनजीत को अपने बेटे की तरह अपना लिया और उसे माँ का प्यार दिया।

परिवार की डेढ़ बीघे जमीन थी जिससे भरण-पोषण भर आय नहीं होती थी; लेकिन दो भैंसें भी थीं जिनका दूध बेचकर गुजारे के लिए पर्याप्त पैसे आ जाते थे। रणजीत गोप को खेती के साथ-साथ भैंसों की देखभाल भी करनी पड़ती थी जिस कारण उनसे उतना लाभ नहीं होता था जितना होना चाहिए था। लेकिन जब मनजीत पन्द्रह साल का हुआ, तब उसने भैंसों की देखभाल का भार सँभाल लिया; वह उन्हें खिलाता-पिलाता, उनका दूध दूहता और हर सुबह दूध को दो कनस्तरों में भरकर दस किलोमीटर दूर स्थित कुसुमपुर शहर में बेचने के लिए ले जाता। रेलवे स्टेशन गाँव से एक किलोमीटर की दूरी पर था जहाँ से कुसुमपुर जानेवाली गाड़ी हर दो घंटे पर मिल जाती थी और गाँव के आधा दर्जन दूसरे लोग भी दूध बेचने जाते थे। दूध बेचनेवालों से टिकट या भाड़ा माँगने की हिम्मत कोई रेलवे कर्मचारी नहीं करता था, इस कारण कुछ पैसे बच जाते थे। मनजीत ने कुसुमपुर में कुछ ऐसे होटल खोज लिए जहाँ दूध का उचित दाम समय पर मिल जाता था। मनजीत के द्वारा भैंसों की देखभाल और दूध की बिक्री से परिवार की आमदनी बढ़ गई और साल बीतते-बीतते उससे शादी के लिए उत्सुक बेटीवाले रणजीत पर दबाव डालने लगे। रणजीत ने भाई के प्रति इस दायित्व के निर्वहन में विलम्ब नहीं किया और हाथ-पाँव से मजबूत और देह से स्वस्थ लड़की देखकर

उससे शादी कर दी। मनजीत की पत्नी ने, जिसका नाम चम्पा था, घर के सारे काम सँभाल लिए और अपने व्यवहार से परिवार में सबको खुश कर दिया।

लेकिन सबसे अधिक खुश रणजीत की पत्नी हीरामन थी। उसे घर के कामों से छुट्टी मिल गई और साथ-साथ इतनी इज्जत मिली जो किसी गोतिन को ही नहीं, सास को भी कम ही मिलती है। हीरामन ने अपना भाग्य सराहा और चूल्हा-चौकी के कामों से मुक्त हो अपना अधिकांश समय साज-शृंगार में लगाना शुरू किया।

शादी के दस वर्ष से ऊपर हो गए थे और अभी तक उसे कोई सन्तान नहीं थी। यह कमी उसके लिए असहनीय मानसिक पीड़ा का कारण बन गई थी। जब वह घर के कामों में व्यस्त रहती थी, यह पीड़ा कुछ धीमी पड़ जाती थी; लेकिन अब, जब घर के सारे काम चम्पा सँभाल रही थी, इस पीड़ा का बोझ बहुत भारी हो जाता था और वह ईर्ष्या का रूप धारण कर लेती थी। यह ईर्ष्या चम्पा के प्रति थी जो न सिर्फ उम्र में उससे दस वर्ष से अधिक छोटी थी, बल्कि उससे अधिक सुन्दर थी। धीरे-धीरे उसे ऐसा लगने लगा कि चम्पा ने उससे अधिक जवान और सुन्दर होकर उसके प्रति अन्याय किया है और इस घर में आकर अधिक अन्याय किया है। चम्पा दिनभर घर के कामों में व्यस्त रहती और रात में सबको खिला-पिलाकर और जूठे बर्तनों को धो-पोंछकर सोने के लिए जाती। लेकिन हीरामन को यह सोचकर ही पीड़ा होती कि वह अपने पति के साथ सोने गई है। पति के साथ होने से चम्पा को मिलनेवाले सुख की कल्पना कर उसकी पीड़ा द्विगुणित हो जाती।

जब शादी के वर्षभर के अन्दर ही चम्पा ने एक बेटे को जन्म दिया तो हीरामन की ईर्ष्या कई गुना हो गई और चम्पा से सम्बन्धित हर बात उसके अन्दर की आग में ईंधन का काम करने लगी। चम्पा का बेटा अमरजीत अपने पिता मनजीत का प्रतिरूप था और जब वह 'बड़ी माँ' कहता हुआ अपनी माँ के पास से, जो हर समय घर के कामों में व्यस्त रहती, भागकर हीरामन की गोद में जा बैठता, तो उसे लगता कि उसने सबकुछ पा लिया है और अब उसे किसी चीज की जरूरत नहीं रह गई है। लेकिन दूसरे ही क्षण उसके खोखलेपन का भाव अधिक गहरा हो जाता और ईर्ष्या की आग, जो उसके हृदय के कोने में हर समय जलती रहती थी, प्रचंड हो जाती और वह अमरजीत को अपनी गोद से अलग कर देती। वह अमरजीत से अलग रहने का यथासम्भव प्रयास करती, लेकिन उसका मन उसकी झलक पाने के लिए और उसकी आवाज सुनने के लिए बेचैन रहता। चम्पा की सेवा के बावजूद उसके व्यवहार में रुक्षता आती गई और उसके अन्दर की कटुता उसके व्यवहार में परिलक्षित होने लगी।

शादी के बाद मनजीत ने दूध का कारोबार सँभाल लिया था और दो वर्षों की कटुता उसके व्यवहार में परिलक्षित होने लगी।

शादी के बाद मनजीत ने दूध का कारोबार सँभाल लिया था और दो वर्षों के अन्दर ही उसने बैंक से कर्ज लेकर दूध से मक्खन निकालनेवाली एक मशीन बैठा दी थी। उसका अपने ग्राहकों से व्यवहार इतना अच्छा था कि उसके दूध के पैसे ठीक समय पर मिल जाते थे और मशीन से भी अच्छी आमदनी होने लगी। उसने कुसुमपुर में ही, जहाँ वह दूध बेचने जाता था, एक बैंक में खाता खोल लिया और बचत के पैसे उसी में जमा करने लगा। बैंक का खाता उसके और रणजीत के नाम से साझा था, लेकिन चूँकि रणजीत पढ़ा-लिखा नहीं था, खाते का हिसाब मनजीत स्वयं करता था, लेकिन हर महीने आय-व्यय का पूरा ब्यौरा रणजीत को दे देता था।

मन की मैल के कारण हीरामन के व्यवहार की कटुता दिनोंदिन बढ़ती गई थी। जब कभी मनजीत बैंक के खाते का हिसाब रणजीत को देने के लिए बैठता, वह कमरे के बाहर दरवाजे के पास खड़ी हो जाती और दीवाल की आड़ से ही कोई न कोई टिप्पणी अवश्य करती, 'बाप ने कपूत को ऐसा गोबरगणेश बना दिया कि अब दूसरों की आँखों से किताब पढ़ता है।'...'जब कुछ देख-पढ़ नहीं सकते तो कथा-कहानी सुनकर क्या करोगे? जाओ, चुल्लू भर पानी में डूब करो।'...'इस कपूत से तो अच्छी दोनों भैंसें हैं। वे कम से कम डकरती तो हैं। यह तो काठ का उल्लू है। आँखें गोल करके बैठा रहता है और चुपचाप कथा-कहानी सुनता रहता है।'...'जाओ, खेत कोड़ो और घास छीलो। दूसरों से पोथी-पत्रा पढ़ाने से क्या फायदा? कमानेवाले कमाएँगे और खानेवाले खाएँगे। घास छीलनेवाले पूरी जिन्दगी घास छीलेंगे।'

रणजीत और मनजीत हीरामन की टिप्पणियों को सुनते और अनसुनी कर देते। चम्पा उसके व्यवहार में बढ़ती हुई कटुता को लक्ष्य करती, लेकिन उसका अपना व्यवहार अधिक मधुर होता जाता। यदि वह कभी चाय बनाती तो पहले हीरामन को देती और उसे खाना खिलाकर ही स्वयं खाती। लेकिन हीरामन की ईर्ष्या बढ़ती ही जाती थी, मानो चम्पा ने इस घर में आकर और मनजीत को उससे छीनकर कोई ऐसा बड़ा अपराध किया हो जिसके लिए कोई क्षमा नहीं थी। धीरे-धीरे उसका व्यवहार अमरजीत के प्रति भी अन्यमनस्क हो गया, मानो उसने अपनी माँ की कोख से जन्म लेकर कोई अपराध किया हो!

मनजीत दिनभर दूध और मक्खन से सम्बन्धित कामों में ही व्यस्त रहता और शाम को घर लौटता। दिन में घर पर खाना खाने का समय उसे शायद ही कभी मिलता। लेकिन रात का खाना वह रणजीत के साथ खाता और अमरजीत के

लिए, जो अब पाँच साल का हो गया था, अलग पीढ़ा बिछाया जाता; दोनों औरतें उनके बाद खाना खातीं। रात में रोज रोटी और सब्जी ही बनती थी, लेकिन चूँकि उस दिन अमरजीत ने स्कूल जाना शुरू किया था, इस कारण चम्पा ने खीर भी बनाई थी। रणजीत, मनजीत और अमरजीत खाने बैठे और चम्पा ने एक-एक कटोरी खीर भी उनके सामने रखी।

उसी समय हीरामन आँधी की तरह आई, खीर की कटोरियों को खींच लिया और पति की तरफ ताकती हुई चिल्लाई, "हराम का घी पीते लाज नहीं आती? क्या यह खीर तुम्हारे लिए है कि निगलने के लिए तैयार हो? डूब मरो चुल्लू भर पानी में। जिसके लिए काला अक्षर भैंस बराबर है, वह इस खुशी में खीर खाने चला है कि दूसरे का लड़का पढ़ाई करेगा। निठल्ले, इसी कारण भगवान ने तुम्हें सन्तान नहीं दी।" दस मिनटों तक चिल्लाने और गालियाँ देने के बाद हीरामन बरामदे के एक कोने में बैठकर इस तरह जोर-जोर से रोने लगी, मानो उसका पति या पुत्र मर गया हो! सभी अवाक् हो देर तक चुपचाप बैठे रहे। किसी ने खाना नहीं खाया, अमरजीत ने भी नहीं।

सुबह उठकर मनजीत ने भैंसों की सानी-पानी की और उन्हें दूहकर दूध को टीन में रखता हुआ बोला, "भैया, मुझे लगता है कि होटलवाले दूध के हिसाब में मुझसे गड़बड़ी करते हैं। मेरी प्रार्थना है कि हम काम की अदला-बदली कर लें। आज से दूध और मक्खन बनानेवाली मशीन का चार्ज आप ले लीजिए। वहाँ ताख पर बैंक का पासबुक है। उसे भी आप ही सँभालिए। खेत में गेहूँ की फसल तैयार है। मैं काटकर लाऊँगा और भैंसों को सँभालूँगा।"

रणजीत ने पूछा, "और अमरजीत?"

मनजीत ने कहा, "भैया, वह स्कूल नहीं जाएगा और घर पर रहकर मेरी मदद करेगा। स्कूल जाकर करेगा भी क्या? क्या कोई उसे लाट-कलक्टर बना देगा? हर महीने पचास रुपये फीस के देने होंगे और किताब-कॉपी और ड्रेस के अलग से। वह घर पर रहेगा तो पैसे भी बचेंगे और यहाँ के काम में मदद भी मिलेगी।"

रणजीत कुछ नहीं बोला। वह कुछ देर तक खड़ा रहा फिर दूध के दोनों टीनों को बहंगी में लटकाया और शहर के लिए निकल पड़ा।

हीरामन ने अपने कमरे के दरवाजे के पीछे खड़ी होकर सब सुना और फिर जाकर खाट पर लेट रही। दोपहर को जब चम्पा खाना खाने के लिए उसे बुलाने गई तो वह बोली, "मुझे भूख नहीं है। तुम लोग खा लो।"

चम्पा ने पूछा, "दीदी, क्या सिर में दर्द है? दबा दूँ?"

हीरामन ने कहा, "नहीं। अपने-आप ठीक हो जाएगा।"

वह दिनभर खाट पर लेटी रही। जब रणजीत शहर से लौटा तो उसे बिना

खाए-पिए खाट पर लेटी देखकर भी कुछ नहीं बोला और अपने काम में लगा रहा। शाम को जब खाने का समय हुआ तो उसने खाट के पास खड़े होकर उससे कहा, "चलो, खाना खा लो। भूख लगी होगी।"

हीरामन ने लेटे-लेटे ही कहा, "मुझे भूख नहीं है।"

रणजीत बोला, "सबकुछ तो वही हो रहा है जो तुम चाहती हो। फिर खटवास-पटवास की क्या जरूरत?"

हीरामन चीखी, "तुम चले जाओ यहाँ से! यदि कुछ बोले तो मैं फँसुल से अपनी गर्दन काट लूँगी।"

दूसरे दिन भी उसने कुछ खाया-पिया नहीं और खाट पर लेटी रही। घर में किसी ने भी कुछ नहीं खाया। शाम को जब खाने का समय हुआ तब चम्पा ने अमरजीत से कहा, "बेटा, बड़ी माँ को खाने के लिए बुला लाओ।"

अमरजीत हीरामन के कमरे में गया और उसकी खाट पर बैठता हुआ सहमी आवाज में बोला, "बड़ी माँ, चलो, खाना खा लो।"

हीरामन कुछ नहीं बोली। वह आँखें बन्द किये लेटी रही। अमरजीत उसकी गोद में सटकर लेट गया और बोला, "बड़ी माँ, चलो, खाना खा लो। यदि तुम नहीं खाओगी तो मैं भी नहीं खाऊँगा।"

हीरामन ने अचानक उठकर उसे एक तमाचा लगाया, फिर दूसरे ही क्षण उसे गोद में भींचकर फूट-फूटकर रोने लगी। रणजीत जो बरामदे में था, अन्दर आ गया और बोला, "अब क्या हुआ?"

हीरामन चीखी, "कुछ नहीं हुआ! मेरे लिए जहर ला दो! मैं जहर खाऊँगी।"

रणजीत ने पूछा, "आखिर क्यों?"

हीरामन रोती हुई बोली, "मैंने कब कहा कि छोटू को स्कूल से हटा दो? क्या मैं चुड़ैल हूँ कि बेटे का गला दबा दूँगी? तुम मेरे माथे पर हाथ रखकर कहो कि अमरजीत कल से स्कूल जाएगा और जब तक चाहेगा तब तक इसे पढ़ाओगे?"

रणजीत बोला, "यह जब तक चाहेगा, तब तक इसे पढ़ाऊँगा।"

"नहीं, मेरे सिर पर हाथ रखकर कहो।"

"ठीक है। यह लो।"

"यह भी कहो कि मनजीत बाहर का काम देखेगा और तुम खेती-बारी का काम सँभालोगे?"

"ठीक है। यह भी होगा। चलो, खाना खा लो।"

हीरामन ने अमरजीत को गोद में सटाकर पुचकारते हुए कहा, "बेटा, माफ करना। मैं एक पागल औरत हूँ। तुमको तमाचा लगा दिया। मेरा हाथ गल जाए। चलो, खाना खा लो।"

विजय-रथ

तारीगाँव में ग्राम पंचायत के पहले चुनाव के बीस वर्ष बाद ग्राम पंचायत चुनाव की घोषणा हुई। एक हजार की आबादीवाला यह गाँव, जहाँ सभी जातियों में आपस में सौहार्द था, एकाएक ऐसे तालाब की तरह अशान्त हो गया जैसे पानी में जहर मिला दिया गया हो। अगड़ी और पिछंड़ी जातियों का भेद छुरे की धार की तरह हो गया और सभी उसका उपयोग एक-दूसरे की गर्दन पर करने के अवसर खोजने लगे। सामाजिक न्याय का दर्शन, जो अब कुसुमांचल प्रान्त का राज-धर्म था, फूस के घर में लगी आग की तरह हर तरफ ज्वालाएँ फेंकने लगा। अगड़ी और पिछड़ी जातियाँ दो परस्पर विरोधी खेमों में बँट गईं और दोनों खेमों में तलवारों और भालों पर शान चढ़ाया जाने लगा।

यह स्थिति सिर्फ तारीगाँव की ही नहीं थी, बल्कि पूरे कुसुमांचल प्रान्त की थी। प्रान्त के मुख्यमन्त्री मल्लू गोप और सामाजिक न्याय दल के अन्य छोटे-बड़े नेता अगड़ी और पिछड़ी जातियों की विभाजन-रेखा को अधिकाधिक चौड़ी करने में लग गए ताकि समानधर्मी व्यक्तियों को विभिन्न पदों पर निर्वाचित करा सकें और जाति के आधार पर समाज का ऐसा विभाजन करा दें कि अगड़े और पिछड़े एक-दूसरे पर भाले ताने खड़े रहें और वे स्वयं अनन्त काल तक शासन करते रहें। परिणामतः वायुमंडल जहर से भर गया था और इसमें साँस लेनेवाले तरह-तरह के शारीरिक और मानसिक रोगों से ग्रसित हो गए थे।

ग्राम पंचायत के चुनाव में मुखिया के पद पर अधिकार कर लेना आवश्यक था, क्योंकि सरकार से मिले रुपए को उसी के माध्यम से खर्च होना था और चूँकि तारीगाँव पंचायत के लिए मुखिया का पद महिला के लिए आरक्षित था, अतएव किसी ऐसी महिला को उम्मीदवार बनाना था जो न सिर्फ किसी पिछड़ी जाति की हो और लोकप्रिय हो, बल्कि जिसके माध्यम से सरकार से मिले पैसे को अपनी जेब के हवाले किया जा सके। सामाजिक न्याय के समर्थकों को एक

ऐसी महिला उम्मीदवार मिलने में कठिनाई नहीं हुई। उनकी दृष्टि अविलम्ब मीना देवी पर टिक गयी जो मुखिया पद की उम्मीदवार पिछड़ी जातियों की महिलाओं में निर्विवाद रूप से बीस थी। पिछड़ी जातियों में मुखिया पद के उपयुक्त एक से एक महिलाएँ थीं और उनमें से प्रत्येक उस दायित्व का निर्वाह करने की क्षमता रखती थी, लेकिन मीना देवी की बात कुछ और थी। सामाजिक न्याय के पक्षधरों को पूरा विश्वास था कि मीना देवी का चुनाव निर्विरोध होगा—ऐसी कौन औरत होगी जो उसके विरुद्ध चुनाव लड़कर कीचड़-भरे टब में कूदेगी?

लेकिन क्या दुनिया में मूर्खों की कमी है? तारीगाँव की अगड़ी जातियों के कुछ उत्साहियों ने यह जानते हुए कि मीना देवी के विरुद्ध चुनाव लड़नेवाली किसी महिला की हार निश्चित है और वह भी विशेष रूप से तब, जब वह किसी अगड़ी जाति की हो, एक ऐसा उम्मीदवार खोज निकाला जिसे अपनी हार की परवाह नहीं थी—वह राधा देवी थी जिसके पति रामबहादुर लाल को, जो गाँव के प्राइमरी स्कूल के शिक्षक थे, पिछड़ी जातियों के कुछ उत्साही नेताओं ने दर्जनों बार अपमानित और प्रताड़ित किया था ताकि ये नौकरी छोड़ दें जिससे पिछड़ी जाति के किसी योग्य व्यक्ति को खाली जगह पर बिठाया जा सके। रामबहादुर लाल ने इन उत्साही नेताओं के सद्व्यवहार से तंग आकर स्कूल की नौकरी छोड़ दी थी। उनके सेवा-मुक्त होने के शीघ्र बाद उनके स्थान पर पिछड़ी जाति के एक सुयोग्य व्यक्ति की नियुक्ति हो गई थी, जो किसी-किसी दिन घंटे-दो घंटे के लिए स्कूल जाने का कष्ट करता था और बाकी समय अपनी किराए की दुकान की देख-भाल में लगाता था। रामबहादुर लाल ने, जिनकी पुश्तैनी मकान के सिवा अन्य कोई सम्पत्ति नहीं थी और न स्कूल की नौकरी के सिवा आय का अन्य कोई स्रोत था, अपनी पत्नी राधा देवी के साथ घर पर ही एक प्राइवेट स्कूल खोल लिया था जिससे उन्हें कुछ आय होने लगी थी। पिता की नौकरी छूटने के कारण उनकी एकमात्र सन्तान बीसवर्षीय अमरकुमार लाल की, जो कुसुमपुर के एक महाविद्यालय में पढ़ता था, पढ़ाई सालभर के लिए छूट गई थी, लेकिन दूसरे साल उसने कुसुमपुर में ही प्राइवेट ट्यूशन कर अपनी पढ़ाई जारी कर ली थी। स्कूल की नौकरी छूट जाने से रामबहादुर लाल को इतना मानसिक कष्ट हुआ कि वे दो महीनों तक बीमार रहे थे, लेकिन राधा देवी ने शिकायत का एक शब्द भी नहीं कहा था और पूरे घटनाक्रम का मूक भागीदार रही थी। लेकिन अब जब सामाजिक न्याय के नेताओं के विरुद्ध खड़ा होने का समय आया, तो यह जानते हुए कि उसकी हार निश्चित है, उसने मुखिया पद के लिए मीना देवी के विरुद्ध चुनाव का पर्चा भर दिया।

मीना देवी के समर्थकों ने राधा देवी के इस कदम का विरोध न करके स्वागत ही किया क्योंकि राधा देवी के चुनाव लड़ने से उनके लिए दो लाभ थे–इस चुनाव में राधा देवी की पराजय कम से कम दो-तिहाई बहुमत से होनेवाली थी और इससे अगड़ों को समाज में अपने स्थान का बोध कराकर उनकी आवाज को हमेशा के लिए बन्द कर देना था; तत्पश्चात् मीना देवी और उनके समर्थकों की शक्ति का उपयोग कर सरकार से पंचायत को मिलनेवाले धन पर पूरी तरह से नियन्त्रण कर लेना था।

जब राधा देवी ने मुखिया के चुनाव के लिए पर्चा दाखिल किया तो वे व्यंग्य से मुस्कुराए, क्योंकि वे जानते थे कि राधा देवी की हार निश्चित थी और उसके बाद किसी भी स्तर पर उनका विरोध करने का कोई साहस नहीं करेगा; इस कारण जिस दिन राधा देवी ने अपना पर्चा भरा, उस दिन मीना देवी के समर्थकों ने एक जलसा किया और खान-पान के बाद नाच-गान कर खुशी मनाई।

मीना देवी भी अपनी उम्मीदवारी से कम खुश नहीं थी। ग्राम पंचायत की मुखियागीरी उसके लिए जीवन में आगे बढ़ने का रास्ता खोलती थी और यदि वह अपनी क्षमता का उचित उपयोग करे तो कालान्तर में प्रान्त की विधानसभा और देश की संसद का सदस्य बन सकती थी और प्रान्त तथा देश की भी मन्त्रिपरिषद में उसे शामिल किया जा सकता था। भविष्य की कल्पना से उसका अणु-अणु में गुदगुदी होने लगी और उसके मांसल चेहरे पर मुस्कान की एक मोटी परत फैल गई।

मीना देवी एक मुक्ति-प्राप्त महिला थी। यद्यपि उसका सम्बन्ध किसी समाज-दर्शन से कभी नहीं रहा था, फिर भी वह नारी सशक्तीकरण की एक जीवित प्रतिमा थी। उसकी शादी के दस वर्ष हो गए थे और इन वर्षों में सन्तानवती होने के उसके विविध प्रयोग सफल नहीं हुए थे, इसके बावजूद उसने हिम्मत नहीं हारी थी बल्कि अपने प्रयत्नों को कई गुणा बढ़ा दिया था। इन प्रयत्नों को उसने जीवन के अन्य क्षेत्रों की प्रगति के साथ इस तरह जोड़ दिया था कि उसका विजय-रथ दिनोंदिन अधिक समृद्ध और शक्तिशाली होता गया था।

लेकिन ऐसा नहीं था कि मीना देवी की प्रगति के पीछे सिर्फ उसके प्रयत्न ही थे, अन्य किसी माध्यम का कोई योगदान नहीं था। मीना देवी की ही नहीं बल्कि उसके परिवार की समृद्धि में तकदीर की, जिसमें पीढ़ियों से विकसित

संस्कार भी शामिल था, निर्णायक भूमिका रही थी। जब उसकी शादी हुई थी, परिवार में सिर्फ सात बीघे जमीन थी, लेकिन उसका पति सभापति महतो, जो उसी की उम्र का था, अपने भाई गणपति महतो के साथ जो उससे दस वर्ष बड़ा था, मिलकर बड़ी मेहनत करता था और खरीफ और रबी फसलों के अलावा मनों सब्जी भी उगाता था। गणपति के दोनों लड़के कमलापति और उमापति अपने पिता और चाचा की तरह मेहनती थे और वे खेतों में चाहे जितनी देर भी काम करते, थकान उनके पास नहीं फटकती थी। वे धान, गेहूँ, चना और अन्य अनाजों के अलावा मनों सब्जियाँ टमटम पर लादकर रोहितपुर ले जाते, जो तारीगाँव से सिर्फ आठ किलोमीटर की दूरी पर था और तौल में कतर-व्योंत कर एक किलो को डेढ़ किलो करके बेचते। परिणाम यह हुआ कि दस वर्षों में परिवार के पास सात बीघे से बढ़कर पन्द्रह बीघे जमीन हो गई थी और कच्चा मकान पक्का हो गया था।

मीना देवी के मायके उमेदपुर की, जो तारीगाँव से तीन किलोमीटर की दूर पर था, एक सहेली चमेली देवी की शादी रोहितपुर में हुई थी जहाँ उसके पति झपसी महतो की किराने की दुकान थी। मीना देवी की शादी चमेली देवी की शादी के दो वर्ष बाद हुई थी और इन दो वर्षों में मीना देवी चमेली देवी के घर कम से कम आधा दर्जन बार गई थी और हर बार आठ दस दिनों तक रुकी थी। वह एक मिलनसार युवती थी और चमेली देवी के सहयोग से उसकी दोस्ती कुछ ऐसी महिलाओं से हो गई थी, जिनके साहचर्य से उसे आनन्द-लाभ के साथ-साथ अर्थ-लाभ भी होने लगा था। उसने रोहितपुर में पंजाब नेशनल बैंक में ख़ाता खोल लिया था और शादी के बाद तो उसके घर जाना और बढ़ गया। जाने पर चार-पाँच दिनों तक अवश्य रुकती। उसकी शादी के बाद पंजाब नेशनल बैंक के खाते में जमा रकम तेजी से बढ़ती गई। यद्यपि उसे सन्तान की प्राप्ति में सफलता नहीं मिली, बल्कि उसके पुरुष-मित्रों की संख्या में असामान्य रूप से वृद्धि हुई। शादी के दो वर्षो के अन्दर उसने अपनी ससुराल के घर के एक कमरे में ही दुकान खोल दी, जिससे अच्छी आमदनी होने लगी और मर्जी के मुताबिक रोहितपुर में जाने का रास्ता निष्कंटक हो गया। अपने इन कार्यों की बदौलत उसने महिला सशक्तीकरण के क्षेत्र में सराहनीय कदम बढ़ाए थे और उसके इस विश्वास में दम था कि वह निकट भविष्य में प्रशासनिक जिम्मेवारी के ऊँचे आसनों पर स्थान प्राप्त करेगी और समाज और राष्ट्र की सराहनीय सेवा करेगी।

जब मीना देवी ने तारीगाँव के मुखिया पद के उम्मीदवार के रूप में पर्चा भरा तो किसी को इस बात में लेशमात्र भी सन्देह नहीं था कि वह कम से कम दो-तिहाई

बहुमत से जीतेगी और पूरे कार्यकाल तक जनता की सेवा करेगी। यद्यपि मीना देवी की जीत निश्चित थी और वह इस बात को स्वयं भी जानती थी, फिर भी वह चुनाव की तैयारी में किसी तरह की ढिलाई नहीं करना चाहती थी, क्योंकि भविष्य में उसे प्रान्त की असेम्बली और देश की संसद के लिए भी चुनाव लड़ना था और मुखिया का चुनाव आनेवाले चुनावों के लिए एक प्रशिक्षण था।

सामाजिक न्याय दल के प्रभाव के कारण कुसुमांचल में साम्प्रदायिक और जातीय वैमनस्य अपनी चरम सीमा पर था और नवेश्वरपूजक और पुरातनेश्वरपूजक और अगड़ी और पिछड़ी जातियाँ एक दूसरे के खून की प्यासी हो गई थीं। पिछड़े वर्गों में अनेक जातियाँ थीं जिनमें से कुछ सम्पन्न थीं और कुछ विपन्न और उनके हित परस्पर विरोधी थे। लेकिन वे अगड़ी जातियों के विरुद्ध संगठित हो गई थीं क्योंकि लूट-पाट में सबको कुछ न कुछ हासिल हो जाता था। वे अपेक्षाकृत विपन्न जातियों पर, जिनका सामान्य नाम अति पिछड़ा वर्ग था, तरह-तरह के जुल्म ढाती थीं, लेकिन जब अगड़े वर्ग की जातियों को प्रताड़ित करने का अवसर आता था, वे अति पिछड़ा वर्ग की जातियों से हाथ मिला लेती थीं। मीना देवी के समर्थकों ने चुनाव के इस अवसर पर अति पिछड़ा वर्ग की जातियों को साथ ले चलने की जरूरत महसूस की और उनमें से कुछ उत्साही नौजवानों को बार-बार पार्टियाँ दीं। इससे अति पिछड़ा वर्ग की जातियों में स्वल्प पिछड़ा वर्ग की जातियों के प्रति जो विरोध भावना थी, उसका रंग फीका पड़ गया।

लेकिन मीना देवी की उम्मीदवारी के लिए अति पिछड़ा वर्ग की जातियों का समर्थन जुटाने में सर्वाधिक श्रेय उसकी बन्धन-मुक्तता को था। अति पिछड़ा वर्ग की जातियों में भी उसके अनेक समर्थक थे जो परम्परागत पूर्वग्रहों से ऊपर उठकर उसके लिए काम करने को तैयार थे। इस वर्ग के उसके समर्थकों में दो युवक सबसे आगे थे—चिमटू भारती और चुल्हाई भारती। दोनों की उम्र एक ही थी—बीस वर्ष। दोनों पाँच वर्षों से, जब मीना देवी तीस वर्ष की थी, उससे जुड़े हुए थे। वे उसे मौसी कहते थे और उसकी हर आज्ञा का पालन करने के लिए तैयार रहते थे। वे घंटों उसके साथ उसकी दुकान में बैठे रहते और जब ग्राहक नहीं होते तो अन्दर से दुकान का दरवाजा बन्द कर उससे बातें करते। जब मीना देवी किसी ओझा-गुणी से मिलने किसी दूसरे गाँव में जाती, वे उसके साथ जाते और देर रात गए घर लौटते। जब मीना देवी अपनी सहेली चमेली देवी से मिलने रोहितपुर जाती तो चिमटू भारती और चुल्हाई भारती को अक्सर ही अपने साथ ले जाती। मीना देवी अपनी सहेली चमेली देवी के घर ठहरती और चिमटू भारती और चुल्हाई भारती

एक धर्मशाला में ठहरते। लेकिन तीनों साथ मिलकर मीना देवी की दुकान के लिए सामान खरीदते, उसे धर्मशाला के कमरे में इकट्ठा करते, जहाँ अक्सर रात में भी मीना देवी उनके साथ रुक जाती और सारा सामान टमटम पर लादकर साथ-साथ तारीगाँव लौटते। जब मीना देवी ने मुखिया का चुनाव लड़ने का निश्चय किया, चिमटू भारती और चुल्हाई भारती के उत्साह का पारावार नहीं था। यद्यपि मीना देवी की जीत निश्चित थी, फिर भी चुनाव के दिन के पन्द्रह दिन पहले से ही उन्होंने पन्द्रह वर्ष तक के लड़कों और लड़कियों के दल बनाकर उसके समर्थन में गली-गली में घूमकर नारे लगाना और गीत गाना शुरू किया। एक रुपया प्रतिदिन प्रति व्यक्ति के हिसाब से नारे लगाने और गीत गाने के लिए तारीगाँव में दर्जनों लड़के-लड़कियाँ उपलब्ध थे। चूँकि खर्च का वहन मीना देवी को करना था और हिसाब चुनाव के बाद होना था, अतएव मीना देवी के प्रति अपनी भक्ति का प्रदर्शन करने में उसके समर्थकों को लाभ था। चुनाव की शमा ऐसी बँध गई कि हर कोई मीना देवी की चर्चा एक सर्वगुण-सम्पन्न महिला के रूप में करने लगा, जिसके उदाहरण का अनुसरण करने से नारी-जाति का उत्थान अवश्यम्भावी था।

जब चुनाव के पाँच दिन बाकी रह गए तो मीना देवी चिमटू भारती और चुल्हाई भारती के साथ रोहितपुर गई। वहाँ से उसे झंडे-पताके, शक्तिवर्द्धक पेय की कुछ दर्जन बोतलें और अपने बैंक खाते से रुपए लाना था, ताकि चुनाव के पहले और चुनाव के बाद मनोनुकूल कार्यक्रमों का सम्पादन बिना किसी बाधा के हो सके।

रोहितपुर में मीना देवी चिमटू भारती और चुल्हाई भारती के साथ अपने प्रिय धर्मशाले में ठहरी और बाजार जाकर अपनी जरूरत के सामान खरीदे। फिर पंजाब नेशनल बैंक के खाते से तीस हजार रुपए निकाले और अपने लाल हैंड बैग में नोटों की गड्डी रखकर धर्मशाले में लौटी। वह चिमटू भारती और चुल्हाई भारती को अपने साथ बैंक में नहीं ले गई थी; वह एक होशियार औरत थी और इस बात का ध्यान रखती थी कि सतर्कता के अभाव में कोई ऐसी घटना नहीं घट जाए, जिसके कारण उसे पश्चात्ताप करना पड़े—तब पछताए होत क्या जब चिड़िया चुग गई खेत! उसने रुपयों के सम्बन्ध में चिमटू भारती और चुल्हाई भारती से कुछ नहीं कहा और जब रात में सोई तो हैंड बैग को अपने तकिये के नीचे रख लिया। चिमटू भारती और चुल्हाई भारती ने इस बात की अनदेखी कर दी, मानो उन्हें इसमें कुछ भी अस्वाभाविक नहीं लगता हो और सारी रात पूरी लगन से मीना देवी की सेवा करते रहे।

आवश्यकता के अनुसार सामान खरीदकर वे दूसरे दिन टमटम से तारीगाँव के लिए रवाना हुए। मीना देवी रास्ते-भर अपने बैग को बगल में दबाए रही

और चिमटू भारती और चुल्हाई भारती ने इस बात की तरफ कोई ध्यान नहीं दिया, मानो उन्हें इसमें कुछ भी अस्वाभाविक नहीं दिखाई पड़ता हो। मीना देवी पूरी तरह आश्वस्त थी और जब कुछ अँधेरा होने पर वे गाँव से आधा किलोमीटर की दूरी पर उतरे, जहाँ सड़क समाप्त हो जाती थी, चिमटू भारती और चुल्हाई भारती ने प्रस्ताव किया कि गाँव के लिए रवाना होने से पहले वे सड़क के किनारे ईख के खेत में आधा घंटा विश्राम कर लें, तो मीना देवी मोह का सँवरण नहीं कर सकी। कौन जाने, व्यस्तता के इस काल में अगले दस दिनों तक ऐसा अवसर मिले या नहीं! तीनों ने ईख के खेत में आधा घंटा विश्राम किया और शक्तिवर्द्धक पेय से अपनी थकान को दूर किया। तत्पश्चात् चिमटू भारती और चुल्हाई भारती, झंडे-पताके, शक्तिवर्द्धक पेय की बोतलें और लाल रंग के हैंड बैग के साथ, जिसे मीना देवी ने अपनी बगल में दबा रखा था, उसे उसके घर पहुँचाया और तब अपने घर गए। मीना देवी वर्तमान और भविष्य के सम्बन्ध में पूरी तरह आश्वस्त थी; उसके चेहरे पर खुशी की चमक और हर अंग में सन्तोष की स्फूर्ति थी। उसने बैग को लोहे के सन्दूक में रखकर ताला लगाया और चाभी को ब्लाउज के अन्दर छिपा लिया।

दूसरे दिन उठने पर उसने जो पहला काम किया—वह था बैग को सन्दूक से निकालकर अपने सामने रखना। उसके मन में कोई खटका था, इस कारण वह पूरी तरह से आश्वस्त हो जाना चाहती थी। उसने धड़कते दिल से बैग को खोला और पोलिथिन के थैले से नोटों के बंडल निकाले। उसने जो देखा, उससे उसकी आँखें फैल गईं और चेहरा पीला पड़ गया। वह जोर से चीखी और बेहोश हो गई। थैले में नोटों के बंडल की जगह पुराने अखबारों के बंडल थे।

मीना देवी को इस बात में लेशमात्र भी सन्देह नहीं था कि चिमटू भारती और चुल्हाई भारती ने ही रुपए उड़ाए हैं। इस कारण जब वे चुनाव के कार्यक्रमों को सम्पादित करने के लिए बुलाई गई मीटिंग में आए तो मीना देवी के स्वल्प पिछड़ी जातियों के समर्थकों ने, जो उनके प्रति अपनी नेत्री के विशेष झुकाव से खिन्न थे और अपना रोष प्रकट करने के लिए मौके की तलाश में थे, उन्हें रस्सी से बाँधकर पीटा और उन पर मीना देवी से तीस हजार रुपए और पचास हजार के गहने छीनने का आरोप लगाकर उन्हें थाने की हाजत में डलवा दिया।

मीना देवी एक दूरदर्शी महिला थी, लेकिन उत्तेजना के वशीभूत होकर उसने एक ऐसा कदम उठा लिया था जिसका पश्चात्ताप उसे बहुत दिनों तक रहा। प्रसिद्ध कथावाचक राम खेलावन पांडेय ने उस दिन अपने प्रवचन में ठीक ही कहा था

कि क्रोध एक ऐसी आग है जो क्रोध करनेवाले को ही जलाती है। राम खेलावन पांडेय एक अगड़ी जाति के हुए तो क्या हुआ? क्या अगड़ी जातियों के सभी लोग मूर्ख ही होते हैं? असल में राम खेलावन पांडेय ने वही बात कही थी जो वर्षों से एक हीरे की तरह उसके मन के एक कोने में पड़ी थी और उसके दैनिक व्यवहार को एक विशेष रूप देने में एक निर्णायक भूमिका अदा करती थी। लेकिन उस हीरे पर गर्द पड़ी हुई थी, जिस कारण उसका अस्तित्व ही उसे विस्मृत हो गया था। जब उसने राम खेलावन पांडेय का प्रवचन सुना तो गर्द हट गई और हीरा अपनी पूरी चमक के साथ प्रकट हो गया। लेकिन हाय रे तकदीर! ठीक समय पर हीरा आँखों से ओझल हो गया और उसने तीस हजार रुपयों के लिए ऐसे दो समर्थकों को खो दिया जो दस वर्षों से उसके बिना खरीदे हुए गुलाम थे और उसके लिए कड़ी मेहनत करने के लिए चौबीस घंटे तैयार रहते थे।

इस तरह एक गलती के चलते क्या से क्या हो गया! मुखिया का पद, जो उसके हैंड बैग में आ गया था, छिटककर बाहर हो गया और राधा देवी के झोले में चला गया।

अगर उसने चिमटू भारती और चुल्हाई भारती पर चोरी का केस नहीं किया होता तो क्या तारीगाँव के अति पिछड़ा वर्ग की जातियों का एक वोट भी राधा देवी को मिलता? पूरा पिछड़ा वर्ग मरे बैल के चारों तरफ जमा गिद्धों के झुंड की तरह उसके लिए एकजुट रहता और वह कम-से-कम दो-तिहाई मतों से विजयी होती। लेकिन चिमटू भारती और चुल्हाई भारती के हाजत में जाते ही पिछड़ी जातियों की एकता तेज आँच पर चढ़ाए गए बासी दूध की तरह फट गई—छेना अलग हो गया और पानी अलग हो गया और चुनाव में राधा देवी दो-तिहाई बहुमत से जीत गई। अब राधा देवी वर्षों तक उसके कलेजे पर मूँग दलेगी और वह टुकुर-टुकुर देखेगी।

परिस्थिति की विकटता के कारण मीना देवी की आँखों में आँसू आ गए लेकिन उसने आँसुओं को पोंछने की कोशिश नहीं की।

लेकिन उसी समय गली में किसी के कदमों की आहट हुई और उसे लगा कि कोई ग्राहक उसकी दुकान में आ रहा है। उसने तत्क्षण आँसू पोंछ लिए और उस स्टूल को, जिस पर बैठकर वह सामान बेचती थी, दरवाजे से अलग किया और चेहरे पर मुस्कान लाकर प्रतीक्षा करने लगी। कदमों की आवाज दूर चली गई और दुकान में कोई नहीं आया।

मीना देवी के मन की कड़वाहट बढ़ गई और उसके विचार फिर भटकने लगे। उसके पास क्या सबूत था कि चिमटू भारती और चुल्हाई भारती ने ही

उसके रुपए उड़ाए? उसने हैंड बैग को हमेशा अपनी बगल में दबाए रखा था; फिर उन्होंने रुपए कब निकाले? यदि उन्होंने ही रुपए लिए तो क्या उन्हें जेल में भेजने से रुपए मिल जाएँगे? आह, उसने राम खेलावन पांडेय द्वारा प्रवचन में दी गई सलाह भूलकर बड़ी गलती की। वह शीघ्र कोई रास्ता निकालेगी जिससे चिमटू भारती और चुल्हाई भारती से सुलह हो जाए और उसका विजय-रथ आगे बढ़ता जाए। उसे एक लम्बा रास्ता तय करना है और सड़क पर खाई खोदने की गलती फिर नहीं करेगी।

इस निश्चय से मीना देवी की पूरी देह में प्रसन्नता की गुदगुदी भर गई और उसकी आँखों में चमक आ गई। उसने ताख पर से क्रीम की डिबिया उठाई और दीवाल पर टँगे आइने के सामने खड़ी होकर चेहरे पर क्रीम मलने लगी।

फन्दा

रात के बारह बज गए थे, लेकिन विपिन गुप्ता से नींद कोसों दूर थी। यदि वह पंखा खोल देता तो शायद नींद आ जाती लेकिन उसे डर था कि पंखा खोल देने से कमरे के आगे के बरामदे में या कमरे की एकमात्र खिड़की के बाहर होनेवाली गतिविधियों की आवाज उसके पास नहीं पहुँच पाएगी और वह सम्भावित खतरे का सामना करने के लिए ठीक समय पर तैयार नहीं हो पाएगा। कमरे में उमस थी और खिड़की के सामने की खटाल से उठनेवाली सड़ी गोबर की गन्ध नासिका-छिद्रों से प्रवेश कर मस्तिष्क को ज़ड़वत् बना रही थी, लेकिन इस गन्ध से बचने के लिए बिछावन से उठकर कुछ करने का साहस उसके अन्दर नहीं था। पिछले दस दिनों से, जब से उसने निश्चय किया था कि अपने वर्तमान जीवन से पूरी तरह सम्बन्ध-विच्छेद कर लेगा और कहीं ऐसी जगह चला जाएगा जो उसके परिचितों की पहुँच से बाहर होगी, उसके अन्दर एक भय व्याप्त हो गया था कि कुछ लोग उसकी जान के प्यासे हो गए हैं। इस खतरे की आशंका किसी खास व्यक्ति से नहीं; वह अपने सभी परिचितों से समान रूप से आशंकित था और उसे उनमें से हर किसी की आँखों में उसके खून की प्यास की चमक दिखाई पड़ती थी। वह इस चमक को अनदेखी करने की कोशिश करता था ताकि किसी के मन में कोई सन्देह नहीं हो। इससे अपनी वर्तमान जिन्दगी से पूरी तरह सम्बन्ध-विच्छेद करने का उसका निश्चय अधिक दृढ़ होता गया था, यद्यपि उसने इसे अपने आप तक ही सीमित रखा था और कहीं प्रकट नहीं होने दिया था।

विपिन गुप्ता के मन में यह भय दस वर्ष पहले नहीं था जब वह रोहितपुर से किराने की दुकान अपने चचेरे भाइयों के हाथों बेच यहाँ कुसुमपुर में अपनी तकदीर आजमाने आया था। वह बी.ए. पास था, इस कारण किराने की खानदानी दुकान में अपने आपको समेटना उसे अपनी योग्यता का दुरुपयोग लगने लगा था। वह किसी ऐसे धन्धे को अपनाना चाहता था जिसमें पर्याप्त आर्थिक लाभ हो और साथ-ही-साथ उसकी योग्यता का भी उचित उपयोग हो। अपनी दुकान बेचने के

पहले ही उसने समस्या के हर पहलू पर विचार कर लिया था और तय किया था कि वह कुसुमपुर में सम्पन्न घरों के बच्चों के लिए स्कूल खोलेगा, ऊँची फीस लेगा और स्कूल को ऐसी कुशलता से चलाएगा कि उसकी शाखाएँ विभिन्न मुहल्लों में खुल जाएँगी और वह अर्थ और यश दोनों की प्राप्ति करेगा। उसने इस मकान को, जो अब उसका अपना था, रोहितपुर की अपनी दुकान बेचने के पहले ही किराए पर ले लिया था क्योंकि यह बड़ा था—और इसका किराया कम था। इसके आगे, गली में ही, मछली बाजार लगता था और पीछे भैंसों की एक बड़ी खटाल थी। मकान मालिक इसे छोड़कर एक अन्य मुहल्ले में रहने लगा था और कोई अच्छा किराएदार नहीं मिलने के कारण यह बहुत दिनों तक खाली पड़ा था। विपिन गुप्ता ने मकान खरीद उसकी रँगाई-पुताई कराई और अपनी पत्नी सुधा गुप्ता के साथ ऊपर के दो कमरों में आ गया। उसने मकान के बाहरी दरवाजे के ऊपर एक बड़ा बोर्ड लगवाया—सेण्ट्रल इंग्लिश स्कूल। उचित ताम-झाम के साथ इंटरव्यू लेकर ऐसी चार शिक्षिकाएँ, एक किरानी और एक चपरासी की नियुक्ति की जो छह महीनों तक अवैतनिक काम करने के लिए तैयार थे। स्कूल में सिर्फ अपर प्राइमरी तक की पढ़ाई की व्यवस्था की गई, क्योंकि उससे ऊपर की पढ़ाई करने पर कुछ उलझनें थीं। शिक्षिकाओं ने घूम-घूमकर स्कूल के लिए विद्यार्थी ढूँढ़े, विपिन गुप्ता ने स्वयं विद्यार्थियों के किट और अनुशासन पर नजर रखी—लाल कमीज, नीली पैण्ट और पीली टाई में लड़के खूब फबते थे और पैण्ट की जगह स्कर्ट पहनकर लड़कियाँ कम आकर्षक नहीं दिखती थीं—और स्कूल चल निकला। स्कूल के सामने मछली बेचनेवाली औरतों को कुछ पैसे देकर विपिन गुप्ता ने उन्हें कुछ अलग हटकर दुकान छानने के लिए राजी कर लिया और मछलियों की गन्ध और खरीदने-बेचनेवालों का शोरगुल कम होने से स्कूल की लोकप्रियता बढ़ी।

लेकिन स्कूल भवन के पीछे चलनेवाली खटाल को हटाने की बात विपिन गुप्ता के दिमाग में कभी नहीं आई, यद्यपि यह खटाल एक कील की तरह स्कूल के माथे में गड़ी थी। गोबर और मूत की तीखी गन्ध, दर्जनों भैंसों और पाड़ा-पाड़ियों के रँभने और डकरने, उनकी देखभाल में लगे लोगों की चीख-चिल्लाहट से उठनेवाली आवाजें और वहाँ रहने तथा आनेवालों की स्कूल भवन की तरफ रुख कर पेशाब करने की प्रवृत्ति के कारण खटाल की तरफ खुलनेवाली सभी खिड़कियाँ बन्द रहती थीं। विपिन गुप्ता में खटाल के मालिक से शिकायत करने का साहस नहीं था, क्योंकि वह जानता था कि इसके गम्भीर परिणाम हो सकते हैं। धीरे-धीरे उसे ऐसा लगने लगा था कि एक मानवभक्षी दैत्य, जिसकी आँखों में क्रूर मुस्कुराहट है, खटाल के पूरे क्षेत्र के आकाश को अपनी विशाल काया से घेरे हुए

उसकी प्रतीक्षा में बैठा है और मौका मिलते ही उसे निगल जाएगा।

भय के कारण विपिन गुप्ता ने स्कूल खोलने के दिन से ही खटाल के अस्तित्व को पूरी तरह नजरअन्दाज करने की कोशिश की। उसे मालूम था कि खटाल के मालिक अपराधकर्मियों के दलों के नेता होते हैं और उनसे दूर रहने में ही सुरक्षा है। इस कारण उसके सम्बन्ध में कोई शिकायत करने की बात कौन कहे, सोचना भी गुनाह है और भलाई इसी में है कि उसे पूरी तरह भूल जाया जाए।

लेकिन एक दिन जब वह स्कूल के ऑफिस में बैठा हुआ आमदनी और खर्च का हिसाब देख रहा था, एक पहलवान-सा दिखनेवाले आदमी ने कमरे में प्रवेश किया और कहा, "मास्टरजी, भुजाली गोपजी की खटाल में सन्तजी पधारे हैं। उन्होंने आपको याद किया है। जल्दी भेंट कर लीजिए।"

विपिन गुप्ता ने पूछा, "भुजाली गोप की खटाल कहाँ है?"

उस आदमी ने हँसकर कहा, "मास्टरजी, आप भी खूब हैं। आप सालभर से यहाँ हैं और भुजाली गोपजी की खटाल का पता नहीं जानते? इस स्कूल के पीछे जो खटाल है, वह भुजाली गोपजी की ही है।"

विपिन गुप्ता बोला, "अच्छा, आता हूँ। आप चलिए।"

उस आदमी ने जाते-जाते कहा, "मास्टरजी, देर मत कीजिएगा। सन्तजी के पास ज्यादा टाइम नहीं है।"

विपिन गुप्ता खटाल के कारण ऐसी दहशत की स्थिति में था कि उसने उसके मालिक का नाम जानने की कोशिश कभी नहीं की, मानो उसका नाम जानने से खतरा बढ़ जाएगा। जब उसने सुना कि उसके स्कूल के पीछे की खटाल के मालिक का नाम भुजाली गोप है तो उसके मन में विचार आया कि वह वहाँ न जाए; भुजाली नाम से ही खतरे की गन्ध आती थी। लेकिन फिर उसने सोचा– 'कोई सन्तजी आए हैं। शायद उनके सम्पर्क से भुजाली गोप को सद्‌बुद्धि आ जाए और खटाल से उठनेवाली समस्या का समाधान हो जाए।'

वह खटाल में बहुत आशा लेकर गया। वहाँ जिस सन्तजी से उसका परिचय कराया गया, वह मिथक कथाओं के किसी राक्षस जैसा व्यक्ति था जिसने मूँछ और दाढ़ी बढ़ा रखी थी और जो दो बन्दूकधारी रक्षकों के बीच में बैठा था। उसने विपिन गुप्ता को अपने सामने रखी खाली कुर्सी पर बैठाया और कहा, "मास्टरजी, मुझे मालूम नहीं कि आपने मेरे बारे में सुना है या नहीं। मैं आपको बताए दे रहा हूँ ताकि आपसे कोई गलती न हो जाए। मैं कभी किसी गलती को माफ नहीं करता, इसलिए मैं पहले ही सावधान किंए देता हूँ। मेरा नाम भीमा गोप है, लेकिन

लोग मुझे नाटू गोप भी कहते हैं क्योंकि मेरी लम्बाई कुछ कम है। मुझे इन दोनों में से कोई नाम पसन्द नहीं, इस कारण मैंने अपना नाम सन्तजी रख लिया है और सभी मुझे सन्तजी ही कहते हैं। मैंने जनता की सेवा करने का बीड़ा उठा लिया है। जनता की सेवा में खतरे हैं—हैं या नहीं? इस कारण मैं अपने साथ गार्ड रखता हूँ। मास्टरजी, जनता की सेवा के लिए पैसों की जरूरत है—है या नहीं?''

विपिन गुप्ता ने नाटू गोप का नाम सुना था, लेकिन उसे नहीं मालूम था कि उसका नाम सन्तजी भी है। नाटू गोप एक ख्यातिप्राप्त अपराधकर्मी था और हत्या या अन्य बड़े अपराधों के दर्जनों मुकदमे उसके नाम से दर्ज थे। लेकिन पुलिस उसके समीप जाने का साहस नहीं करती थी, क्योंकि उसे प्रान्त के एक अत्यन्त प्रभावशाली मन्त्री का समर्थन प्राप्त था। वह प्रान्तीय असेम्बली के लिए दो बार चुनाव लड़ चुका था। यद्यपि वह दोनों बार हार गया था, लेकिन निकट भविष्य में चुनाव जीतकर प्रान्त के मन्त्रिमंडल में उसके शामिल होने की अच्छी सम्भावना थी।

विपिन गुप्ता बोला, ''हाँ, हुजूर। बिना पैसे के जनता की सेवा कैसे हो सकती है?''

नाटू गोप बोला, ''इसी कारण आपको बुलाया है। आपके पास पैसा है और मैं जनता की सेवा करना चाहता हूँ। स्कूल चलाइए; जितना हो सके, कमाइए, लेकिन बचत में फिफ्टी परसेंट मेरा। आप पूछेंगे कि हिसाब कैसे होगा, पूछेंगे न? मैंने उसका इन्तजाम कर लिया है। भाई गबदू गोप, कुमारी मेरी जोसेफ और उसके धर्मभ्राता सन्तोष वर्गीज को पेश करो।''

कुमारी मेरी जोसेफ और सन्तोष वर्गीज खटाल के एक कोने में खड़े होकर नाटू गोप के आदेश की प्रतीक्षा कर रहे थे। उन लोगों ने सामने आकर नाटू गोप के पैर छुए, विपिन गुप्ता को हाथ जोड़कर प्रणाम किया और विनम्रतापूर्वक खड़े हो गए। दोनों एक ही उम्र के थे—करीब तीस वर्ष के और दोनों शिष्ट और खुशमिजाज लगते थे।

नाटू गोप ने विपिन गुप्ता से कहा, ''मास्टरजी, ये ही हैं मेरी जोसफ और उनके धर्म-भ्राता सन्तोष वर्गीज। पढ़ाई-लिखाई के मैदान में इन्होंने बड़े-बड़े काम किए हैं और इनकी पहुँच दूर तक है। आप इन्हें अपनी कमेटी में रख लीजिए। बस, यही समझिए कि आपका उद्धार हो जाएगा और मुझे भी कोई शिकायत नहीं रहेगी। और हाँ, ये दोनों आपके साथ सामनेवाले मकान में ही रहेंगे। आपके ऑफिस के लिए अभी दो कमरे हैं न? एक कमरे में ये लोग रहेंगे और उसमें ही ऑफिस का आधा काम सँभाल लेंगे। इससे आपको हर तरह की सहूलियत होगी और आपकी आमदनी पुलिस के कुत्ते की चाल से दौड़ेगी।''

मेरी जोसेफ और सन्तोष वर्गीज ने विपिन गुप्ता से हाथ मिलाए और अपनी जगह पर जाकर खड़े हो गए। विपिन गुप्ता समझ गया कि नाटू गोप का आदेश

मानने के सिवा उसके पास अन्य कोई रास्ता नहीं है। नाटू ने स्पष्टतः सेण्ट्रल इंग्लिश स्कूल के सम्बन्ध में आवश्यक जानकारी प्राप्त कर ली थी और एक योजना के अनुसार काम कर रहा था। लेकिन मेरी जोसेफ और सन्तोष वर्गीज में उसे कोई आपत्तिजनक बात नहीं दिखाई पड़ी। उसने सोचा—'यदि वे सचमुच ही शिक्षा से जुड़े रहे हैं, तो कोई कारण नहीं कि वे मेरे काम में उपयोगी सिद्ध नहीं हों।' उसे मेरी जोसेफ की आँखों में एक ऐसी आत्मीयता दिखाई पड़ी कि नाटू गोप की अनुशंसा के बावजूद उसके प्रति उपजी मन की मैल धुल गई।

मेरी जोसेफ और सन्तोष वर्गीज दूसरे दिन सुबह में अपने बैग और अन्य सामान के साथ आ गए। उन्होंने ऑफिस के लिए कमरे पर पूरी विनम्रता के साथ अधिकार कर लिया और संस्था के आय और व्यय का इस तरह लेखा-जोखा लेना शुरू किया मानो वर्तमान और भविष्य की सारी जिम्मेवारी उन पर ही हो! विपिन गुप्त ने संस्था को चलाने के लिए एक कमेटी बनाई थी जिसका अध्यक्ष वह स्वयं था, उसकी पत्नी सुधा गुप्ता उपाध्यक्षा थी और स्कूल की तीन शिक्षिकाएँ सदस्याएँ थीं। लेकिन विपिन गुप्ता आय और व्यय का पूरा काम स्वयं देखता था और अपनी पत्नी और कमेटी की सदस्याओं से शायद ही कभी कोई परामर्श लेता था। लेकिन मेरी जोसेफ और सन्तोष वर्गीज ने सुधा गुप्ता के प्रति पूरी विनम्रता और वफादारी का प्रदर्शन करते हुए उसे स्कूल की सभी शाखाओं का पूरा ब्यौरा दिया और हर कदम पर परामर्श किया मानो वह अत्यन्त बहुमूल्य हो और उस पर ही संस्था का वर्तमान और भविष्य निर्भर करता हो! वे स्कूल की विभिन्न शाखाओं की देखभाल इस तन्मयता से करते कि उनके प्रति उसकी धारणा दिनोंदिन ऊँची होती गई और महीना बीतते-बीतते उसने पति से कहा, "गुप्ताजी, मेरी जोसेफ और सन्तोष वर्गीज दोनों ही हीरा हैं। इनकी मदद से हमारा रोजगार थोड़े ही दिनों में चमक जाएगा और सोना बरसने लगेगा। इन्हें कमेटी में क्यों नहीं रख लेते? कमेटी में मन्त्री और सहायक मन्त्री की जगह खाली है। मेरी को मन्त्री बना दीजिए और सन्तोष को सहायक मन्त्री। ऐसा करने से रोजगार के प्रति इनका लगाव बढ़ेगा और ये अधिक जिम्मेवारी से काम करेंगे।"

विपिन गुप्ता ने इस प्रस्ताव के लिए बिना कोई उत्साह दिखाए जवाब दिया, "इतनी जल्दी क्या है? ये लोग कुछ दिन और काम करें, तब देखा जाएगा।"

सुधा गुप्ता ने गर्म होते हुए कहा, "गुप्ताजी, आप पैंतालीस पार कर गये, लेकिन अभी तक दुनियादारी नहीं सीखी। जो लोग अच्छा काम करते हैं, यदि उनकी कद्र नहीं करेंगे तो बिजनेस कैसे फूले-फलेगा? मैं तो कहूँगी कि मेरी जोसेफ और सन्तोष वर्गीज दोनों को कमेटी का उपाध्यक्ष बना दीजिए। उनकी मदद से मैं सारा काम सँभाल लूँगी। उनका भी मन लगेगा। तब हमारा बिजनेस

चाँद-सितारों की तरह चमकेगा।''

सुधा गुप्ता को निस्सन्तान होने का बहुत दुख था और इसके लिए वह अपने पति को जिम्मेवार मानती थी। वह अपने मन की कटुता की अभिव्यक्ति विपिन गुप्ता को उसकी उम्र की याद दिलाकर करती थी, यद्यपि उसकी अपनी उम्र उससे साल-दो साल ही कम थी। विपिन गुप्ता इस बात को समझता था और हमेशा यह कोशिश करता था कि उसके व्यवहार या बात से उसे तकलीफ नहीं पहुँचे। फिर नाटू गोप ने भी उसे सलाह दी थी कि मेरी जोसेफ और सन्तोष वर्गीज को अपनी कमेटी में रख ले। यद्यपि उन दोनों के प्रति उसके मन में अविश्वास की भावना थी, फिर भी परिस्थिति से समझौता कर लेना ही अच्छा था।

उसने कहा, ''तुम ठीक कहती हो, सुधा रानी। मैं भी उन दोनों के काम से बहुत प्रभावित हूँ। कमेटी में मन्त्री और सहायक मन्त्री का पद खाली है। मैं सोचता हूँ कि मेरी जोसेफ को मन्त्री का और सन्तोष वर्गीज को सहायक मन्त्री का पद दे दिया जाए तो अच्छा रहेगा।''

सुधा गुप्ता खुश होकर बोली, ''हाँ, गुप्ताजी। यदि आप लोगों का कद्र नहीं करेंगे तो उनका मन काम में कैसे लगेगा?''

विपिन गुप्ता ने कमेटी की बैठक में प्रस्ताव पास कराकर मेरी जोसेफ को संस्था का मन्त्री और सन्तोष वर्गीज को सहायक मन्त्री बना दिया। कुछ ही दिनों में उन्होंने संस्था के कोष पर पूरा नियन्त्रण कर लिया और विपिन गुप्ता नाम के लिए ही संस्था का अध्यक्ष रह गया। सुधा गुप्ता को मेरी जोसेफ और सन्तोष वर्गीज की तरफ से कोई शिकायत नहीं थी क्योंकि उसे लगता था कि संस्था के सम्बन्ध में उसकी भूमिका निर्णायक हो गई है।

छह महीने बीतते-बीतते मेरी जोसेफ और सन्तोष वर्गीज ने संस्था के न सिर्फ आय-व्यय का बल्कि संचालन का भी पूरा काम सँभाल लिया और विपिन गुप्ता से उसका सम्बन्ध कट-सा गया। मेरी जोसेफ और सन्तोष वर्गीज सुधा गुप्ता को स्कूल के सम्बन्ध में अक्सर रिपोर्ट देते थे और उसके संचालन के सम्बन्ध में परामर्श लेते थे; लेकिन वे विपिन गुप्ता से शायद ही कभी बातें करते थे, मानो एक अनावश्यक आभूषण से अधिक उसकी कोई उपयोगिता नहीं हो। इससे उसके अन्दर अपने प्रति निरीहता का भाव जगा। लेकिन उसे इस बात की खुशी थी कि उसकी पत्नी संस्था के कामों में दिलचस्पी लेने लगी है और उसके अन्दर यह आशा जगी कि वह थोड़े ही दिनों में सबकुछ समझ जाएगी और संस्था की प्रगति अबाध गति से होती रहेगी।

उसने अपने-आपको अपने कमरे में ही केन्द्रित कर लिया और संस्था के कामों में दिलचस्पी लेना बन्द कर दिया। लेकिन उसका दिमाग उसी तरफ लगा रहता था और रात की शान्त घड़ियों में नीचे के कमरों में उठनेवाली कोई भी आवाज उसके मन में तरह-तरह की आशंकाओं और दुश्चिंताओं को जन्म देती थी। उसे रात में ठीक से नींद नहीं आती थी और ऐसा लगता था कि नीचे के कमरों में लोग सारी रात आते-जाते रहते हैं। उसने लक्ष्य किया कि उसकी पत्नी भी देर तक जगी रहती है, मानो वह किसी घटना की प्रतीक्षा कर रही हो!

उसने एक रात उससे, जब वह तीन बार कमरे से बाहर गई और लौटी, पूछा, ''प्यारी सुधा, क्या तुमने मेरी जोसेफ और सन्तोष वर्गीज से पूछा कि रात में कौन से लोग नीचे के कमरों में आते-जाते रहते हैं?''

सुधा गुप्ता ने गर्म होते हुए कहा, ''इसमें पूछने की क्या बात है—ऐं? इसमें पूछने की क्या बात है? हम अपना घरबार बेचकर कुसुमपुर से किसलिए आए हैं? पैसे बनाने के लिए ही न? नीचे के तीन कमरों में दिन में पढ़ाई होती है, लेकिन रात में वे खाली ही रहते हैं न! खाली रहते हैं या नहीं? अगर रात में उसमें दूसरा बिजनेस होता है तो इसमें बुराई क्या है?''

विपिन गुप्ता की आँखें आश्चर्य और सदमे से फैल गईं। उसने हकलाते हुए पूछा, ''प्यारी सुधा, क्या! यह उचित है? क्या हम यही बिजनेस करने के लिए अपना घर-द्वार बेचकर यहाँ आए हैं?''

सुधा गुप्ता बोली, ''गुप्ताजी, तुम जिन्दगीभर पोंगा पंडित रह गए। इस बिजनेस में क्या बुराई है—ऐं? स्कूल की जो मास्टरनी दिन में आठ घंटे खटकर रुपए कमाती है, वह रात में दो घंटे में पाँच सौ बटोर लेती है। यह फायदे का बिजनेस है कि नुकसान का? बाहर की जो औरतें आती हैं, वे अपनी कमाई का आधा हमारे फंड के लिए देती हैं—फिफ्टी परसेंट! माँ काली को धन्यवाद दो कि मेरी जोसेफ और सन्तोष वर्गीज जैसे होशियार लोग हमें मिल गए। अब हम मालामाल हो जाएँगे।''

विपिन गुप्ता ने दृढ़ता के साथ कहा, ''प्यारी सुधा, मैं ऐसे बिजनेस में साथ नहीं दे सकता। मैं इसे रोककर ही दम लूँगा।''

सुधा गुप्ता का चेहरा तमतमा गया। लेकिन उसने बात को बढ़ाना उचित नहीं समझा, क्योंकि इससे नीचे चल रहे बिजनेस में बाधा पहुँच सकती थी। वह 'हुँह!' कहते हुए उठी और अपने कमरे में जाकर सो रही। उसने एक निश्चय कर लिया था। अब फैसले का समय आ गया था और जब रास्ता साफ था, तो पीछे हटना मूर्खता थी।

दूसरे दिन नाश्ते के बाद विपिन गुप्ता ऑफिस में गया और उसने संस्था के

आय-व्यय का हिसाब देखने की इच्छा प्रकट की। मेरी जोसेफ और सन्तोष वर्गीज के चेहरे फक पड़ गए। जब से वे संस्था से जुड़े थे, विपिन गुप्ता ने उसमें दिलचस्पी लेना बन्द कर दिया था और उन्हें आशा थी कि उसका यह रुख स्थायी होगा। जब उसकी पत्नी बिजनेस में दिलचस्पी लेने लगी थी तो उसका इस झमेले में पड़ना समय और शक्ति के दुरुपयोग के सिवा और क्या था?

मेरी जोसेफ ने अत्यन्त विनम्रतापूर्वक कहा, "मिस्टर गुप्ता, हमें खुशी है कि आपने संस्था में दिलचस्पी लेना शुरू कर दिया। इससे सबका कल्याण होगा। लेकिन हम तत्काल आपकी कोई मदद नहीं कर सकते। हम पिछले कुछ महीनों से संस्था के प्रशासन को सुधारने में लगे रहे हैं, अतएव हम उसके आय-व्यय का हिसाब नहीं कर पाए हैं।" फिर हँसकर बोली, "किसी तरह खर्च निकल जाता है, यही बहुत है। सन्तजी का भी खयाल रखना है न?"

विपिन गुप्ता ने गर्म होते हुए कहा, "कैसी बातें करती हैं आप? छह महीने पहले स्कूल के खाते में दस लाख रुपए जमा थे!"

मेरी जोसेफ बोली, "अगर खाते में दस लाख रुपए थे तो होंगे ही, जाएँगे कहाँ? लेकिन खर्च में भी बढ़ोतरी हुई है। टाइम के मुताबिक काम करना है, लकीर का फकीर होने से काम कैसे चलेगा? जहाँ तक हिसाब-किताब का सवाल है, एक महीना में अपडेट करके आपके सामने रख दिया जाएगा।"

विपिन गुप्ता आगे कुछ नहीं बोला, लेकिन उसने निश्चय कर लिया कि वह अपनी संस्था को उन लोगों के हाथों में हथियार नहीं बनने देगा जो उन मूल्यों की हत्या करना चाहते हैं जिनकी रक्षा करना उनका कर्तव्य था। इस कर्तव्यबोध के साथ ही उसके अन्दर एक भय का उदय हुआ मानो वह एक ऐसी भीड़ के सामने खड़ा हो जहाँ हर कोई उसका दुश्मन हो। वह जानता था कि यह भावना एक भ्रम है। लेकिन यह उसके मन में भूत की तरह समा गई और उसे एकाएक लगा कि सभी उसके दुश्मन हो गए हैं और उसकी जान को खतरा है। वह किसी खास व्यक्ति को दोस्त या दुश्मन के रूप में देखने में असमर्थ था, लेकिन उसे हर तरफ से खतरे की आशंका हो गई थी।

विपिन गुप्ता के मन में यह बात समा गई थी कि उसके विरुद्ध षड्यन्त्र में उसकी पत्नी भी शामिल है। इस कारण वह सारी रात सो नहीं पाता था और सुधा गुप्ता की हर गतिविधि के प्रति इस तरह चौकन्ना रहता था मानो उसका सीधा सम्बन्ध उसकी हत्या के लिए किए गए दुश्मनों के षड्यन्त्र से हो। उसकी पत्नी ने उसके व्यवहार के इस परिवर्तन को लक्ष्य किया और उसके चेहरे पर भृकुटि की वक्रता का स्थान मुस्कुराहट ने ले लिया और व्यवहार में रुक्षता का स्थान तत्पर सहयोग ने ले लिया। लेकिन इससे विपिन गुप्ता के मन का सन्देह

और बढ़ा और उसके भय में कमी आने के बदले अभिवृद्धि हुई। पत्नी की मुस्कुराहट अपने षड्यन्त्र पर पर्दा डालने का प्रयास लगती और उसका भय द्विगुणित हो जाता।

उसकी पत्नी दो रातों तक अपने कमरे में सोने के बाद फिर उसके साथ सोने लगी थी। इससे उसकी बेचैनी अधिक बढ़ गई क्योंकि उसकी दृष्टि में यह भी षड्यन्त्र का एक अंग था और इसका उद्देश्य खतरे के प्रति उसकी सावधानी को कम करना था। इस कारण उसे रात में नींद नहीं आती। यद्यपि उसकी आँखें बन्द रहतीं, लेकिन उसके कान पत्नी की हर गतिविधि के प्रति सजग रहते।

मेरी जोसेफ और सन्तोष वर्गीज ने संस्था के आय और व्यय का हिसाब तैयार करने के लिए उससे दो महीने का समय लिया था। विपिन गुप्ता को उनकी प्रार्थना भी षड्यन्त्र का एक अंग लगने लगी थी और उसे आशंका होने लगी थी कि यह अवधि उसके लिए अत्यन्त महत्त्वपूर्ण है; इस अवधि का उसके जीवन और मृत्यु से सीधा सम्बन्ध है। इस कारण जैसे-जैसे दिन बीतते थे, उसकी घबड़ाहट बढ़ती जाती थी और उसे ऐसा लगता था कि उसके लिए खतरा बढ़ता जा रहा है। पन्द्रह दिन बीतते-बीतते उसकी स्कूल के कामों में दिलचस्पी समाप्त हो गई और उसका सारा ध्यान अपने ऊपर मँडराते खतरे पर ही केन्द्रित हो गया।

उसने लक्ष्य किया कि मेरी जोसेफ और सन्तोष वर्गीज अपने व्यवहार में उसके प्रति अधिक विनम्र और सतर्क हो गए हैं; जब कभी उससे मुलाकात होती है, वे मुस्कुराकर उसका स्वागत करते हैं और उससे बातें करने की कोशिश करते हैं। उसने इस बात पर भी ध्यान दिया कि रात को मकान के निचले तले में उठनेवाली आवाजें अधिक तेज और उच्छृंखल हो गई थीं, मानो उन्हें विश्वास हो गया था कि परिस्थितियाँ उनके अनुकूल हैं और कोई भी उनका कुछ बिगाड़ नहीं सकता। ये बातें विपिन गुप्ता के इस विश्वास को दृढ़ करती थीं कि उसे रास्ते से हटाने की योजना बन चुकी है और योजना बनानेवालों को उसकी सफलता में कोई सन्देह नहीं है।

विपिन गुप्ता के मन में इतना भय समा गया था कि वह महीनाभर तक मकान के निचले तले में नहीं गया और अधिकांश समय अपने कमरे में बन्द रहा। उसे भय था कि यदि वह नीचे उतरा तो कोई अप्रिय घटना घट सकती है। उसकी आँखों के सामने निचले तले की दीवालों के कोने और किवाड़ों के पीछे की वे खाली जगहें घूमती रहतीं जहाँ कोई चाकू लेकर खड़ा रह सकता था।

महीना बीतते-बीतते उसके लिए अपने कमरे में अपने-आपको बन्द रखना या ऊपर के तले पर ही बाँधे रखना कठिन हो गया। उसकी सबसे बड़ी चिन्ता अपनी जान की रक्षा हो गई थी और यह समस्या दिनोंदिन विकटतर होती जा रही

थी। उसे ऐसा लगने लगा था कि सभी उसकी जान के प्यासे हो गए हैं और उसकी हत्या की योजना बन चुकी है। अब उसके लिए प्राणों की रक्षा का एकमात्र उपाय यही था कि वह इस घर को छोड़ दे और किसी ऐसी जगह चला जाए जहाँ उसका पता लगाना असम्भव हो।

दो महीने बीतने में मुश्किल से दस दिन बाकी रह गए थे। अधिक दिनों तक सोचने का समय नहीं था और यथाशीघ्र गले की फाँस से छुटकारा पा लेना था। उसने कुछ दिनों से मकान में चलनेवाली गतिविधियों पर ध्यान दिया था और पाया था कि सबसे अधिक शान्ति सुबह में तीन बजे के बाद रहती है, जब नीचे का कोलाहल बन्द हो जाता है और सभी अपने-अपने कमरे में आराम करने लगते हैं। उसकी पत्नी, जो शाम से लेकर सुबह के दो बजे तक अत्यन्त क्रियाशील रहती है, उस समय तक निचले तले का काम खत्म कर बिछावन पर लेटी हुई खर्राटे लेने लगती है। मेरी जोसेफ और सन्तोष वर्गीज भी अपने कमरे को अन्दर से बन्द कर आराम करने लगते हैं। उसने तय कर लिया कि अब वह विलम्ब नहीं करेगा।

वह जानता था कि उसके व्यवहार में कोई अस्वाभाविकता आने से सभी चौकन्ने हो जाएँगे और उसकी योजना धरी की धरी रह जाएगी। इस कारण जब उसकी मुलाकात मेरी जोसेफ और सन्तोष वर्गीज से हुई तो उसने मुस्कुराकर बातें कीं, मानो वह अपनी जिम्मेवारी के प्रति उनकी सच्चाई से बहुत प्रसन्न है और उसकी उनसे कोई शिकायत नहीं। उसने अपनी पत्नी के प्रति भी वह कटुता नहीं दिखाई जो उसके व्यवहार का एक अंग बन गया था। लेकिन वह दूसरी रातों से अधिक सजग था और उसके कान हर आवाज के प्रति पूरी तरह सतर्क थे।

जब मकान में हर जगह शान्ति हो गई और उसकी पत्नी के खर्राटों की आवाज नियमित हो गई, तो वह धीरे से बिछावन से उठा और सावधानी से कदम रखते हुए, ताकि किसी को आहट नहीं हो, नीचे उतर गया। हर तरफ घुप्प अँधेरा था जिसे छेद पाना दृष्टि के लिए असम्भव था। वह दो मिनटों तक रुका, क्योंकि उसकी देह इस तरह काँपने लगी थी मानो हवा में ही खतरे के भूत की गन्ध हो! उसकी इच्छा हुई कि वह लौट जाए और अपने प्राणों की रक्षा करे। लेकिन उसके पैर बाहर के दरवाजे की तरफ बढ़ गए जो चार कदमों की दूरी पर था और जिसके उस पार मुक्ति थी। रास्ते में वह कमरा था जिसमें स्कूल की शिक्षिकाएँ रहती थीं। वह कमरे के दरवाजे के पास एक क्षण के लिए ठिठका फिर अपने कदमों को स्थिर कर आगे बढ़ा। लेकिन उसने जैसे ही दरवाजे को पार किया, उसे लगा कि किसी ने पीछे से उसके गले में रस्सी डालकर उसे अपनी तरफ खींच लिया और फन्दे को कड़ा कर दिया। उसकी साँस बन्द हो गई और वह गच खाकर जमीन पर गिरकर छटपटाने लगा।

नया अध्याय

अपने प्रेमी-युगल साही के सिर पर लगातार तीन गोलियाँ चलाने के बाद वीणारानी ने रिवॉल्वर को पलँग की बगल में लगी मेज पर शराब की बोतलों के पास रख दिया और पलँग के पैताने बैठकर रोने लगी। भुवन साही की देह दो बार काँपी, फिर शान्त हो गई। वीणारानी की नजरें मेज पर रखी रिवॉल्वर पर गईं; उसने एक बार फिर उठने की कोशिश की, लेकिन उठी नहीं। उसके मन में एकाएक एक द्विविधा ने घर बना लिया था और जन्म-जन्मान्तर तक अपने प्रेमी का साथ नहीं छोड़ने का निश्चय कमजोर पड़ गया था। उसकी नजरें अपने मृत प्रेमी के चेहरे पर गईं, जहाँ लहू से खेली गई होली का रंग पुता था। फिर उसकी नजरें उसके सिर में तीन स्थानों में बने छेदों से बहकर तकिए और बिस्तर पर फैलनेवाले लहू पर गईं और उसका मानसिक तनाव, जो महीनों से उसकी विचार-शक्ति को सुन्न किए हुए था, कम हो गया। अतीत के दृश्य और भविष्य के सपने एक बार फिर अपनी पूरी मोहकता के साथ उसकी आँखों के सामने उपस्थित हो गए। प्रेमी की हत्या का अपराध बहुत भारी लगने लगा, लेकिन इसके दंड से बच निकलने की इच्छा भी उतनी ही दृढ़ हो गई। आत्महत्या का विचार, जो उसके मन में पिछले दो महीनों से अँधेरे के भूत की तरह अधिकाधिक विशालकाय होता गया था, एकाएक तिरोहित हो गया।

उसने कमरे के चारों तरफ दृष्टि दौड़ाई। यह उसके प्रेमी के फ्लैट का शयनकक्ष था जिसके साथ उसकी हजारों स्मृतियाँ जुड़ी हुई थीं। वह इस फ्लैट के चप्पे-चप्पे से एक दशक से परिचित थी और दो वर्ष पहले, जब वह अपने पति और चार बच्चों का घर परित्याग कर अपने प्रेमी के साथ इस फ्लैट में अपनी शेष जिन्दगी बिताने आई थी, यह उसके लिए दो कमरोंवाला साधारण निवासस्थान नहीं था जो एक बड़े अपार्टमेंट के सोलह फ्लैटों में से एक था, बल्कि उसकी देह में वासना की धधकती ज्वालाओं का हवन कुंड था जिसमें वह लहू की गर्मी की आहुति डालकर सातवें आसमान के चन्दोवे को भस्म कर देना चाहती थी। समाज

और परम्परा से पोषित मान्यताओं ने जिस मोटी रस्सी से उसे बाँध रखा था, उसे जलाकर राख कर देने का निश्चय उसने कर लिया था।

जब वह इस फ्लैट में आई, वह अपने उबलते हुए लहू की गर्मी को शान्त करने के लिए उसी तरह पिल पड़ी जिस तरह भूखा कुत्ता मरे हुए बैल के मांस पर टूट पड़ता है। उसके मस्तिष्क में यह विचार आया ही नहीं कि लोग इस व्यवहार के लिए उसे क्या कहेंगे; उसे इस बात को भी देखने की फुर्सत नहीं थी कि अपना घर छोड़ने के बाद भुवन साही के फ्लैट में उसकी रखैल के रूप में जिन्दगी शुरू करने के बाद उसके रुख में क्या परिवर्तन आया है। जब वह इस फ्लैट में रहने के लिए आई तो पैंतीस की हो चुकी थी, लेकिन उसके अन्दर नई जिन्दगी के लिए ऐसा उत्साह था कि उसे लगा कि वह पहली बार जी रही है।

वह अपने पति के घर आठ बजे से पहले शायद ही कभी बिछावन छोड़ती थी, लेकिन यहाँ अपने प्रेमी के जगने के आधा घंटा पहले उठ जाती, उसके लिए चाय बनाकर लाती और स्नानादि से निवृत्त होकर नई दुलहन की तरह साज-शृंगार करती। यह साज-शृंगार इस कारण नहीं था कि उसे भुवन साही के प्रेम में कोई सन्देह था, बल्कि इस कारण कि उसे इसमें आनन्द आता था और इस विचार से ही खुशी होती थी कि वह बनाव-शृंगार में अपने प्रेमी के आनन्द में अभिवृद्धि कर रही है। भुवन साही नारी-काया और नारी-पुरुष के सम्बन्ध के विभिन्न पक्षों को उजागर करनेवाले चित्रों का शौकीन था। वीणारानी की इन चित्रों में प्रबल दिलचस्पी हो गई थी, क्योंकि ये न सिर्फ भुवन साही को बल्कि उसे भी उत्तेजित करते थे और उस आनन्द को कई गुना कर देते थे जिसके लिए उसका रोम-रोम तड़पता था। उसने स्वयं भी शयनकक्ष की दीवालों पर ऐसी अनेक तसवीरें टाँग दी थीं, जो उसके प्रेमी को और उसे भी उत्तेजित करती थीं और उन्हें ऐसी मनःस्थिति में ले जाती थीं जब उन्हें लगता था कि उनका सम्बन्ध ही जीवन की परम उपलब्धि हो और उससे इतर किसी वस्तु का कोई महत्त्व नहीं हो!

वीणारानी की बाहर की दुनिया से कभी दिलचस्पी नहीं रही थी और उसकी सारी इच्छाएँ, व्यक्त या अव्यवक्त रूप से, देह के सुख में ही केन्द्रित रही थीं। वह माता-पिता की बड़ी सन्तान थी, घर में हर तरह की सुख-सुविधा थी और कोई पारिवारिक नियन्त्रण नहीं था। उसने किसी तरह से मैट्रिक पास किया और उसके पिता ने उसका नाम कॉलेज में लिखवा दिया। लेकिन कॉलेज उसके लिए सिर्फ साज-शृंगार के प्रदर्शन की जगह थी, जिससे उसका अणु-अणु आह्लादित हो जाता था। कुछ अल्पकालीन सम्बन्ध स्थापित हुए, लेकिन उससे कुंड की अग्नि शान्त होने के बदले अधिक तेज होती गई। उसने परीक्षाओं में बार-बार अनुत्तीर्ण होने के बावजूद पढ़ाई नहीं छोड़ी और कॉलेज नहीं छोड़ा, क्योंकि उसके पिता जो

एक सफल वकील थे, जानते थे कि कॉलेज जानेवाली लड़की की कीमत शादी के बाजार में, घर में बैठी रहनेवाली लड़की से अधिक होती है और स्वयं वीणारानी को भी आनन्द आता था क्योंकि वहाँ पर ललचाई आँखों की गर्मी से उसके अन्दर आनन्दकारी गुदगुदी भर जाती थी।

इस बीच भुवन साही से, जो उसके पिता के साथ काम करनेवालों जूनियर वकीलों में से एक था, उसके सम्बन्धों में स्थायित्व आ गया और कुंड की अग्नि उसके रोम-रोम में आह्लाद की ऊष्मा पहुँचाती रही। लेकिन इस ऊष्मा से उसे सन्तोष नहीं था, क्योंकि उसे लहू में एक ऐसे उबाल की जरूरत थी जिससे वह अपने चारों तरफ की दुनिया को पूरी तरह भूल जाए और पूरा ब्रह्मांड आनन्द के कोश में समा जाए।

भुवन साही से अन्तरंगता के दो वर्ष बाद उसकी शादी एक अन्य व्यक्ति से हो गई। उसने शादी का कोई विरोध नहीं किया, मानो इस बात का उसके लिए कोई महत्त्व नहीं था कि उसकी शादी किससे होती है। उसका पति अमरनाथ साही कुसुमपुर से एक सौ मील की दूरी पर स्थित शहर रोहितपुर में, प्लास्टिक के सामानों का निर्माण करनेवाली एक छोटी-सी फैक्टरी का मालिक था और उसका अधिक समय उसकी व्यवस्था में ही जाता था और पत्नी के साथ बिताने के लिए उसे पर्याप्त समय नहीं मिलता था। लेकिन वह एक उदारचेता व्यक्ति था और उसे पत्नी के महीनों मायके में रहने से, या अपने पिता के सहायक के रूप में काम करनेवाले वकील से निकट संम्बन्ध बनाने से कोई एतराज नहीं था।

विवाह के बारह वर्षों में वीणारानी को चार सन्तानें हुईं—दो लड़के और दो लड़कियाँ; लेकिन उसके लहू की गर्मी कम होने के बदले बढ़ती गई और घर-गृहस्थी उसके मन को बाँधने में असफल रहे। पति का घर कारागृह की तरह लगता और उससे निकल भागने के लिए उसका मन छटपटाता रहता। जब वह कुसुमपुर में अपने प्रेमी की बाँहों में होती, तब भी अपने पति से सम्बन्धों का खयाल उसके मन का बोझ बना रहता और वह इस बोझ से मुक्ति पाने के लिए छटपटाती। उसके प्रति अमरकान्त की अन्यमनस्कता, जो कुछ तो उसकी चारित्रिक विशेषता और कुछ अपने व्यवसाय में व्यस्तता का परिणाम थी, वीणारानी को अपमानजनक लगती और उसके असन्तोष में दस गुनी वृद्धि करती। उसने बच्चों की चिन्ता कभी नहीं की थी और अब, जब वे स्कूल जाने लगे थे, वह उनकी तरफ से पूर्णरूप से विरक्त हो गई थी। जब वे स्कूल चले जाते और अमरकान्त अपने व्यवसाय के सिलसिले में घर से बाहर चला जाता, वह अपने प्रेमी के साथ बिताए गए क्षणों की स्मृतियों में खो जाती; उसकी आँखों के सामने आते-जाते दृश्य उसके लहू में उबाल ला देते और वह उसकी बाँहों में समाने के

लिए छटपटा उठती।

अपने प्रेमी के साथ ही जिन्दगी बिताने का उसका निश्चय दृढ़ होता गया। उसने उससे शादी करने की बात नहीं सोची और न यह सोचा कि उसके साथ कितने दिन रहना है। अपने पति और परिवार से अलग होकर रहने की इच्छा उसके अणु-अणु में नशे की तरह समाई हुई थी और वह इस नशे से बाहर कुछ भी महसूस करने या समझने में असमर्थ थी।

वीणारानी अपने पिता के घर हर दो महीनों में आ जाती थी, वहाँ दस-बारह दिनों तक रुकती थी। इन दस-बारह दिनों में वह अपना अधिक समय भुवन साही के फ्लैट में बिताती थी, लेकिन रात में अपने पिता के बँगले पर लौट आती थी क्योंकि उसमें अभी भी समाज की निन्दा का भय शेष था। लेकिन यह भय उसकी बढ़ती भूख के अथाह जल में निमग्न होता जा रहा था।

एक दिन वह अपने पति के घर से पिता के घर के लिए चली। लेकिन उसने भुवन साही को फोन कर दिया था और वह कुसुमपुर रेलवे स्टेशन पर उसकी अगवानी करने के लिए आ गया था। उसे देखते ही उसकी उचित और अनुचित में भेद करने की शक्ति नष्ट हो गई और वह पिता के घर जाने के बदले भुवन साही के साथ उसके फ्लैट में चली गई।

भुवन साही के शयनकक्ष में प्रवेश करते ही उसके मन के एक कोने में पड़ी गाँठ, जो दिनोंदिन अधिक कष्टदायक होती जा रही थी, खुल गई। उसके पंखों की शक्ति लौट आई और वह आसमान की ऊँचाइयों को छूने के लिए अधीर हो उठी। उसने अपनी देह के सारे कपड़े खींचकर एक कोने में फेंक दिए और भुवन साही को बाँहों में भरकर पलँग पर खींच लिया।

अपने प्रेमी के फ्लैट में प्रवेश करने के समय ही उसके मन में इस निश्चय ने मूर्त्त रूप ले लिया था कि वह वहाँ पर ही रहेगी और अपने पति के घर नहीं लौटेगी। उसे जिन्दगी कुछ गज की दूरी की तरह लगी जिसे आह्लाद से भरी एक चौकड़ी में पार किया जा सकता था। हर तरह के प्रतिबन्ध से मुक्ति के भाव ने न सिर्फ उसके मन में बल्कि उसके हर अंग में अन्तहीन शक्ति का संचार कर दिया था और वह आकंठ कीचड़ में डूबी हुई भी इस तरह प्रसन्न थी जिस तरह खुले आकाश में कलाबाजी करती कबूतरी रहती है।

वह इस नशे से छह महीने तक अभिभूत रही और उसे इससे बाहर कुछ नहीं दिखाई पड़ा। उसे ऐसा लगता था कि उसने पूर्णता प्राप्त कर ली है और उसे अब किसी अन्य वस्तु की जरूरत नहीं। लेकिन उस कालखंड के बाद उसे प्रतीत होने लगा कि उसके मन के किसी कोने में एक नई गाँठ पड़ने लगी है जो पहली गाँठ से भी अधिक कष्टदायी है। उसने इस गाँठ की अनदेखी करने की कोशिश की,

लेकिन जब उसे इस बात के अकाट्य प्रमाण मिल गए कि भुवन साही के साथ आनेवाली औरतें उसकी सहकर्मी हों या न हों, उसकी प्रेमिकाएँ अवश्य हैं, तो गाँठ की अनदेखी करना असम्भव हो गया और इससे होनेवाली पीड़ा इतनी तीव्र हो गई कि उसे लगा कि यदि उसे गाँठ से छुटकारा नहीं मिला तो उसका दम घुट जाएगा। उसके मन में एक निश्चय ने जन्म लिया और इसका कार्यान्वयन उसके हर क्षण का मनोरोग बन गया।

भुवन साही की हत्या के बाद उसके मन में पड़ी गाँठ एकाएक लुप्त हो गई और उसका मस्तिष्क अपनी प्राकृत शक्ति के साथ काम करने लगा। उसने रिवॉल्वर को जिसमें अभी भी तीन गोलियाँ थीं, सामने की मेज पर शराब की बोतल की बगल में रख दिया और अपनी नजरें कमरे में चारों तरफ दौड़ाई, मानो यह उसके लिए कोई नई जगह हो और वह इसे पहली बार देख रही हो। कमरा किसी सुसंस्कृत आदमी का शयनकक्ष नहीं बल्कि किसी महँगे वेश्यालय का विलास-कक्ष लग रहा था। दीवालों पर आधा दर्जन काम-क्रीड़ारत, भोंडी तसवीरें टँगी थीं जिनमें सुरुचि को पूरी तरह तिलांजलि दी गई थी। संगमरमर की तख्ती पर तरह-तरह के कामोत्तेजक लोशन और अन्य सामान थे जिन्हें आँखों से ओझल रखने का कोई प्रयास नहीं किया गया था। पलंग पर, जहाँ वह वर्षों से कामाग्नि के कुंड में हवन डालती रही थी, उसका सहभागी नंगा पड़ा था और बिछावन खून से लथपथ था।

वीणारानी ने दीवाल में लगी घड़ी को देखा, एक क्षण के लिए अपनी जगह से उठी, फिर बैठ गई। अभी दो ही बजे थे; आगे की कार्रवाई को सोचने के लिए उसके पास पर्याप्त समय था और जल्दी करने से काम बिगड़ सकता था। उसने रिवॉल्वर को उठाकर उसे साफ तौलिए से पोंछा, फिर यथास्थान रख दिया। उसने उसी तौलिए से भुवन साही के शव को छाती से कमर तक ढक दिया।

उसका मस्तिष्क अब तेजी से काम कर रहा था। उसे ऐसा लगा कि उसके जीवन का एक अध्याय समाप्त हो गया है और दूसरे अध्याय का प्रारम्भ हो चुका है। आत्महत्या का विचार आँधी में पड़े रूई के तिनके की तरह कहीं दूर उड़ गया और पति और बच्चों के सुख-दुख में भागीदार, सम्मानित गृहिणी का जीवन एक सर्वमान्य उद्देश्य के रूप में उसकी आँखों के सामने आ गया। पारिवारिक जीवन की अन्तहीन समस्याएँ जो उसके मन को खटास से भर देती थीं, अब उसे प्रिय लग रही थीं। एक आदर्श गृहिणी का जीवन उसकी आँखों के सामने एक ऐसे आकर्षक रूप में उपस्थित हुआ जिसकी तुलना में भुवन साही के साथ बिताया गया समय एक मूर्खतापूर्ण भूल के सिवा अन्य कुछ नहीं लगा। उसे आश्चर्य हुआ

कि उसे कैसा नशा हो गया था कि उसने विभ्रम को यथार्थ समझ लिया और उसके कारण पागलपन से भरा बर्ताव किया। लेकिन अब भी देर नहीं हुई थी; अब भी उलझे हुए तारों को सुलझाकर एक सुन्दर चादर बुनी जा सकती थी जिससे दूसरों के मन में ईर्ष्या का संचार हो। लेकिन पहले उसे इस जाल से निकलना था जिसमें वह फँस गई थी। उसके मन में अनेक विकल्प आए, लेकिन अन्त में उसने तय किया कि अपने पिता के यहाँ फोन कर उन्हें परिस्थिति से परिचित कराना ही सर्वोत्तम मार्ग है। भुवन साही की अनेक महिला मित्र थीं, वह इस फ्लैट में अकेले रहता था और उसकी महिला मित्रों में से कोई भी ईर्ष्या के कारण या पैसे के लिए उसकी हत्या करा सकती थी।

उसने अपने सारे कपड़े और अन्य सामान एकत्र कर सूटकेस में रख लिए, फ्लैट से जाने के लिए पूरी तरह तैयार होकर कपड़े पहने और जब पूरब में लाली छाने लगी तब अपने पिता के घर फोन किया।

राजमार्ग

मोना सिन्हा ने एक ऐसे पति की कल्पना की थी जो उसे हर तरह की आजादी दे और जिसमें उसकी सारी इच्छाओं की पूर्ति करने की क्षमता हो। उसने एक ऐसा जीवन बिताया था जिसमें सुख और सुविधा का उपभोग किया था और उसकी सारी इच्छाएँ पूरी हुई थीं। उसके पिता कोयले के एक बड़े आपूर्तिकर्ता थे और परिवार पर लक्ष्मी की कृपा-दृष्टि थी। घर में आधा दर्जन से ऊपर नौकर-चाकर थे, अपनी इच्छा से खर्च करने के लिए पर्याप्त पैसे थे और हर तरह के लोगों के साथ घूमने-फिरने की पूरी आजादी थी। उसके पिता रघुवीर सिन्हा और माता माला सिन्हा स्वयं भी होटलों और पार्टियों के और स्वच्छंद जीवन के अभ्यस्त थे और इस जीवन-शैली ने उन्हें अनेक प्रभावशाली लोगों के सम्पर्क में लाकर उनके व्यापार के विस्तार में महत्त्वपूर्ण भूमिका अदा की थी। वे इस बात को अच्छी तरह जान गए थे कि किसी आदमी को प्रभावित करने का और उससे काम निकालने का सर्वोत्तम मार्ग उसके संवेदी अवयवों की सन्तुष्टि से होकर जाता है; इस कारण उन्होंने ऐसी जीवन-पद्धति अपनाई थी जिससे लोक और परलोक दोनों में सम्मान और आनन्द की गारण्टी हो। इस जीवन-पद्धति का प्रभाव उनकी दोनों बेटियों, आशा और मोना, पर पड़ा था और आशा बड़ी होने के कारण इसकी अधिक अभ्यस्त हो चुकी थी और पति के घर भी उसे अनुकूल वातावरण मिला था। मोना सिन्हा ने भी शादी के पहले ही स्वतन्त्रता का पूरा लाभ उठाने में कोई कसर नहीं छोड़ने का निश्चय किया था और उसका विश्वास था कि उसे शादी के बाद भी मनोनुकूल घर मिलेगा। शादी के पहले मोना सिन्हा के साथ घूमने-फिरनेवालों में विवाहित और अविवाहित दोनों तरह के लोग थे, लेकिन जब उसके परिचित आधा दर्जन से ऊपर अविवाहित पुरुषों में से किसी ने उससे शादी का प्रस्ताव नहीं किया और उसकी उम्र तीस से अधिक हो गई तो उसे चिन्ता हुई। इस कारण जब उसके पिता ने उसकी शादी एक सरकारी मुलाजिम से कर दी, जो एक प्रयोगशाला में काम करनेवाला वैज्ञानिक था और जिसे तनख्वाह के

रूप में एक साधारण रकम नियमित रूप से मिलती थी, तो उसने विरोध नहीं किया और उसके साथ ससुराल चली गई।

उसका पति अमरेश सिन्हा, जो उम्र में उससे पाँच साल बड़ा था और जिसके व्यक्तित्व में कुछ भी असामान्य नहीं था, प्रयोगशाला के अहाते में ही बने दो कमरे के फ्लैट में रहता था। फ्लैट का फर्नीचर और सजावट सबकुछ सामान्य किस्म का था और विलासिता की उन वस्तुओं का नामोनिशान नहीं था जिनके बीच मोना सिन्हा बचपन से रही थी। पिछले दो-तीन वर्षों से, जब से उसे विश्वास हो गया था कि उसके साथ ऐशो-आराम करनेवाले युवकों में से कोई भी उससे शादी करने के लिए उत्सुक नहीं है, वह अपने पिता के घर से मुक्ति पाने के लिए बेचैन हो गई थी। लेकिन उसने कभी कल्पना भी नहीं की थी कि उसे शादी के बाद जिस यथार्थ का सामना करना पड़ेगा, वह इतना कटु होगा। उसका दिल बैठ गया, लेकिन उसने नई परिस्थिति का बिना किसी प्रतिवाद के सामना करने का निश्चय किया।

प्रयोगशाला का कैम्पस छह एकड़ का था जिसमें, प्रयोगशाला भवन के अलावा उसमें काम करनेवाले लोगों के लिए फ्लैट भी थे। ये फ्लैट तीन तरह के थे—'क' श्रेणी के जिनमें तीन-तीन कमरे थे, 'ख' श्रेणी के जिनमें दो-दो कमरे थे और 'ग' श्रेणी के जिनमें डेढ़-डेढ़ कमरे थे। अमरेश को 'ख' श्रेणी का फ्लैट मिला था। फ्लैट के दोनों कमरे इतने साधारण और व्यक्तित्वहीन थे कि मोना सिन्हा का दिल बैठ गया। अगल-बगल के फ्लैटों में, उसके पति की तरह ही, मध्यआयवाले लोगों के परिवार रहते थे और उनके रहन-सहन का स्तर देखकर उसके अन्दर इस नए जीवन से वितृष्णा का भाव जगा, लेकिन उसने अपने मन को समझाया—'आदमी को घबड़ाना नहीं चाहिए, हो सकता है कि कुछ दिनों में सबकुछ बदल जाए और स्थिति मेरे मनोनुकूल हो जाए! यह भी हो सकता है कि मैं स्वयं बदल जाऊँ और आज जो अप्रिय लग रहा है, वह कल प्रिय लगने लगे!'

लेकिन उसके मन की कटुता कम होने की बजाय बढ़ती गई। उसे न सिर्फ पति के फ्लैट से घृणा थी, बल्कि प्रयोगशाला के पूरे कैम्पस से घृणा थी और यदि उसकी शक्ति होती तो वह अपनी नजरों की आग से सबको जलाकर राख कर देती। लेकिन ऐसी शक्ति उसके अन्दर नहीं थी, इस कारण उसने प्रतीक्षा करने का निश्चय किया।

उसका असन्तोष बढ़ता गया और उसका क्षोभ परिस्थिति के बदले अपने पति पर केन्द्रित हो गया। अमरेश सिन्हा प्रतिदिन पाँच बजे सुबह में उठ जाता, घंटे-डेढ़ घंटे में कसरत, स्नान आदि से निवृत्त होकर चाय बनाता और पहले उसे देता। उसका यह व्यवहार मोना सिन्हा के मन को कटुता से भर देता, क्योंकि

उस समय वह उसके पिता के घर में काम करनेवाले आधा दर्जन नौकरों से किसी तरह भिन्न नहीं लगता। उसका गोल चेहरा, आधा इंच लम्बी दाढ़ी जो उसके चेहरे से तीन-चौथाई भाग को ढके रहती थी और स्टील की फ्रेम का चश्मा जो कभी-कभी पूरी तरह शीशे का बना हुआ लगता था, उसे उस विदूषक का स्मरण कराता था जो उसके कॉलेज में दिखाए जानेवाले नाटकों में अक्सर ही उपस्थित रहता था। वह जब कभी स्टेज पर आता, उसकी हँसी फूट पड़ती और वह ठहाके लगाती। लेकिन अपने पति को देखकर जब उसे उसकी याद आती तो कलेजे में भाला-सा गड़ जाता और वह बन्धन से मुक्ति के लिए छटपटा उठती।

उसका पति अमरेश सिन्हा कुछ विचित्र तरह का जीव था। उसे इस बात का मानो पता ही नहीं था कि उसकी पत्नी उसे नापसन्द करती है और उसकी संगति से ही नहीं बल्कि उसकी सूरत से भी बचना चाहती है। वह जब तक फ्लैट में रहती, किसी न किसी तरह उसकी सेवा में लगा रहता। शादी के पहले वह सुबह का नाश्ता और दिन का भोजन प्रयोगशाला की कैण्टीन में ही करता था और रात का भोजन स्वयं बना लेता था। एक महरी थी जो रोज सुबह में आती थी और फ्लैट में झाड़ू-बुहारू और रात के जूठे बर्तनों की सफाई कर चली जाती थी। उसकी शादी के बाद वही महरी सुबह का नाश्ता और दिन का भोजन भी बनाने लगी। जो कुछ बनता था वह इतना सादा था कि मोना सिन्हा को अपने पिता के घर के नौकरों के नाश्ता और खाना का स्मरण हो आता था। अब भी अमरेश सिन्हा दिन का खाना प्रयोगशाला की कैण्टीन में ही खाता था। वह सुबह में नौ बजते-बजते घर से निकल जाता और शाम को सात बजे से पहले नहीं लौटता। लेकिन घर में जो भी बनता, उसे इस चाव से खाता कि मोना सिन्हा का गला सूखने लगता था, मानो वह उसका पति नहीं बल्कि कोई मानवेतर प्राणी हो जिसके सम्पर्क से उसे शारीरिक क्षति पहुँच सकती थी।

अमरेश के चेहरे पर हमेशा एक प्रसन्न मुस्कान वर्तमान रहती थी, मानो उसने सबकुछ पा लिया हो और उसे किसी से कोई शिकायत नहीं हो। वह प्रयोगशाला के अपने काम के सम्बन्ध में पत्नी से कभी कोई बात नहीं करता, मानो वह कोई नीरस विषय हो जिसकी चर्चा से पत्नी के कोमल हृदय को बोझिल नहीं करना चाहता हो। लेकिन वह पत्नी की सुख-सुविधा का पूरा खयाल रखता मानो यही उसके लिए सर्वाधिक महत्त्व का काम था। लेकिन इससे मोना के मन की कटुता बढ़ जाती, क्योंकि इससे अमरेश सिन्हा की अनुभवहीनता उजागर होती। पत्नी के चेहरे पर उभरी असन्तोष की छाया से अमरेश सिन्हा को दुख होता था और वह चाहता था कि वह किसी तरह तिरोहित हो जाए, लेकिन छाया दिनोंदिन अधिक गहरी होती गई और इस कारण अमरेश की उदासी बढ़ती गई। तीन महीने

बीतते-बीतते उसे विश्वास हो गया कि उसकी शादी भारी दुर्घटना थी जिससे उसकी पत्नी की जिन्दगी अन्तहीन दुख की कहानी बन गई थी। उसके मन पर अपराध-बोध का मनों भार पड़ गया और उसकी उदासी हजार गुना बढ़ गई।

वह फिर अपने आप में ही केन्द्रित हो गया। उसके चेहरे की मुस्कान, जो शादी के बाद सूर्योदय के पहले लाली की तरह प्रकट हुई थी, तिरोहित हो गई और उसका स्थान गोधूलि के मटमैलेपन ने ले लिया। अब वह सुबह में आठ बजे ही तैयार होकर प्रयोगशाला के लिए निकल जाता और शाम को आठ बजे के बाद घर लौटता। वह इस तरह व्यस्त रहता मानो वह प्रयोगशाला में किसी बड़ी समस्या से जूझ रहा हो और उसके पास अन्य किसी काम के लिए, यहाँ तक कि पत्नी के साथ बिताने के लिए भी समय नहीं था। लेकिन पत्नी के प्रति उसका व्यवहार अधिक विनम्र और सहानुभूतिपूर्ण हो गया, मानो शादी कर उसने उसके साथ जो अन्याय किया था, उसका प्रायश्चित्त करना चाहता हो।

एक दिन उसने पत्नी से कहा, "मोना, तुम महीने-दो महीने के लिए मायके क्यों नहीं चली जातीं? यहाँ सबकुछ नया है, इस कारण तुम्हारा मन नहीं लग रहा है। मायके से घूम आओगी तो मन लगने लगेगा।"

मोना ने भी नई परिस्थिति से समझौता करने का इरादा छोड़ दिया था। उसने कहा, "शायद आप ठीक कहते हैं। यही अच्छा रहेगा।"

जिस दिन मोना पिता के घर पहुँची, उसी शाम को उसका पुराना मित्र देवरंजन उससे मिलने आया और बोला, "डियर, तुम इस तरह सूख गई हो जैसे पति के घर सिर्फ सत्तू खाने को मिलता था। चलो, किसी अच्छे होटल में चलें!"

मोना ने इस बात पर विचार नहीं किया था कि वह पिता के यहाँ किस तरह की जिन्दगी बिताएगी। लेकिन उसके अन्दर एक ऐसा असन्तोष समाया हुआ था जिसके कारण उसका दम घुट रहा था और वह इस दमघोंटू वातावरण से मुक्ति चाहती थी। उसने मुस्कुराते हुए उत्तर दिया, "प्यारे, सत्तू खानेवाले का स्वास्थ्य ठीक रहता है लेकिन मैं तुम्हारी बातों को कैसे टाल सकती हूँ, चलो।"

देवरंजन से, जो उससे दस साल बड़ा था, उसकी मित्रता बारह साल से थी। देवरंजन ने उसी वर्ष स्वतन्त्र रूप से शराब का व्यवसाय किया था, जिसमें मदद के लिए वह मोना के पिता रघुवीर सिन्हा से मिलने उनके घर गया था। रघुवीर सिन्हा के घर हुए स्वागत से वह इतना प्रभावित हुआ कि वह दूसरी बार अपनी पत्नी मृगनयनी के साथ वहाँ गया। मोना सिन्हा मृगनयनी से घुल-मिल गई और शीघ्र ही देवरंजन से उसकी गाढ़ी मित्रता हो गई। शादी के पहले उसका सम्पर्क

एक दर्जन से अधिक पुरुषों से रहा था, लेकिन यह सम्बन्ध किसी के साथ उतना गाढ़ा नहीं था जितना देवरंजन के साथ था। वह न सिर्फ उसकी शारीरिक आवश्यकताओं की पूर्ति करता था, बल्कि हर तरह की खट्टी-मीठी सूचनाएँ भी देता था जो उसके मस्तिष्क के लिए अच्छी खुराक थीं।

देवरंजन उसे कुसुमपुर के प्रसिद्ध होटल चाणक्या में ले गया जहाँ के भृत्यगण अपने ग्राहकों के प्रति तटस्थ शिष्टाचार से सिक्त व्यवहार में निपुण थे और उनके सम्बन्ध में सबकुछ जानते हुए भी इस तरह पेश आते थे मानो उन्हें कुछ मालूम नहीं हो। वे अपने ग्राहकों के रहस्यों को अपने आप तक रखते थे और कोई ऐसी बात नहीं करते थे जिसके कारण उन्हें किसी समय पश्चात्ताप करना पड़े। देवरंजन ने रातभर के लिए एक कमरा लिया, वहाँ पर ही खाने-पीने के सामान मँगाए और वहाँ पर ही दोनों ने रात गुजारी। मोना का तीन महीने का शारीरिक और मानसिक तनाव दूर हो गया और जब सुबह में, होटल छोड़ने की तैयारी करने के पहले, उसने देवरंजन को चूमा तो उसकी आँखों में राहत के आँसू थे।

देवरंजन ने उसके अंगों को सहलाते हुए पूछा, "क्या बात है, मोना रानी! क्या ससुराल की याद आ रही है?"

मोना ने मुस्कुराने की कोशिश करते हुए जवाब दिया, "हाँ, देबू। ससुराल की याद में रुलाई आ रही है। पहले सोचा था कि लौट जाऊँगी, लेकिन तुमसे मिलने के बाद वहाँ लौटने का इरादा छोड़ दिया है।"

देवरंजन ने विचारमग्न होते हुए पूछा, "मोना रानी, पति के घर कितने दिन नहीं लौटोगी? लोग क्या कहेंगे?"

मोना बोली, "मैं भी यही सोच रही हूँ, कोई तो रास्ता होगा ही, उसे खोज निकालना तुम्हारा काम है।"

देवरंजन ने गम्भीर होते हुए कहा, "रास्ता जरूर होगा। लेकिन उस पर चलना आसान नहीं होगा।"

मोना ने किंचित् अन्यमनस्क भाव से कहा, "देखा जाएगा, पहले रास्ता तो निकले।"

उन्होंने विषय बदल दिया और अन्य अधिक दिलचस्प बातों में व्यस्त हो गए। लेकिन मोना के दिल में बात बैठ गई और शीघ्र उसके मस्तिष्क में एक निश्चय ने जन्म लिया कि अब उसे अपने पति के पास नहीं जाना है। इस निश्चय के बाद उसके मन में एक योजना ने आकाश में तैरनेवाले बादलों के बीच से प्रकट होते किसी भयानक जीव का रूप ले लिया; लेकिन यह जीव इतना डरावना था कि उसने उसे अवचेतन के किसी गह्वर में खदेड़ने की कोशिश की।

अब मोना का जीवन शादी के पहले के जीवन से अधिक स्वतन्त्र हो गया।

पुराने दोस्तों के अलावा उसके अनेक नए दोस्त भी हो गए और उसका जीवन एक विरामरहित आनन्दोत्सव में बदल गया। माता-पिता की तरफ से शुरू से ही किसी तरह का नियन्त्रण नहीं था, शादी के बाद हर तरह के बन्धन से मुक्ति हो गई और वह आनन्द की तलाश में एक भूखे भेड़िए की तरह क्रियाशील हो गई। लेकिन उसके मन के एक कोने में एक अपराध-भावना भी प्रवेश कर गई थी और परस्पर विरोधी भावनाओं के संघर्ष से उसकी अशान्ति बढ़ती गई। देवरंजन के साहचर्य से उसके मस्तिष्क में मुक्ति की जिस योजना ने जन्म लिया, उसने कुछ ही दिनों में अपनी भयानकता खो दी क्योंकि उसने उसके सामने मुक्ति का मार्ग खोल दिया था।

जब से वह पिता के घर आई थी, उसके पति के यहाँ से कोई सन्देश नहीं आया था और अमरेश ने उससे फोन से भी सम्पर्क करने की कोशिश नहीं की थी। इस कारण समस्या के समाधान में विलम्ब हो रहा था और मन के अन्दर गाँठ से होनेवाली पीड़ा बढ़ती जा रही थी। उसने एक दिन स्वयं ही उसे फोन किया और उससे अनुरोध किया कि वह यथाशीघ्र उसके पास आ जाए।

अमरेश खुशी और आशंका की झील में डूबता-उतराता हुआ दूसरे दिन ही ससुराल पहुँच गया। रात में, पत्नी के कमरे में ही, उसके पेट में भयानक दर्द हुआ और दो घंटे के अन्दर उसकी मृत्यु हो गई। सुबह में आठ बजते-बजते उसका दाह-संस्कार कर दिया गया।

मोना सिन्हा ने सोचा था कि अमरेश की मृत्यु से उसकी समस्याओं का अन्त हो गया और वह अपने मन की जिन्दगी बिता सकेगी। लेकिन अमरेश की मृत्यु की तात्कालिक प्रतिक्रिया यह हुई कि उसके मन की गाँठ बड़ी हो गई और उसके मस्तिष्क पर भारी बोझ पड़ गया जिससे उसके सोचने की शक्ति निष्क्रिय हो गई। शाम को जब वह ड्राइंगरूम में अकेली बैठी थी, देवरंजन आकर उसकी बगल में बैठ गया। उसकी आँखों में सफलता की चमक थी और चेहरे पर आमन्त्रण की मुस्कान। उसके आते ही मोना की पूरी देह में सिहरन होने लगी। उसने उसकी तरफ देखे बिना ही शान्त लेकिन दृढ़ आवाज में कहा, "देवरंजनजी, इस समय मेरी तबीयत ठीक नहीं। बाद में कभी मिलिएगा।"

देवरंजन ने आश्चर्य से उसकी तरफ देखा। उसने कुछ कहना चाहा लेकिन मोना की आवाज की शुष्कता को लक्ष्य कर बिना कुछ बोले वह वहाँ से चला गया। वह जानता था कि औरतों का व्यवहार कभी-कभी असंगत होता है, इस कारण पुरुष को चाहिए कि वह धीरज नहीं खोए और अनुकूल समय की प्रतीक्षा

करे। धैर्य और दूर-दृष्टि यही दोनों जीवन में सफलता की कुंजी हैं और उचित समय पर इनका उपयोग करनेवाला कभी असफल नहीं होता।

उसके जाने के कुछ मिनटों के बाद मोना अपने कमरे में गई और पलँग पर लेट रही। अँधेरा घिरता जा रहा था, लेकिन उसने रोशनी नहीं जलाई और एकटक सामने देखती रही। उसकी आँखों के सामने अमरेश का शान्त मुस्कुराहटवाला चेहरा प्रकट हुआ, जिसकी आँखों में उसे प्रसन्न करने की आतुरता झाँकती थी और उसके कलेजे में भाले के चुभने जैसा दर्द हुआ। यह दर्द इतना भयानक था कि उसे लगा कि वह अपना सन्तुलन खो देगी। वह अपने-आपको स्थिर करने के लिए उठकर टहलने लगी। लेकिन उसे लगा कि उसके पैरों की शक्ति नष्ट हो गई है और यदि वह खड़ी रही तो भरभराकर गिर जाएगी। वह फिर पलँग पर बैठ गई और खिड़की के बाहर देखने लगी।

उसके पिता रघुवीर सिन्हा की कोठी के अहाते में इतने विशालकाय वृक्ष थे कि वे पूरे आसमान को ढके हुए थे। अँधेरे के कारण ये वृक्ष पहाड़ों की तरह दीखते थे। मोना सिन्हा की आँखें पहाड़ों पर अवश्य थीं, लेकिन वे उन्हें नहीं देख रही थीं। वे देख रही थीं पति के दो कमरोंवाले फ्लैट को, जो खुले आसमान की तरह अन्तहीन विस्तार का लग रहा था। उसमें दुनिया की हर सुख-सुविधा थी और प्रेम की सुगन्ध थी जो रोम-रोम में हजार पंखों की शक्ति भर देती थी। अमरेश अपनी बाँहें फैलाए खड़ा मुस्कुरा रहा था। मोना की इच्छा हुई कि वह उड़े और पति की बाँहों में समा जाए। लेकिन दूसरे क्षण ही उसने महसूस किया कि उसके पंख कट गए हैं और वह ऐसे अँधेरे कमरे में बन्द हो गई है जहाँ से बाहर निकलने का कोई रास्ता नहीं। एक क्षण बाद उसे लगा कि कमरे की दीवारें एक दूसरे की तरफ बढ़ती आ रही हैं और कुछ ही क्षणों के बाद वे उसे दबाकर मार डालेंगी। उसने उद्भ्रान्ति के आवेश में उठकर सामने की दीवार पर मुक्कों से, फिर अपने सिर से प्रहार करना शुरू किया और कुछ ही मिनटों में लहुलूहान हो, गिरकर बेहोश हो गई।

परिवार का मुखिया

सुलाखन गोप पढ़ने-लिखने में तेज था और उससे उसके बाप जुन्हाई गोप और भाई कन्हाई गोप को बड़ी-बड़ी आशाएँ थीं। उनका विश्वास था कि वह पढ़-लिखकर कोई अच्छी नौकरी करेगा और पैसों से घर भर देगा। उन्होंने उसकी पढ़ाई पर अपने सामर्थ्य भर खर्च किया था और वह दो साल पहले एम.ए. पास कर नौकरी की तलाश में कुसुमपुर में ही रह रहा था। जुन्हाई गोप और कन्हाई गोप को अभी भी उसके खर्च के लिए पैसे देने पड़ते थे और धीरे-धीरे यह बात उनके लिए कष्टकर होती जा रही थी।

पढ़ने-लिखने में तेज होने के अलावा सुलाखन गोप सामाजिक न्याय दल का एक लगनशील कार्यकर्त्ता था और दल के सर्वोच्च नेता मल्लू गोप की एक तसवीर को हरे रंग के नायलन के धागे की माला में लगा अपने गले में उसी तरह लटकाए रखता था जिस तरह कुछ लोग भगवान रजनीश की तसवीर को लटकाए रखते हैं। वह सामाजिक न्याय के सिद्धान्तों की व्याख्या करते समय इस तरह भाव-विभोर हो जाता था कि श्रोताओं के दिल में उसके लिए सहानुभूति का सागर लहराने लगता और वे मन ही मन प्रार्थना करते कि वह जिन्दगी में सफलता हासिल करे और सुख से रहे। सामाजिक न्याय दल का लगनशील कार्यकर्ता, अच्छा वक्ता और सत्ताधारी बिरादरी का होने पर भी दल में उसका प्रभाव नहीं था और जब प्रान्त के सरकारी माध्यमिक विद्यालयों में कुछ शिक्षकों की नियुक्ति के लिए विज्ञापन हुआ तो उसने शिक्षक के रूप में अपनी नियुक्ति के लिए जी-जान से लग जाने का निश्चय किया। उसे इस बात की चिन्ता हो गई थी कि वह छब्बीस वर्ष का हो जाने पर भी बाप और भाई की कमाई पर पल रहा था। यदि शिक्षक के रूप में उसकी नियुक्ति हो गई तो एक स्थायी समस्या का हमेशा के लिए समाधान हो जाएगा। वह सामाजिक न्याय दल का एक बड़ा नेता बनना चाहता था ताकि दलितों, गलितों, पिछड़ों और हिजड़ों की सेवा कर सके जिससे मल्लू गोप का सपना साकार हो। लेकिन इसके लिए जरूरी था कि वह अपने

पैरों पर खड़ा हो। सामाजिक न्याय दल के सभी बड़े नेता अपराधकर्मी थे। वे बड़ी-बड़ी गाड़ियाँ रखते थे और अपनी रातें पाँच-सितारा होटलों में बिताते थे। सुलाखन गोप के पास दल की सभाओं में जाने के लिए और उसके कार्यक्रमों में भाग लेने के लिए एक पुरानी साइकिल थी जिसे उसके बाप ने आठ वर्ष पहले खरीद दी थी और खाने के लिए उसने ऐसा होटल ढूँढ़ लिया था जो सात रुपयों में भरपेट खाना देता था। इस होटल में वह एक ही शाम को इतना खा लेता था कि दूसरे शाम खाने की जरूरत नहीं पड़ती थी। यह स्थिति कष्टदायक थी, लेकिन इससे मुक्ति का रास्ता उसे नजर नहीं आता था। अपराध का रास्ता उसे बहुत कठिन लगता था और ईमानदारी का रास्ता कुछ दूर जाकर बन्द हो जाता था।

सुलाखन गोप ने परिस्थिति पर विचार किया और इस निर्णय पर पहुँचा कि कोई कदम उठाने के पहले उसे उसके दूरगामी परिणामों पर विचार कर लेना चाहिए। उसके लिए सर्वोत्तम मार्ग यही था कि वह उन लोगों से परामर्श करे जो उससे अधिक अनुभवी थे। उसने वैसे दो व्यक्तियों से बातें कीं जो शिक्षकों की नियुक्ति के लिए होनेवाले साक्षात्कार की तैयारी कर रहे थे और जो अपनी नियुक्ति के सम्बन्ध में आश्वस्त लग रहे थे। वे बोले, ''भाई साहब, इंटरव्यू तो एक दिखावा है। हर शिक्षक की नियुक्ति के लिए स्कूल सेवा बोर्ड का चेयरमैन पदारथ गोप एक लाख रुपए लेता है। एक लाख दीजिए, तब इंटरव्यू में किसी प्रश्न का उत्तर दीजिए या नहीं दीजिए, कोई फर्क नहीं पड़ता। आपकी नियुक्ति हो जाएगी। लेकिन पैसे पदारथ गोप स्वयं नहीं लेता, उसका पी.ए. विष्णुप्रसाद लेता है। किसी दिन विष्णुप्रसाद के घर जाइए—सुबह में, शाम को नहीं; वह शाम को किसी से नहीं मिलता—पैसे दीजिए और इंटरव्यू के बाद फर्स्ट गेट लेकर मस्ती मारिए। लेकिन फर्स्ट गो फर्स्ट गेट का नियम है। पैसे तो वह उतने ही लोगों से लेगा जितने पद हैं।''

काम सुनने में जितना आसान लगता था, करने में उतना ही कठिन था। एक लाख रुपए कहाँ से लाएगा वह? चार बीघे जमीन बेचनी होगी तब जाकर एक लाख रुपए हो पाएँगे। क्या उसके बापू और भैया ऐसा करने देंगे? उसने सोचा—'इस कठिन समय में करीमन गोप जरूर मेरी मदद करेंगे। उनकी पहुँच मुख्यमन्त्री-निवास तक है। करीमन गोप के लिए मैंने बीसों बार भाषण लिखे हैं। ठीक है कि उन्हें कुछ आता-जाता नहीं है, लेकिन वे गुंडों के सरदार हैं और उनके हाथ में बहुत पॉवर है। बोलते हैं तो लगता है कि मशक बजा रहे हैं। लेकिन भीतर कुछ है तभी तो विधानपरिषद के सदस्य हैं और लाखों में खेलते हैं।'

वह दूसरे दिन सुबह दस बजे करीमन गोप के महलनुमा मकान पर गया—उसे मालूम था कि करीमन उसके पहले बिछावन नहीं छोड़ता। करीमन गोप

से उसकी मुलाकात घंटा भर बाद हुई। उस समय करीमन तले हुए मुर्गे और सोमरस का नाश्ता कर रहा था। उसने समझाया, "सुलाखनजी, यह सही है कि आप भी शासन करनेवाली जाति के हैं, लेकिन यह जाति नियम-कानून का पालन नहीं करेगी तो कौन करेगा? नियम-कानून तो सबके लिए हैं, है न? यदि पदारथ गोप ने एक शिक्षक की बहाली के लिए एक लाख लेने का नियम बनाया है तो पैसा आपको देना ही होगा। यह पैसा दो नम्बर की कमाई का है। इसमें मुख्यमन्त्री तक का हिस्सा होता है। यदि मुख्यमन्त्री अपने आदमियों से पैसा नहीं ले और जिसके मन में जितना आवे उतना लेकर खा जाए और मुख्यमन्त्री का कण्ट्रोल पैसा लेनेवालों पर नहीं रहे तो वह कैसा मुख्यमन्त्री है? हाँ, चूँकि आप मेरे पास आए हैं, इस कारण आपके केस को मैं सीधे डील करूँगा। आप सिर्फ पचास हजार रुपए ले आइए—पूरे पचास हजार माफ! इंटरव्यू के बाद तीसरे दिन बहाली का कागज ले जाइए। मेरे पास आपकी तरह के आधा दर्जन केसेज हैं। सबको जस्टिस मिलेगा।"

स्कूल शिक्षक की नौकरी के लिए एक लाख रुपए देने की बात सुनकर सुलाखन गोप हतोत्साहित हो गया था। लेकिन जब करीमन गोप ने आधी रकम में ही काम करा देने का आश्वासन दिया तो सुलाखन के दिल में आशा का दीप टिमटिमाने लगा और उसने कर्म करने का निश्चय किया। मनुष्य को कर्म करना चाहिए, फल देने का अधिकार ईश्वर का है।

महीना-भर के अन्दर नियुक्ति के लिए साक्षात्कार होने की सम्भावना थी, इस कारण हर कदम शीघ्रता से उठाना था। सुलाखन ने जी कड़ा किया और अपने गाँव गया। वह तीन महीनों के बाद घर आया था, इस कारण कन्हाई की पत्नी बुधिया, जो हर तरफ नजर रखती थी, बात की तह तक जाने के लिए उत्सुक थी। बुधिया अपने पति कन्हाई से सिर्फ सात साल छोटी थी, लेकिन अक्ल में उससे बहुत आगे थी। इस कारण वह नहीं चाहती थी कि कन्हाई की मूर्खता के कारण उसके परिवार का कोई नुकसान हो। उसकी तीन बेटियाँ थीं और चौथी सन्तान जो अभी उदरस्थ थी, दो महीनों में ही आनेवाली थी। उसे सबके वर्तमान और भविष्य को ध्यान में रखना था। वह अधिकांश समय कुछ-न-कुछ खाती रहती थी या अपनी खाट पर लेटकर कराहती रहती थी—उसके किसी न किसी अंग में हमेशा दर्द रहता था—और जब कन्हाई घर पर होता, तो कराहने के साथ कुछ न कुछ बड़बड़ाने लगती थी। लेकिन जब कन्हाई घर के ओसारे में, जहाँ वह और जुन्हाई सोते थे और जहाँ घर की चारों भैंसें और चारों पाड़े-पाड़ियाँ भी रहते थे,

किसी से बातें कर रहा होता तो बुधिया दबे पाँव जाकर किवाड़ के पीछे खड़ी हो जाती और सारी बातें सुनती और जैसे ही कन्हाई के या आगन्तुक के उठने की आवाज होती, वह तेजी से बिना किसी तरह की आवाज किए, जाकर खाट पर लेट रहती और कराहने लगती। उसकी तीनों बेटियाँ, जो ग्यारह से पन्द्रह वर्ष की थीं और माँ की सतर्कता को हर औरत के लिए एक अनुकरणीय गुण मानती थीं, उसके साथ पूरा सहयोग करती थीं और उसकी हर इच्छा को भाँपकर उसकी पूर्ति की व्यवस्था करती थीं। जब उन्होंने देखा कि उनकी दादी सगुनी—जुन्हाई गोप की पत्नी—घर के लिए अपनी उपयोगिता खो चुकी है, तो उन्होंने अपनी माँ के साथ पूरा सहयोग किया और सगुनी को खाना के बिना तड़पा-तड़पाकर मार डाला। जुन्हाई पाँच वर्षों से विधुर था, लेकिन उसे दोनों जून भरपेट खाना मिल जाता था, क्योंकि वह पचपन वर्ष का होने पर भी हड्डी तोड़ मेहनत करता था और परिवार की खेती को उसी तरह सँभाले हुए था जिस तरह शेषनाग ने धरती को सँभाल रखा है।

सुलाखन दो दिनों तक जुन्हाई और कन्हाई से अपने मन की बात कहने का साहस नहीं जुटा पाया। बुधिया पूरी सतर्कता से उसका पीछा करती और जब भी वह जुन्हाई या कन्हाई या दोनों के साथ ओसारे में होता, पैर दबाए आकर दरवाजे के पीछे खड़ी हो जाती।

तीसरे दिन, रात का खाना खाने के बाद, जब तीनों ओसारे में बैठे तो सुलाखन ने खाँसकर गला साफ किया और बोला, "बापू, मैं आपसे एक जरूरी बात करने जा रहा हूँ। आशा है, आप मेरी मदद करेंगे।"

जुन्हाई गोप मुँह बाए उसकी तरफ ताकने लगा, लेकिन बोला कुछ नहीं। वह धीरे-धीरे इस बात को समझ गया था कि वह कोई भी महत्त्वपूर्ण निर्णय लेने का अधिकार खो चुका है। अतएव वह ऐसे अवसरों पर चुप ही रहता था।

उसकी तरफ से जवाब दिया कन्हाई गोप ने, "सुलाखन, हम लोग सालों-साल से तुम्हारी मदद कर रहे हैं, कर रहे हैं कि नहीं? हम लोग कमाते हैं और तुम कुसुमपुर में बैठकर उड़ाते हो। मैं तुम्हारी उम्र में बाल-बच्चोंवाला हो गया था और तुम हो कि निहंग बने हुए दूसरों की कमाई की रोटी तोड़ते हो। तुम्हें आज तक चार पैसे की कोई नौकरी भी नहीं मिली।"

सुलाखन ने कहा, "भाई साहब, मैं अपनी नौकरी के सम्बन्ध में ही बातें करना चाहता हूँ। ऐसा है कि मैंने सरकारी स्कूल में टीचर की नौकरी के लिए आवेदन किया है। तीन हजार रुपए हर माह तनख्वाह है और हर साल कुछ रुपए बढ़ेंगे। अगले महीने इंटरव्यू है और इंटरव्यू के बाद बहाली।"

कन्हाई बोला, "यह तो बड़ी अच्छी बात है। लेकिन इसमें हमें क्या करना है?"

सुलाखन ने हिचकते हुए कहा, "भाई साहब, बहाली के लिए परिवार की मदद की जरूरत है।"

"कैसी मदद? क्या करना होगा हमें?"

"बहाली के लिए दूसरों को एक लाख रुपए घूस के लग रहे हैं, लेकिन मैं सामाजिक न्याय दल का कार्यकर्त्ता हूँ और प्रान्त में शासन करनेवाली जाति का हूँ। इस कारण मुझे सिर्फ पचास हजार ही देने होंगे।"

"पचास हजार रुपए! वह कहाँ से आएगा?" कन्हाई उसे झिड़कते हुए बोला।

"कोई उपाय न हो सके, तो मेरे हिस्से की जो जमीन है, उसे ही बेचकर..."

सुलाखन अपनी बात पूरी करता, उससे पहले ही कन्हाई आँखें तरेर दहाड़ता हुआ बोला, "क्या तुम सबको मार डालना चाहते हो? तुम्हारा हिस्सा कैसा—ऐं? दस साल से शहर में बैठकर गुलछर्रे उड़ा रहे हो और यहाँ का हिस्सा धरा ही रह गया है? चार बीघे जमीन हैं उससे जो आता है, उसका आधा तुम ही चट कर जा रहे हो। शर्म नहीं आती तुम्हें? निकल जाओ घर से! फिर कभी मुँह मत दिखाना।"

बुधिया चीखते- चीखते इस तरह जोश में आ गई थी कि उसने सुलाखन का हाथ पकड़कर जोर से खींचा, मानो वह उसे धक्के मारकर बाहर निकाल देना चाहती हो। सुलाखन सतर्क नहीं था, इस कारण वह मुँह के बल गिर पड़ा। उसे गिरते देख जुन्हाई ने कहा, "हें! हें!" और उसे बचाने के लिए अपनी चौकी से उतरकर खड़ा हो गया।

बुधिया का वर्षों से जमा गुस्सा अब जुन्हाई पर फूट पड़ा। वह खेती में जी-जान से मेहनत करता था, लेकिन खाता तो था दो आदमी के बराबर! यह अन्याय नहीं तो और क्या था? वह उछलकर जुन्हाई के पास पहुँची और दोनों हाथों से उसका गला पकड़कर दबाने लगी, मानो उसकी जान लेने का निश्चय कर लिया हो। सुलाखन ने आगे बढ़ पूरी ताकत लगाकर उसे जुन्हाई से अलग किया। बुधिया का गुस्सा एक बार फिर सुलाखन की तरफ मुड़ा। उसने उसकी हरी कमीज को, जिसे उसने दस दिन पहले सिलवाई थी और जिसे घरवालों को प्रभावित करने के लिए इस समय धारण किए हुए था, खींचकर चर्र से फाड़ दिया और भैंस की मूत पर फेंक दिया।

सुलाखन को, जो अपेक्षाकृत शान्त स्वभाव का था, क्रोध आ गया। उसने जलती आँखों से बुधिया की तरफ देखा, फिर ओसारे के बाहर जाते हुए बोला, "अब मैं अपना हिस्सा लेकर रहूँगा। मैं कल पंचायत बैठाऊँगा और देखूँगा कि कौन मुझे अपना हक लेने से रोकता है।"

सुलाखन उठा और अँधेरे में गाँव की गली में घुस गया। किसी ने उसे समझाने की कोशिश नहीं की क्योंकि वे जानते थे कि इससे कोई लाभ नहीं था। सुलाखन सीधा जरूर था, लेकिन हठी था और उसके मन में जो बात एक बार समा जाती थी, वह वहाँ से निकलने का नाम नहीं लेती थी।

थोड़ी देर के बाद कन्हाई बोला, "शकुनि भगत के यहाँ गया होगा और कहाँ जाएगा?"

शकुनि भगत परिवारों में बँटवारा कराने में निपुण था। गाँव के किसी परिवार में जब कभी बँटवारा होता था, उसकी भूमिका उसके घर ही तैयार होती थी।

जुन्हाई ने कन्हाई के शब्दों को प्रतिध्वनित करते हुए कहा, "हाँ, उसी के घर गया होगा और कहाँ जाएगा?"

बुधिया चीखी, "सारा दोष इसी बूढ़े का है। इसी ने वैसा दुर्योधन पैदा किया है। मैं कल से इसका खाना-पीना बन्द कर दूँगी।"

कन्हाई ने समझाया, "सुगिया की माँ, क्यों बेकार शोर मचाती हो? बापू हमसे बाहर थोड़े हैं? क्या ये चाहेंगे कि परिवार का बँटवारा हो जाए और दो बीघे जमीन हाथ से निकल जाए?"

उसने उत्तर के लिए जुन्हाई की तरफ देखा।

जुन्हाई ने कहा, "कौन चाहेगा कि परिवार में बँटवारा हो जाए और दो बीघे जमीन हाथ से निकल जाए?"

कन्हाई बोला, "बापू, यदि पंचायत बैठी तो जमीन हाथ से निकलकर रहेगी। कोई ऐसा उपाय करना चाहिए कि पंचायत बैठे ही नहीं।"

जुन्हाई का चेहरा पीला पड़ गया और आँखें फैल गईं। लेकिन उसने कन्हाई के शब्दों को दुहराया, "हाँ, कोई ऐसा उपाय करना चाहिए कि पंचायत बैठे ही नहीं।"

बुधिया चिल्लाई, "मैं किसी पंचायत को नहीं बैठने दूँगी। मैं किसी पंचायत को नहीं जानती; जो कोई पंचायती करने आएगा, मैं उसके मुँह में आग लगा दूँगी।"

कन्हाई ने शान्त भाव से कहा, "हाँ, सुगिया की माँ। कुछ तो करना ही होगा। लेकिन जो करना है, शान्ति से करना है। चिल्लाने से काम कैसे चलेगा?"

वह उसे इशारे से बुलाकर ओसारे से बाहर ले गया और उससे कुछ मिनटों तक बातें कीं। बुधिया की आँखों में चमक आ गई, लेकिन उसके चेहरे की उत्तेजना तिरोहित हो गई और उसका स्थान सतर्कता ने ले लिया। जब वह कन्हाई के पीछे-पीछे ओसारे में लौटी तो कन्हाई ने उससे कहा, "सुगिया की माँ, अब तुम जाओ और आराम करो। अब बापू और हम भी आराम करेंगे। बापू कल

सुलाखन को समझा-बुझाकर घर लाएँगे। जो काम लड़ाई-झगड़ा से नहीं होता, वह प्यार से होता है।''

जुन्हाई की आँखें इस तरह फैली हुई थीं जैसे वह भूत देख रहा हो। लेकिन उसने मशीन की तरह कन्हाई के शब्दों को दुहराया, ''हाँ, जो काम लड़ाई-झगड़ा से नहीं होता, वह प्यार से होता है।''

दूसरे दिन सुबह में कन्हाई ने जुन्हाई से कहा, ''बापू, आप शकुनि भगत के घर जाइए और सुलाखन से मिलिए। कहिएगा कि पंचायत दो दिन बाद होगी। सुलाखन का हिस्सा उसे मिल जाएगा और उसके मन में जो आएगा, वह करेगा। रखना होगा तो रखेगा, बेचना होगा तो बेचेगा। आज कुलदेवता की पूजा करेंगे और शाम को सभी एक साथ खीर-पूड़ी खाएँगे। बँटवारा होना ही है, तो होगा, लेकिन कुलदेवता की पूजा के बाद।''

कन्हाई के सुझाव में कोई अस्वाभाविक बात नहीं थी, सिवा इसके कि कुलदेवता की पूजा का दिन निश्चित समय से दो महीने पहले खिसक गया था। हर वर्ष कुल देवता की पूजा आषाढ़ में, धान का बीहन डालने के ठीक पहले होती थी; अभी चैत का महीना भी खत्म नहीं हुआ था। कुलदेवता की पूजा का प्रस्ताव सुनकर जुन्हाई को ऐसा लगा कि किसी ने उसके माथे पर मोटी लाठी से प्रहार किया है और वह कन्हाई के शब्दों को दुहराना भी भूल गया। जब वह मूक बना रहा तो कन्हाई ने पूछा, ''बापू, कुलदेवता की पूजा करना जरूरी है कि नहीं?''

जुन्हाई ने कहा, ''हाँ, कुलदेवता की पूजा करना जरूरी है।''

कन्हाई ने अपने बाप की आवाज में ठंडेपन को लक्ष्य किया, एक मिनट के लिए उसकी तरफ देखा, फिर वहाँ से चला गया। उसने अपने आपसे कहा, ''हर काम अपने समय पर।''

सुलाखन से मिलने के पहले जुन्हाई ने अपने मन को, जो विद्रोह करने पर तुला था, समझाया—''भाई, मेरे लिए कोई दूसरा रास्ता नहीं है। मैं कर क्या सकता हूँ? जो होना होगा, होगा।''

सुलाखन पंचायत बुलाने के लिए गाँव के दो-चार लोगों से मिल चुका था लेकिन जब जुन्हाई ने शाम को कुलदेवता की पूजा की बात कही, तो उसने पंचायत को दो दिन बाद बुलाने का निश्चय किया; परिवार में बँटवारा होने जा रहा था, उसके पहले कुलदेवता की पूजा कर लेना सबके लिए अच्छा था।

शाम को पंडित भगवान तिवारी को बुलाकर शास्त्र-सम्मत विधि के अनुसार पूजा की गई। परिवार का मुखिया होने के नाते जुन्हाई यजमान की पीठिका पर बैठा। पीली धोती पहनकर और ललाट में चन्दन का लाल टीका लगाकर उसका व्यक्तित्व प्रभावशाली हो गया था और उसकी वाणी और व्यवहार में परिवार के

मुखिया का अधिकार-भाव आ गया था। लगता ही नहीं था कि वह वही खोई हुई आत्मा है जिसकी वाणी और व्यवहार से आत्मविश्वास विलुप्त हो गया था और जो अपनी तरफ से कुछ कहने के बदले कन्हाई की बातों को दुहराता था।

उचित दान-दक्षिणा और भोजन के बाद जब पंडित भगवान तिवारी चले गए, तो कुश की चटाई बिछाकर परिवार के तीनों सदस्यों के लिए खाना परोसा गया। जुन्हाई बीच में बैठा, कन्हाई और सुलाखन उसके दोनों तरफ बैठे। बुधिया ने उनके सामने स्टील की चमचमाती थालियों में पूड़ी रखी और स्टील की कटोरियों में ही खीर लाई और उसे तीनों के आगे रखा। सुलाखन की कटोरी कुछ बड़ी थी और उसमें खीर भी अधिक थी। जुन्हाई ने कहा, "परिवार का मुखिया मैं हूँ और आदर-सत्कार हो दूसरे का?" उसने खीर की अपनी कटोरी सुलाखन के सामने रख दी और उसकी कटोरी लेकर खाना शुरू कर दिया। बुधिया के गले से एक चीख निकली और कन्हाई ने इस तरह हाथ बढ़ाए जैसे कटोरी को जुन्हाई के सामने से खींच लेना चाहता हो। लेकिन दूसरे क्षण दोनों शान्त हो गए। सुलाखन ने साश्चर्य से उन्हें देखा, लेकिन बोला कुछ नहीं। जुन्हाई सुलाखन की कटोरी की खीर को इस तरह खाता रहा जैसे वह परिवार के मुखिया के अधिकार का उपयोग कर रहा हो।

वह जो खीर खा रहा था, उसमें जहर मिला था।

महारैली

मकर संक्रान्ति के आने में मुश्किल से एक सप्ताह बचा था। रमईराम के तीनों लड़के—दसवर्षीय धरीछन, आठवर्षीय रामलाल और सातवर्षीय अगहनू—प्रतिवर्ष की तरह इस वर्ष भी अपने बाप, माँ और बुआ के साथ रोहितपुर में मकर संक्रान्ति के अवसर पर लगनेवाले मेले में जाने के लिए बेचैन थे। गाँव के सभी परिवारों से बच्चे, जवान और बूढ़े इस मेले में जाते थे। सुवर्णा में स्नान करने के बाद वहाँ पर घूमते हुए ब्राह्मणों से टीका लगवाते थे। बालुका राशि पर गमछा या चादर बिछा, उस पर बैठकर चूड़ा और तिलकुट खाते थे। मेले में घूम-घूमकर बाजे, खिलौने, खुरपी, चिमटा, सँड़सी, तावा और ऐसे ही अन्य सामान खरीदते थे और खुशी से झूमते हुए। शाम होते-होते घर लौट आते थे। गाँव से कम से कम आधा दर्जन बैलगाड़ियाँ मेले में जातीं। कभी-कभी उनमें दो-चार लोगों के लिए जगह निकल आती और धरीछन, रामलाल और अगहनू में से एक या दो को किसी बैलगाड़ी पर सवारी करने का मौका मिल जाता। इस अवसर पर जात-पात और छोटे-बड़े का भेद मिट जाता था और हवा में उत्साह का ऐसा नशा भर जाता था कि बहुत तरह की दूरियाँ समाप्त हो जातीं। इस कारण मकर संक्रान्ति और इस अवसर पर रोहितपुर में लगनेवाले मेले की उत्सुकता से प्रतीक्षा रहती। इस वर्ष के मेले में न सिर्फ रमईराम और उसके तीनों लड़कों को, बल्कि उसकी पत्नी सुगनी देवी और उसकी विवाह योग्य बहन ललिता के भी जाने की योजना थी। सुगनी देवी ने अपनी ब्याहवाली साड़ी को, जिसे वह विशेष अवसरों पर पहनती थी, साफ किया और जहाँ कहीं फटी थी, वहाँ मरम्मत कर दी। उसने उसे दो बार ही साबुन से धोया था। वह जानती थी कि अधिक धोने से कपड़े का रंग झड़ जाता है और तब नए और पुराने का अन्तर कहाँ रहेगा? उसकी शादी के सिर्फ तेरह वर्ष हुए थे। इतने कम समय में क्या कोई साड़ी पुरानी होती है? उसके हाथ-पाँव और चेहरे पर तीस-बत्तीस साल की उम्र में ही खुरदरापन आ गया था और उसकी देह सूख गई थी। लेकिन जिसे घर और बाहर के कामों में एक

क्षण की भी फुर्सत नहीं हो, उसकी हालत और क्या हो सकती है? फिर पन्द्रह कट्ठे जमीन की कमाई से छह लोगों का भरण-पोषण और उस पर हर तीसरे साल पानी की मार से आलू की फसल का बर्बाद होना। उसके पति रमईराम को कभी-कभी मजदूरी से सौ-दो सौ मिल जाते थे, लेकिन खर्च बढ़ता जा रहा था और आसमान छूती महँगाई के कारण चौबीसों घंटे कोल्हू के बैल की तरह खटने के बावजूद दो जून भरपेट खाना मिलना मुश्किल था। ऐसे में कभी-कभी त्योहारों के आ जाने से बालों में कंघी कर लेने का और साफ कपड़े पहनने का मौका मिल जाता था तो कुछ घंटों के लिए जी हल्का हो जाता था।

कोल्हू के बैल की जिन्दगी ने रमईराम को भी कम त्रस्त नहीं किया था और परिवार के खर्च के बढ़ते बोझ के कारण उसकी गर्दन का अस्तित्व मिट गया था और आँखें फैल-सी गई थीं। वह भी परिवार के बोझ से कभी-कभार मुक्ति पाकर राहत महसूस करता था और मकर संक्रान्ति की प्रतीक्षा विशेष रूप से करता था, जब वह परिवार के अन्य सदस्यों के साथ रोहितपुर में सुवर्णा में स्नान करने के बाद बालू पर चादर बिछाकर चूड़ा और तिलकूट खाता था और मेले में घूमकर लड़कों के लिए बैलून और सरकंडे की बाँसुरी खरीदता था। इस अवसर के लिए उसने अपनी शादी के समय सिलाई गई पॉलिस्टर की मिरजई और रैना कम्पनी की चौड़े पाढ़वाली धोती को साफ कर लिया था।

धरीछन, रामलाल और अगहनू और उसकी बुला ललिता मकर संक्रान्ति के नजदीक आने से कम उत्साहित नहीं थे। वे महीना-भर पहले से ही इस अवसर के लिए तरह-तरह की योजनाएँ बनाने लगे थे। यद्यपि उनके विकल्प सीमित थे, फिर भी योजनाओं के आकार और विविधता में दिनोंदिन वृद्धि होती जाती थी। ललिता अपने लिए सिल्क के रिबन, लहठी की चूड़ियाँ और चमड़े की चप्पलें खरीदना चाहती थी। लड़के चर्खी पर चढ़ने के आनन्द से वंचित होने के लिए किसी भी हालत में तैयार नहीं थे। इसके अलावा उनमें से हर किसी को अपने लिए रबर की गेंद, क्रिकेट के बैट, पीतल की बाँसुरी और ऊन का स्वेटर खरीदना था। उन्होंने अपनी-अपनी फुल कमीज और हाफ पैण्ट साबुन से धोकर सुखा लिए थे और उन्हें वे सिरहाने रखते थे ताकि उनमें स्थायी मोड़ आ जाए। पिछले साल उन्हें किसी ने बैलगाड़ी पर जगह नहीं दी थी, लेकिन इस साल उन्हें विश्वास था कि किसी न किसी बैलगाड़ी पर उन्हें जगह मिल जाएगी, क्योंकि बड़े लड़के धरीछन की दायीं आँख कई दिनों से फड़क रही थी।

रमईराम के परिवार में पिछले कई वर्षों की तरह ही मकर संक्रान्ति के स्वागत की तैयारी पूरे उत्साह के साथ हो रही थी कि एक अनपेक्षित घटना घटी। रमईराम ने एक दिन गाँव के मुखिया के यहाँ टी.वी. पर अपने प्रान्त कुसुमांचल के

मुख्यमन्त्री मल्लू गोप का भाषण सुना जिसमें उसने दलितों, गलितों, पिछड़ों और हिजड़ों को सुदेश का स्थायी शासक बनाने का वादा दुहराया था। इसके लिए उसने एक सुदीर्घ योजना बना ली थी और उसका खुलासा आठ दिन बाद कुसुमपुर के महात्मा मैदान में होनेवाली महारैली में करने का वादा किया। मल्लू गोप ने यह भी वादा किया कि उसकी महारैली में जो लोग आएँगे, उनमें से प्रत्येक को दो ऊनी कम्बल और दो रुपए मिलेंगे। शर्त यह थी कि महारैली में भाग लेनेवाला हर मर्द हरे रंग के पाँच मीटर कपड़े की पगड़ी बाँधे और हाथ में चार इंच व्यास का बाँस का सोंटा रखे, जिसमें भाला लगा हो और हर औरत हरे रंग की साड़ी पहने और हाथ में हरे रंग की लालटेन रखे। हरा रंग मल्लू गोप के सामाजिक न्याय दल के, जिसका वह जीवनभर के लिए अध्यक्ष था, झंडे का रंग था। महारैली का आयोजन सामाजिक न्याय दल की शक्ति का प्रदर्शन करने के लिए और विरोधियों को भयाक्रान्त करने के लिए किया गया था।

मल्लू के व्यक्तित्व में और टी.वी. पर उसके द्वारा की गई घोषणा में एक ऐसी शक्ति थी कि रमईराम ने कम से कम छह ऊनी कम्बल और छह हजार रुपए प्राप्त करने का निश्चय कर लिया। उसने तय किया कि वह अपने तीनों लड़कों को घर पर छोड़ देगा और मल्लू की महारैली में भाग लेने के लिए अपनी पत्नी और बहन के साथ कुसुमपुर जाएगा। छह ऊनी कम्बल और ऊपर से छह हजार रुपए! आज तक उसे ऊनी कम्बल ओढ़ने का सौभाग्य प्राप्त नहीं हुआ था। वह तो एक ऊनी कम्बल के लिए ही मल्लू की महारैली में दौड़ा चला जाता, लेकिन यहाँ तो छह कम्बल मिलने की बात थी! उसने तो छह ऊनी कम्बल पाने का सपना भी कभी नहीं देखा था। हो सकता है कि सौ-दो सौ रुपए तैयारी में और राह खर्च में लग जाएँ, लेकिन जो बचत होगी, उसकी तुलना में खर्च क्या है भला? फिर यह भी हो सकता है कि सामाजिक न्याय दल का कोई बड़ा नेता उस पर प्रसन्न हो जाए और उसके परिवार की काया पलट हो जाए!

रमईराम उत्साह से भर उठा और उसने मल्लू गोप की महारैली में जाने की तैयारी जोर-शोर से शुरू कर दी।

मल्लू गोप सामाजिक न्याय दल का सर्वोच्च नेता था और बारह वर्षों से कुसुमांचल प्रान्त का मुख्यमन्त्री था। उसने संविधानसम्मत सभी नियमों और कानूनों को पूरी तरह समाप्त कर दिया था और उनकी जगह पर अपराधकर्मियों का शासन स्थापित कर दिया था। सामाजिक न्याय दल के सभी नेता अपराधकर्मी थे। जो जितना बड़ा अपराधकर्मी था, उसका स्थान दल में और कुसुमांचल की सरकार में

उतना ही.. ऊँचा था। कुसुमांचल की विधानसभा में सिर्फ अपराधकर्मी निर्वाचित होते थे और कार्यपालिका और न्यायपालिका दोनों की गर्दन मल्लू और उसके सहकर्मी अपराधकर्मियों की मुट्ठी में थी। हत्या, लूट-पाट, व्यभिचार, उठाईगीरी और दूसरों की सम्पत्ति पर बलपूर्वक अधिकार सम्मानित पेशे हो गए थे। पूरा कुसुमांचल आग में धू-धू करते भवन में बदल गया था जिसमें निवास करनेवाले लोगों के आर्त्तनाद और चीत्कार से आकाश का चन्दोवा काँप रहा था।

मल्लू को अत्याचारत्रस्त लाखों लोगों का रुदन और चीत्कार मधुर संगीत की तरह प्रिय था। इससे उसे अपनी शक्ति का एहसास होता था और उसका यह विश्वास दृढ़ हो जाता था कि उसके विरुद्ध कोई आवाज नहीं उठेगी और वह अनन्त काल तक प्रान्त पर शासन करेगा। लेकिन वह योजना की अभिव्यक्ति कभी नहीं करता था। वह हमेशा दलितों, गलितों, पिछड़ों और हिजड़ों को देश का स्थायी शासक बनाने और दूध तथा मट्ठे की नदियाँ बहाने के निश्चय को दुहराता, जब किसी को चूल्हा जलाने की आवश्यकता नहीं होगी।

लेकिन उसे इस बात का डर लगा रहता था कि आशा का दीप बुछ जाने पर विद्रोह की अग्नि प्रज्वलित हो सकती थी जिसमें अपराधकर्मियों की सेना के नष्ट हो जाने की सम्भावना थी। इस कारण वह नियमित रूप से जनसभाएँ करता और उनमें ऐसे वादे करता जिनके पूरा होने की कोई सम्भावना नहीं थी। वह वर्ष में दो बार महारैली का आयोजन करता था, जिसके लिए सामाजिक न्याय दल के नेता हजारों लोगों को बसों और ट्रकों में लादकर कुसुमपुर लाते थे। नगर के केन्द्र में स्थित महात्मा मैदान में दो दिनों तक मल्लू और उसके सहयोगियों के भाषण होते थे और सैकड़ों ध्वनि-विस्तारकों के माध्यम से गूँजती आवाजों में दलितों, गलितों, पिछड़ों और हिजड़ों के उत्थान के लिए हजारों वादे किए जाते थे। महारैली में भाग लेने आए हर व्यक्ति के लिए दो ऊनी कम्बल और दो हजार रुपए देने का वादा किया जाता था और हर बार सौ-दो सौ कम्बल बँटते भी थे। कम्बलों को, समय और स्थान की घोषणा कर, भीड़ में फेंक दिया जाता था और उन्हें लूटने के लिए इतनी धक्का-मुक्की होती थी कि दर्जनों की जान जाती थी और सैकड़ों घायल होते थे। इस अवसर के लिए पर्याप्त संख्या में ट्रकें तैयार रहते थे, जिनमें भरकर मृतकों और घायलों को पद्मावती में फेंक दिया जाता था। यह कहानी हर महारैली में दुहराई जाती थी, लेकिन कुसुमांचल में गरीबी इस तरह बढ़ रही थी कि उससे बचने की आशा में हर बार दस-बीस हजार की भीड़ जमा हो जाती थी।

रमईराम ने अब तक किसी महारैली में भाग नहीं लिया था और उसके सम्बन्ध में तरह-तरह की डरावनी बातें सुनी थीं। लेकिन उसकी आर्थिक स्थिति

बिगड़ती जा रही थी और वह उसमें सुधार के अवसर से लाभ उठाने की इच्छा पर नियन्त्रण नहीं पा सका। घर में जो थोड़े पैसे थे, उसे उसने महारैली में भाग लेने की तैयारी में खर्च कर दिए। उसने अपनी पगड़ी के लिए हरे रंग का पाँच मीटर लम्बा कपड़ा खरीदा, पत्नी के लिए हरे रंग की साड़ी खरीदी और बहन के लिए हरे रंग की सलवार और फ्रॉक सिलवाई और उसी रंग की ओढ़नी खरीद दी। क्या किसी महात्मा ने नहीं कहा है कि वेश से ही भीख मिलती है? उसने भाला नहीं खरीदा, क्योंकि उसे भाले से डर लगता था, लेकिन उसके बदले बाँस का एक सोंटा जरूर खरीद लिया। उसने सुना था कि मल्लू को सोंटा बहुत पसन्द है और उसकी मदद से वह उछलकर भैंस की पीठ पर आगे और पीछे की तरफ से चढ़ जाता है और वहाँ पर मोर मुकुट पहनकर नाचता है और बाँसुरी बजाता है। रईमराम ने सोंटे में रेंडी का तेल लगाकर उसे अधिक प्रभावकारी बनाया और उसमें सामाजिक न्याय दल का हरे रंग का झंडा बाँध लिया। उसी समय उसकी दाहिनी आँख फड़कने लगी और उसे विश्वास हो गया कि उसकी तकदीर चमकनेवाली है।

उस इलाके के सामाजिक न्याय दल के सभापति नकटा गोप पर महारैली में भाग लेने के लिए एक सौ लोगों को कुसुमपुर ले जाने की जिम्मेवारी थी। उसने पुलिस की मदद से एक ट्रक को जब्त कर लिया और दो-दो ऊनी कम्बल और दो-दो हजार रुपए देने का वादा कर डेढ़ सौ लोगों को ट्रक पर लाद लिया। उनमें आधी से अधिक औरतें थीं। वे दो-दो ऊनी कम्बल और दो-दो हजार रुपए पाने के मोह का सँवरण नहीं कर पाई थीं। कुसुमपुर रमईराम के गाँव से एक सौ मील दूर था और वहाँ जाने और महारैली में भाग लेकर गाँव लौटने में चार दिन लग सकते थे। लेकिन दो-दो ऊनी कम्बल और दो-दो हजार रुपए महीनों की कमाई से अधिक थे और राजधानी की मुफ्त यात्रा भी थी। महारैली में भाग लेने के लिए जानेवालों में दो-चार ऐसे लोग भी थे जिन्हें पहले कुसुमपुर जाने का अवसर मिला था। उन्होंने ट्रक में बैठे सहयात्रियों को सुवर्णा के पाट की तरह चौड़ी सड़कों, उन पर बिजली की गति से दौड़नेवाली तरह-तरह की गाड़ियों, ऊँचे-ऊँचे मकानों और हर तरह के सामानों से भरी दुकानों और शहर की बगल में बहनेवाली पद्मावती नदी का साफ, शीतल जल जिसमें स्नान करने में कोई रोक-टोक नहीं था और दिन-रात शहर में होनेवाले शोरगुल और हल्ला-हंगामा का ऐसा वर्णन किया कि सुननेवालों की उत्कंठा दसगुनी हो गई और सारे कष्टों के बावजूद लोग हँसते-गाते कुसुमपुर पहुँच गए।

रमईराम, उसकी पत्नी सगुनी देवी और उसकी बहन ललिता पहली बार आए थे और उन्होंने अपनी तकदीर सराही कि उन्होंने मल्लू गोप की महारैली में भाग लेने का निश्चय किया जिससे उन्हें ऐसे बड़े शहर को देखने का सौभाग्य प्राप्त हुआ। शाम हो गई थी और हर तरफ रंग-बिरंगी बत्तियाँ जल रही थीं, जिससे शहर परियों के देश के समान लग रहा था। उन्हें विश्वास हो गया कि उनके परिवार के दिन फिरनेवाले हैं और इस लोक के उनके सारे कष्ट अपने आप भाग जाएँगे। उन्होंने निश्चय किया कि वे मौका मिलते ही पद्मावती में स्नान करेंगे जिससे उनका जीवन धन्य हो जाएगा और उनका परलोक भी सुधर जाएगा।

लेकिन जब वे महात्मा मैदान में पहुँचे तो उन्होंने पाया कि वे ऐसे अँधेरे कमरे में बन्द कर दिये गये हैं जहाँ लूट-खसोट का महासंग्राम छिड़ा है और सभी एक दूसरे के दुश्मन हैं। वहाँ खाने-पीने या आराम करने के सम्बन्ध में सोचने की किसी को फुर्सत नहीं थी। अधिकांश लोग मैदान में सुरक्षित स्थान पाने के लिए लाठियाँ चला रहे थे और शेष अपनी और अपने सामान की रक्षा के लिए लाठियाँ चला रहे थे। पूरे मैदान में, जहाँ घुप्प अँधेरा था, कुहराम मचा हुआ था। रमईराम ने अपनी पत्नी और बहन की रक्षा में लाठी चलाने की कोशिश की, लेकिन किसी ने उसकी लाठी छीन ली और उसी से उसके सिर पर प्रहार किया जिससे वह गिरकर बेहोश हो गया। युद्ध चार-पाँच घंटों तक चलता रहा और जब इसमें विजय-पराजय का निर्णय हो गया तब धीरे-धीरे कुहराम कम हुआ।

कई घंटों के बाद जब रमईराम को होश आया तो उसने पाया कि उसकी पत्नी उसके लहू से भीगे सिर को गोद में रखकर रो रही है। मैदान में प्रवेश करते समय ही वह आशंकित हो गया था और उसके रोंगटे खड़े हो गए थे। उसे ऐसा लगा था कि वह खतरनाक जीवों से घिर गया है और उसका कल्याण इसी में है कि जितनी जल्दी हो, यहाँ से निकल भागे। लेकिन उसे निकल भागने का कोई रास्ता नहीं सूझ रहा था। इसके अलावा छह ऊनी कम्बल और छह हजार रुपयों का लालच भी था, जिससे उसके पाँव बँध गए थे। उसने होश में आते ही पूछा, "तुम ठीक हो न धरीछन की माँ? ललिता कहाँ है?"

सुगनी को, जो घायल पति की चिन्ता में सबकुछ भूल गई थी, अब अपनी ननद की याद आई। उसने इधर-उधर नजर दौड़ाई लेकिन ललिता कहीं नहीं थी। उसके अगल-बगल में बचे अधिकांश लोग घायल थे। कुछ की उनके साथ आए लोग मरहम-पट्टी कर रहे थे और बाकी इधर-उधर लेटे कराह रहे थे। सुबह की लाली आसमान में छाने लगी थी और मैदान में दूर-दूर तक सबकुछ साफ दिखाई पड़ने लगा था।

सुगनी ने अपने पति के प्रश्न का कोई उत्तर नहीं दिया, जैसे उसने उसे सुना

ही नहीं हो। वह बोली, "तुम्हारी तबियत कैसी है, धरीछन के बाबूजी? मैंने नए गमछे से तुम्हारे सिर के घाव को बाँध दिया है। चलो, गाँव लौट चलें।"

पति-पत्नी ने महात्मा मैदान का चप्पा-चप्पा छान मारा। मैदान में पचीस-तीस हजार के ऊपर लोग थे और उनमें से अधिकांश घायल थे। उनमें दो-तीन हजार औरतें थीं, लेकिन सभी या तो अधेड़ थीं या बूढ़ी थीं, कहीं कोई लड़की या जवान औरत नहीं थी। उसके गाँव से आए ट्रक में आधा दर्जन से ऊपर लड़कियाँ और जवान औरतें थीं। पच्चीस-तीस हजार लोगों में पाँच सौ लड़कियाँ और जवान औरतें तो अवश्य होंगी। आखिर वे कहाँ गईं? उन्होंने देखा कि कुछ अन्य लोग भी उनकी तरह इधर-उधर बेचैनी से घूम रहे थे, लेकिन उनसे कुछ पूछने की हिम्मत उनकी नहीं हुई। रमईराम ने नकटा गोप की, जो सामाजिक न्याय दल का एक जाना-माना नेता था, तलाश करने की कोशिश की; लेकिन वह कहीं नहीं मिला। कुछ लोगों ने उसे बताया कि नकटा मल्लू के साथ आनेवाले नेताओं की फौज में रहेगा, इस कारण उसकी प्रतीक्षा करनी चाहिए।

महारैली में आए लोगों की भीड़ पौ फटने के साथ ही छँटने लगी थी। जो लोग रात के हुए महासंग्राम में घायल हो गए थे और वे जो संग्राम की पुनरावृत्ति की आशंका से त्रस्त थे, जल्दी से जल्दी अपने गाँव लौटना चाहते थे। मैदान में पानी की भी व्यवस्था नहीं थी, भोजन की कौन कहे! इस कारण चारों ओर से विष्ठा और मूत्र की दुर्गंध उठने लगी थी। लेकिन जिनके स्वजन रात की रेला-पेली में कहीं खो गए थे, वे भूखे-प्यासे, गन्दगी और दुर्गंध से घिरे मल्लू गोप और सामाजिक न्याय दल के अन्य नेताओं के मैदान में आने की प्रतीक्षा करने लगे। उन्हें आशा थी कि वे उनकी समस्या के समाधान के लिए कुछ अवश्य करेंगे। मल्लू उनके घर की औरतों को, जो रात के घमासान में कहीं खो गई थीं, खोज निकालने का इन्तजाम जरूर करेगा और हो सकता है कि कम्बल और रुपए भी बँटवा दे। वह चाहे तो क्या नहीं कर सकता? आशा की गाय का पूँछ पकड़े हुए आठ-दस हजार लोग मल्लू गोप और अन्य नेताओं की प्रतीक्षा करने लगे।

दिन के दो बजे सामाजिक न्याय दल के दो सौ कार्यकर्त्ताओं और पुलिस के दो हजार सिपाहियों से घिरा हुआ मल्लू गोप मैदान में आया और दस फीट ऊँचे बृहदाकार रंगमंच के बीचोबीच रखी सिंहासननुमा कुर्सी पर बैठ गया। उसके साथ आए हुए नेतागण उसके चारों तरफ रंगमंच की फर्श पर उसी तरह बैठ गए जिस तरह किसी गुरु के चारों तरफ निष्ठावान शिष्य बैठते हैं। सभी सफेद कुर्ता और पाजामा पहने हुए थे और हर किसी के हाथ में एक राइफल थी जिसे वह सीधा खड़ा किए हुए था। सबके चेहरे विजय के गर्व से चमक रहे थे, लेकिन सबसे अधिक चमक मल्लू के चेहरे पर थी। उसका चेहरा मटमैले रंग के गोल बैलून

की तरह था जिस पर नाक के स्थान पर एक पिंड चित्रित था और आँखों के स्थान पर दो काले धब्बे बने थे।

रमईराम इस दृश्य से इतना प्रभावित हुआ कि वह नकटा गोप को खोजने की बात बिलकुल भूल गया और मल्लू गोप और उसके शागिर्दों का करतब देखने में तल्लीन हो गया। मल्लू उसे उस जादूगर की तरह लगा जो पिछले वर्ष मकर संक्रान्ति के अवसर पर रोहितपुर के मेले में खाली झोले से खरहे और कबूतर निकाल देता था। कुछ मिनटों के बाद मल्लू अपनी सिंहासननुमा कुर्सी से उठा और मैदान में जमा भीड़ पर नजरें दौड़ाते हुए कुर्सी से एक गज की दूरी पर लगी माइक के पास खड़ा हो गया। उसी समय मंच पर बैठे उसके शागिर्दों के दो सौ राइफलों से दो सौ गोलियाँ एक साथ छूटीं और मल्लू का भाषण सुनने के लिए खड़े लोगों के हाथ उनके कानों की तरफ बढ़ गए और मैदान के चारों तरफ पेड़ों पर बैठे पक्षी चें-चें करते हुए उड़ चले।

मल्लू ने माइक को चार बार ठोंका और अपना भाषण शुरू किया जो साधारणतः दो घंटे तक चला था : "मेरे प्यारे दलितो, गलितो, पिछड़ो और हिजड़ो, मैं आपका मसीहा मल्लू गोप बोल रहा हूँ। भैंस चरानेवालो, सूअर चरानेवालो, बकरी चरानेवालो, मुर्गी काटनेवालो, जूते बनानेवालो, मैं आपका राजा मल्लू गोप बोल रहा हूँ। मैंने तय कर लिया है कि आप लोगों को भूख से नहीं मरने दूँगा, नंगे नहीं रहने दूँगा, खुले आसमान में नहीं सोने दूँगा। मैं आपके घरों को चावल और गेहूँ से भर दूँगा, आपको सिल्क का कुर्ता और साटन का पाजामा पहनाऊँगा, आप लोगों में से हर आदमी के लिए दो-दो, तीन महले बनवाऊँगा। मैं अपने कार्यक्रम की शुरुआत इसी से करूँगा और रैली के अन्त में एक सौ ऊनी कम्बल बँटवाऊँगा। आप इस खुशी में जोर-जोर से तालियाँ बजाइए।"

श्रोताओं ने तालियाँ बजाई और मल्लू के प्रस्ताव के अनुमोदन में मंच पर दो सौ राइफलों की गोलियाँ छूटीं जिनमें तालियों की आवाज दब गई।

मल्लू ने अपना भाषण जारी रखा, "मेरे प्यारे दलितो, गलितो, पिछड़ो और हिजड़ो! आप जिस तरह लाखों-लाख की संख्या में भाग लेने के लिए कुसुमांचल के कोने-कोने से आए हैं, उसे देखकर मेरा यह विश्वास दृढ़ हो गया है कि अब आपका उत्थान दूर नहीं। लाखों-लाख लोगों की इस महारैली को देखकर मेरी छाती उस भैंस के पेट की तरह फूल गई है जिस पर मैं प्रतिदिन आगे से और पीछे से चढ़ता हूँ। लेकिन आपके उत्थान के लिए दो बातें जरूरी हैं जिनकी तरफ आपका ध्यान खींचना आवश्यक है। पहली बात जो जरूरी है वह यह है कि हमें अगड़ों को कुसुमांचल से ही नहीं बल्कि पूरे सुदेश से मिटा देना है। दूसरी बात जो जरूरी है वह यह है कि दलितों, गलितों, पिछड़ों और हिजड़ों की सभी जातियों

को आपस में खूनी संघर्ष में लग जाना है। संघर्ष से ही उनकी कूबत बढ़ेगी और समाज का विकास होगा।

"आप एक बार और ताली बजाइए। हाँ, बहुत अच्छा। आप मैदान छोड़कर कहीं मत जाइए। मेरा भाषण दो घंटे से अधिक समय तक नहीं चलेगा। उसके बाद कम्बल और रुपए बाँटे जाएँगे। मेरा पूरा भाषण सुने बिना जो यहाँ से जाएगा, वह पीछे पछताएगा। अरे ओ हरी पगड़ीवाले, क्या खिसकने की तैयारी में हो? हड्डी-पसली एक हो जाएगी। मैं दलितों, गलितों, पिछड़ों और हिजड़ों को मान-सम्मान देने की कोशिश कर रहा हूँ और ये लोग हैं कि भागने के फेर में हैं। सिपाहियो, देखो कि मेरा पूरा भाषण सुने बिना मैदान से कोई जाने न पाए। मैं इन्हीं लोगों की भलाई के लिए भाषण दे रहा हूँ, अपनी भलाई के लिए नहीं।"

पुलिस के सिपाहियों ने रैली में आए लोगों को घेर लिया था। पहले की रैलियों के अनुभव से उन्हें इस बात का पता था कि मल्लू का भाषण शुरू होने के बाद श्रोता खिसकने लगते हैं और उन्हें मैदान में रोक रखने के लिए बल का प्रयोग करना पड़ता है। मल्लू ने जैसे ही उन्हें ललकारा, सिपाहियों ने लाठियाँ बरसानी शुरू कर दीं। रमईराम लाठियाँ खानेवालों की पहली पंक्ति में था। उसे दूसरी रात भी मैदान में बितानी पड़ी, उसे लेकर उसकी पत्नी सुगनी दो दिनों के बाद गाँव पहुँची। उन्हें न तो कम्बल और रुपए मिले और न ही ललिता का पता चला।

घर का सारा चावल खत्म हो चुका था और तीनों लड़के धरीछन, रामलाल और अगहनू दो दिनों से भूखे थे। सुगनी ने अपनी चाँदी की हँसली, जो उसका एकमात्र आभूषण था, बन्धक रख दी और चावल ले आई। बच्चों ने उससे ललिता के सम्बन्ध में पूछा, लेकिन उसने उनकी तरफ आँखें तरेरकर देखा और इशारे से कहा कि वे उसके सम्बन्ध में कोई बात न करें अन्यथा उनके बापू को दुख होगा। बच्चे भी जानते थे कि उनका बापू उनकी बुआ को बहुत मानता है और उसकी शादी किसी खाते-पीते परिवार में करने के लिए परेशान है। वे यह सोचकर चुप रह गए कि उनकी बुआ के महारैली से नहीं आने का कोई विशेष कारण होगा जिसकी चर्चा उनकी माँ नहीं करना चाहती थी। महारैली से लौटने के बाद रमईराम जैसे मूक हो गया था। उसकी घर के कामों में दिलचस्पी समाप्त हो गई थी और वह चुपचाप खाट पर लेटा रहता था। उसने एक बार भी न अपनी बहन का जिक्र किया और न कैली गाय का—जिसे उसकी अनुपस्थिति में नकटा गोप के आदमी महारैली के लिए लगे चन्दे को चुकता करने के लिए ले गए थे। ऐसा

लगता था कि वह उनके अस्तित्व को ही भूल गया था। उसकी पत्नी ने भी जो ललिता और कैली के प्रति उसके लगाव से परिचित थी, उनकी चर्चा नहीं की, क्योंकि वह घाव को कुदेरना नहीं चाहती थी। घर लौटने के तीसरे दिन, बाद जब वह कुछ स्वस्थ हुआ, उसकी पत्नी ने उसे गीला भात और प्याज का पथ्य दिया। बच्चे बहुत खुश हुए क्योंकि अब उनकी मकर संक्रान्ति के मेले में जाने की आशा, जो मृतप्राय हो गई थी, पुनर्जीवित हो उठी। मकर संक्रान्ति के दो दिन बाकी रह गए थे और उन्होंने मेले में जाने की तैयारी शुरू कर दी।

अगहनू बोला, "मैं अपने लिए लाल रंग की गेंद खरीदूँगा। बापू से कहूँगा कि मेरे लिए एक ऊनी स्वेटर भी खरीद दें।"

धरीछन ने कहा, "पैसे कहाँ से आएँगे? ऊनी स्वेटर में बहुत पैसे लगते हैं।"

रामलाल ने कहा, "बापू को महारैली में बहुत पैसे मिले हैं।"

धरीछन बोला, "चुप रह, घोंचू। अगर महारैली में पैसे मिले होते तो अम्मा चावल खरीदने के लिए अपनी हँसली नहीं बेचती।"

रामलाल ने आश्चर्य से पूछा, "क्या अम्मा ने अपनी हँसली बेच दी?"

धरीछन बोला, "धीरे बोलो। बापू सुनेंगे तो पीटेंगे।"

अगहनू को स्थिति की गम्भीरता का कुछ हद तक आभास हुआ, अतएव उसने आवाज को धीमी करते हुए कहा, "ठीक है, मैं पैण्ट और बॉल नहीं लूँगा, लेकिन चीनी का तिलकुट जरूर खाऊँगा। पिछले साल मुझे गुड़ का तिलकुट मिला था और वह भी एक ही।"

रामलाल ने कहा, "ठीक है, मैं भी कुछ नहीं लूँगा, लेकिन चीनी का तिलकुट जरूर लूँगा।"

लड़के झोंपड़ी के बाहर बातें कर रहे थे। रमईराम झोंपड़ी के अन्दर की चारपाई पर लेटा हुआ था। उसके सिर पर घाव सूखने लगा था और बुखार भी कम हो गया था, लेकिन कमजोरी इतनी अधिक थी कि वह मजदूरी की तलाश में कहीं जाने की स्थिति में नहीं था। लेकिन यदि कैली रहती तो वह उसके लिए घास लाने जरूर जाता। उसी समय उसके लड़के बातें करने लगे थे और उसका ध्यान उनकी तरफ लग गया था। उसे यह नहीं मालूम था कि उसकी पत्नी हँसली बेचकर चावल खरीद लाई है। बच्चों की बात सुनकर उसका सिर एकाएक भारी हो गया और उसे लगा कि यदि उसने उसे गमछे से कसकर नहीं बाँधा तो वह फट जाएगा। उसने लहू से रँगे हरे रंग के गमछे से, जिसे उसने मल्लू गोप की महारैली में भाग लेने के लिए बनवाया था, माथे को कसकर बाँधा और बच्चों की बातों से ध्यान हटाने की कोशिश की।

उसी समय उसकी पत्नी सुगनी, जो भात बनाने के लिए लकड़ी चुनने गई

थी, लौटी। अगहनू ने उससे कहा, "अम्मा, परसों मकर संक्रान्ति है। इस बार मैं चीनी का तिलकुट खाऊँगा।"

सुगनी झल्लाई आवाज में बोली, "माँड़-भात मिल नहीं रहा, तिलकुट खाएगा! जा, अपने बाप से कह, जो मल्लू की महारैली में ऊनी कम्बल लाने गया था। सौ-दो सौ रुपए थे, वे तो गए ही, एक गाय जो सहारा थी, वह भी चली गई। अभागा कहीं का!"

अगहनू चुप हो गया। दूसरे लड़के भी कुछ नहीं बोले।

सुगनी जब कमरे के अन्दर गई तो रमईराम ने उससे कहा, "धरीछन की माँ, मेरे सिर के घाव में हलका दर्द हो रहा है। पाँच रुपए हो तो दो, मैं दवा ले आऊँ। सोच रहा हूँ कि कल से मजदूरी की तलाश में निकलूँ।"

सुगनी ने पाँच रुपए का नोट उसे देते हुए कहा, "आधा किलो नमक भी लेते आना।"

रमईराम ने कीटनाशक बेचनेवाली दुकान से एक शीशी कीटनाशक दवा खरीदी। पूछने पर बताया कि भदोही महतो ने पौधों में डालने के लिए माँगा है। घर लौटकर उसने शीशी की पूरी दवा पी ली और पत्नी को, जो गायवाले कमरे में भात पका रही थी, आवाज दी, "धरीछन की माँ, मैं थोड़ी देर के लिए सोने जा रहा हूँ, जल्दी मत जगाना।"

•

सन्मार्ग

महुआपुर का शिवमन्दिर, जो पचीस वर्ष पुराना है और जो बाहर से देखने में किसी साधारण शिवमन्दिर से भिन्न नहीं है, अजीब कहानियों से घिरा है। कुमारियाँ, विधवाएँ या ऐसी औरतें जिन्हें सन्तान की चाह नहीं है, मन्दिर में पूजा करने या शिवलिंग पर जल चढ़ाने नहीं जातीं, क्योंकि लोगों को ऐसा विश्वास है कि उसमें पूजा करनेवाली या शिवलिंग पर जल चढ़ानेवाली औरत का दस महीने बीतते-बीतते सन्तानवती होना अवश्यम्भावी है—चाहे वह कुमारी या विधवा ही क्यों न हो। इस विश्वास का भय इतना अधिक है कि मन्दिर में जाने का साहस बहुत कम कुमारियाँ या विधवाएँ करती हैं। कौन जाने कब कोई अनहोनी हो जाए और अपनी निर्दोषता प्रमाणित करने के लिए शब्द न मिलें! लेकिन दूर-दराज के शहरों से प्रतिदिन दो-चार गाड़ियाँ अवश्य आती हैं, जिनमें सम्पन्न परिवारों की मोटी-मोटी औरतें उतरती हैं जो शिवलिंग की पूजा करती हैं, उस पर बेलपत्र, पुष्प और जल चढ़ाती हैं और पुजारी दंगल तिवारी को, जो मन्दिर के निर्माणकर्त्ता सुदामा तिवारी का पौत्र है, भरपूर दक्षिणा देती हैं। दंगल तिवारी बीस साल का सुगठित शरीर और बाँकी मुस्कानवाला नौजवान है और वह सम्पन्न घर की उन युवतियों और महिलाओं को, जो शिवमन्दिर में पूजा करने आती हैं, प्रसन्न करने की कला में पारंगत है। वह प्रसाद के रूप में हर महिला को पेड़े और बेलपत्र देता है और जो महिलाएँ चाहती हैं, उन्हें मन्दिर के पार्श्व में बने अपने कमरे में ले जाकर अकेले में दीक्षित करता है। दीक्षा के समय उसके कमरे में उपस्थित रहने या जाने की किसी अन्य व्यक्ति को अनुमति नहीं है, क्योंकि दीक्षा पूरी तरह गोपनीय है और गुरु और शिष्या के बीच किसी अन्य के आने से उसका भ्रष्ट होना अवश्यम्भावी है।

समीपवर्ती गाँवों की श्रद्धालु महिलाओं की संख्या नगण्य होने के बावजूद सुदूर के शहरों से आनेवाली श्रद्धालु महिलाओं के कारण मन्दिर की आय पहले से कई गुनी हो गई है और दंगल तिवारी का रोहितपुर शहर में, जो महुआपुर से

तीन किलोमीटर की दूरी पर है, एक लाख से ऊपर का बैंक बैलेंस है और गाँजा-भांग की एक दुकान है जिसे उसका छोटा भाई कपिलमुनि तिवारी चलाता है। कपिलमुनि तिवारी अभी उन्नीस वर्ष का ही है, लेकिन उसकी तरह-तरह के बाहुबलियों से मित्रता है, जिस कारण तिवारी बन्धुओं के विरुद्ध कुछ कहने का साहस कोई नहीं करता, यद्यपि बहुत लोगों को उनसे बहुत-सी शिकायतें हैं। मन्दिर के सम्बन्ध में लोगों की एक शिकायत यह है कि पिछले पचास वर्षों में, जब दंगल तिवारी के दादा सुदामा तिवारी ने उसे बनवाया था, उसमें कुछ नहीं बदला, सिवा इसके कि शिवरात्रि के चार दिन पहले उसमें रँगाई-पुताई कर दी जाती है। पुजारी का कक्ष सालोंसाल अधिक आरामदेह और अधिक प्रभावशाली हो गया है और दो कट्ठे के मन्दिर परिसर में डेढ़ कट्ठा जमीन पुजारी के कक्ष और उसके अगल-बगल बने कमरों ने घेर रखा है। पुजारी के लिए दर्शन-कक्ष के अलावा शयनकक्ष भी है, जिसकी सजावट किसी सेठ के शयनकक्ष की तरह है। दो शौचालय और स्नानघर हैं जिनके फर्श और दीवारों में संगमरमर लगा है। दर्शन-कक्ष और शयन-कक्ष में दूर-दूर से गाड़ियों से आनेवाली महिलाएँ दंगल तिवारी से दीक्षा लेने के लिए घंटों बन्द रहती हैं, जिससे लोगों के मन में तरह-तरह के सवाल उठते हैं। लेकिन कोई कुछ कहने का साहस नहीं करता क्योंकि उनके पास उनके मन में उठे विचारों के समर्थन के लिए कोई तथ्य नहीं है। लोगों के चुप रहने का एक कारण यह भी है कि उनके मन में कपिलमुनि तिवारी के बाहुबली मित्रों का भय बैठा हुआ है। लेकिन वे अपने घर की औरतों को मन्दिर परिसर से अलग ही रखते हैं। यहाँ तक कि शिवरात्रि को भी, जब मन्दिर में पूजा के लिए आनेवालों के बीच पेड़े बँटते हैं और जब पुरुष वर्ग की भीड़ हो जाती है, दस-बीस औरतें ही, जिनकी उम्र साठ से ऊपर होती है, वहाँ जाती हैं।

इस असामान्य शिव मन्दिर के निर्माण की कहानी अत्यन्त सामान्य और देश के सैकड़ों शिव मन्दिर के समान ही है और इसके निर्माता सुदामा तिवारी का चरित्र हजारों अन्य युवकों से भिन्न नहीं था। बचपन से ही सुदामा तिवारी का मन न पढ़ाई-लिखाई में लगता था और न खानदान के पुराने पेशा पुरोहिती में, यद्यपि उसके पिता मंगल तिवारी एक सफल पुरोहित थे और इस पेशे से उन्होंने पच्चीस वर्षों में पच्चीस बीघे जमीन खरीद ली थी। यदि उनका असमय निधन नहीं हो गया होता और वे अपने पेशे में रहते तो इस अवधि में और बीस बीघे जमीन खरीद लेते। मंगल तिवारी छठी व सतइसा से लेकर विवाह और श्राद्ध तक के अवसरों पर होनेवाले कर्मकांडों में निष्णात थे और संस्कृत के श्लोकों का पाठ, स्वर के आरोह-अवरोह में विविधता लाते हुए, इस प्रभावोत्पादक ढंग से करते कि

उनकी आवाज के दूसरे लोक में पहुँचने में किसी को लेशमात्र भी सन्देह नहीं रहता। जब वे सत्यनारायण पूजा करते तो पूजा से सम्बन्धित कथा को प्रभावशाली बनाने के लिए बीच-बीच में दोहा-चौपाई और भजन का ऐसा समावेश करते कि सुननेवाले झूम उठते और पूजा के अन्त में होनेवाली आरती के समय शालिग्राम की कृष्ण वर्ण की मूर्ति के सामने रखी थाल में सिक्कों और नोटों का ढेर लग जाता।

ऐसे सुयोग्य पंडित की सन्तान होने पर भी सुदामा तिवारी को पुरोहिती और पढ़ाई से चिढ़ थी और जब वह स्कूल में पढ़ने रोहितपुर जाता तो वहाँ के प्रसिद्ध रामजानकी मन्दिर में निवास करनेवाले साधु मनोहरदास के पास बैठकर दिनभर भाँग घोंटता। यह तो अच्छा हुआ कि मंगल तिवारी के बड़े पुत्र सुग्रीव तिवारी ने, जो पिता की मृत्यु के समय मध्यमा का विद्यार्थी था, परिवार के परम्परागत पेशे को अपना लिया और एक सफल पुरोहित बन गया, अन्यथा परिवार की आय का एक स्रोत सूख जाता। सुग्रीव तिवारी ने अपने भाई सुदामा तिवारी को बहुत समझाया कि यदि वह पुरोहिती करना नहीं चाहे तो नहीं करे, लेकिन पढ़ाई-लिखाई में मन अवश्य लगाए और बी.ए. पास कर कोई अच्छी नौकरी कर ले, लेकिन जब चार बार के प्रयत्नों के बाद भी सुदामा तिवारी मैट्रिक पास नहीं कर सका तो सुग्रीव तिवारी ने उसकी शादी कर दी और पिता द्वारा अर्जित जमीन-जायदाद को दो हिस्सों में बाँटकर एक हिस्सा उसे सौंप दिया।

लेकिन उसके बाद भी सुदामा तिवारी का मन पुरोहिती में, या घर के अन्य कामों में नहीं लगा। उसने अपने हिस्से की जमीन गाँव के एक किसान को खेती के लिए बँटैया पर दे दी और अपना अधिक समय स्वामी मनोहरदास की सेवा में लगाने लगा। वह प्रतिदिन सुबह के नाश्ते के बाद रोहितपुर में रामजानकी मन्दिर में पहुँच जाता, मनोहरदास के कमरे को साफ करता, उनके लिए भाँग घोंटता, दिन का खाना मन्दिर में ही खाता और शाम होने पर घर लौटता। उसके बड़े भाई सुग्रीव तिवारी ने उसका रास्ता बदलने की बड़ी कोशिश की लेकिन सुदामा तिवारी पर उसके प्रयत्नों का कोई असर नहीं पड़ा। सुग्रीव तिवारी ने अपने पिता मंगल तिवारी का यह कथन याद किया कि जो गाड़ी लीक पर नहीं चलती उसे गड्ढे में गिरने से कोई रोक नहीं सकता और उदास मन से सुदामा तिवारी को सुधारने के प्रयत्न छोड़ दिए।

सुदामा तिवारी को कालक्रम से दो लड़के हुए, फिर भी उसके मन में परिवार के वर्तमान या भविष्य की चिन्ता उत्पन्न नहीं हुई और उसने स्वामी मनोहरदास की सेवा में कोई ढिलाई नहीं की; बल्कि दूसरा लड़का पैदा होने के अन्दर ही अपने हिस्से की दो बीघे जमीन बेच दी और उससे मिले पैसे से गाँव से एक फर्लांग

की दूरी पर स्थित दो कट्ठे के एक प्लॉट में एक छोटा-सा शिव मन्दिर बनवाया, काशीधाम से संगमरमर का शिवलिंग मँगाकर उसमें स्थापित किया, शिव मन्दिर की बगल में अपने लिए एक झोंपड़ा बनवाया और अपना अधिकांश समय वहाँ पर ही बिताने लगा। उसने मन्दिर के अहाते में बेल का एक पेड़, पीपल का एक पेड़ और अनान्य फूलों के अनेक पौधे लगाए। साल बीतते-बीतते पूरा स्थान सुन्दर और आकर्षक बन गया।

सुदामा तिवारी एक हट्टा-कट्टा और सुन्दर व्यक्ति था और मन्दिर में पूजा के लिए और उसका आशीर्वाद प्राप्त करने के लिए आनेवाली औरतों की संख्या तेजी से बढ़ती गई। वे पूजा की थाल लेकर आतीं, भक्ति-भाव से शिवलिंग की पूजा करतीं और उस पर बेलपत्र और पुष्प चढ़ातीं और उसकी बगल में पेड़े और पैसे रखतीं। पूजा सम्पन्न कराने में सुदामा तिवारी पूरे मनोयोग से उनकी मदद करता और औरत को चन्दन का टीका लगाकर उसे आशीर्वाद देता। प्रारम्भ के दो वर्षों तक सुदामा तिवारी ने स्वयं ही पूजा सम्पन्न कराने में श्रद्धालुओं की मदद की, लेकिन उसके बाद रोहितपुर के रामजानकी मन्दिर से सोलह वर्ष का एक युवक लाकर उसे ही पूजा सम्पन्न कराने का काम सौंप दिया और स्वयं मन्दिर के पार्श्व में बने अपने कमरे में बैठकर श्रद्धालुओं को दीक्षा और आशीर्वाद देने का काम करने लगा।

सुदामा तिवारी कुछ ही दिनों में स्वामी सुदामादास बन गया और उससे दीक्षा और आशीर्वाद लेनेवाली औरतों की संख्या तेजी से बढ़ती गई। श्रद्धालुओं की प्रार्थनाएँ अक्सर ही पूरी होतीं और लोगों का यह विश्वास बढ़ता गया कि उस मन्दिर के शिवलिंग में कोई विशेष शक्ति है और उसकी पूजा से और स्वामी सुदामादास के आशीर्वाद से हर मनोकामना पूरी होती है। सुदामादास ने मन्दिर के अहाते में बने अपने कमरे को तुड़वाकर उसका पुनर्निमाण कराया और उसके साथ गुसलखाना और स्नानघर बनवाया ताकि आशीर्वाद और दीक्षा लेनेवाली औरतों को कोई कष्ट नहीं हो। उसने दस बीघे जमीन खरीदकर महुआपुर में अपनी जमीन दुगुनी कर ली ताकि शंकर के भक्त के साथ विपन्नता के जुड़ी होने का भ्रम पैदा नहीं हो और रोहितपुर के पंजाब नेशनल बैंक में मन्दिर के नाम से पूजा में आनेवाले पैसे जमा करने लगा ताकि शंकर के नाम से जुड़ी फाँकेमस्ती की कालिख धोई जा सके। उसके इन कदमों ने मन्दिर की प्रतिष्ठा में चार चाँद लगाए क्योंकि इससे निर्विवाद रूप से प्रमाणित होता था कि औघड़दानी शिव अपने भक्तों को सम्पन्न और सुखी बनाने में कोई कोताही नहीं करते।

स्वामी सुदामादास के शिव मन्दिर की प्रसिद्धि एक और कारण से हुई। शंकर के दरबार में सन्तान की चाह लेकर आनेवाली औरतों की इच्छा साल बीतते-बीतते

पूरी हो जाती थी। ऐसी औरतें भी, जो अन्यत्र निराश हो चुकी होती थीं, मन्दिर में श्रद्धा और भक्ति के साथ पूजा करतीं और सुदामादास से दीक्षा लेकर घर लौटतीं। इनमें से अधिकांश की मनोकामना पूरी हो जाती और जिन कुछेक औरतों की इच्छा पूरी नहीं होती, वे इसके लिए अपनी तकदीर को दोष देतीं। सुदामा तिवारी, जिसे कुछ वर्ष पहले एक गैरजिम्मेवार और कम-अक्ल व्यक्ति समझा जाता था, अब एक पूज्य सन्त बन गया था जिसके आशीर्वचनों से कठिन से कठिन कार्यों की सिद्धि होती थी। जो पुरुष उसके पूर्व परिचित थे, वे अब भी उस पर सन्देह की नजर से देखते थे, लेकिन औरतों में उसकी क्षमता में अटूट विश्वास था और शिव मन्दिर में पूजा-अर्चना करनेवाली और उससे दीक्षा लेनेवाली औरतों की भीड़ लगी रहती थी। शिवरात्रि के दिन शिवमन्दिर में पूजा करनेवाली औरतों की भारी भीड़ लग जाती थी, क्योंकि उस दिन की पूजा और दीक्षा का विशेष महत्त्व था।

महुआपुर के पुराने जमींदार और गाँव के सर्वाधिक धनी व्यक्ति शमशेर बहादुर सिंह के एकमात्र पुत्र रणधीर सिंह को कोई सन्तान नहीं थी। रोहितपुर के डॉक्टरों ने रणधीर सिंह और उसकी पत्नी अनुराधा सिंह का इलाज किया, कुसुमपुर के डॉक्टरों ने भी उनकी दवा की और देवल के नामी-गिरामी डॉक्टरों ने भी उनकी तरह-तरह से जाँच की, लेकिन कोई फायदा नहीं हुआ। न जाने कितने जादू-टोना करनेवालों ने हवेली में घंटों बैठकर मन्त्र पढ़े, धूप-दीप जलाए और शंख बजाए। लेकिन अनुराधा की गोद खाली ही रही।

एक दिन अनुराधा की सास अहल्या देवी की विश्वस्त दाई रमोला ने कहा, ''मालकिन, ठीक ही कहा है कि घर का जोगी जोगड़ा, दूर का जोगी सिद्ध। आप ने बहूरानी की दवा कुसुमपुर से लेकर देवल तक कराई, लेकिन अपने स्वामी सुदामादास पर आपकी नजर नहीं पड़ी। मालकिन, स्वामीजी सिद्ध पुरुष हैं। वे जिस बाँझ औरत को दो बार फूँक मार देते हैं, उसकी गोद नौ महीने लगते-लगते भर जाती है। शिवरात्रि के दिन या उसके दो दिन आगे-पीछे की दीक्षा तो रामबाण है। उसे फलित होने से ब्रह्माजी भी नहीं रोक सकते।''

अहल्या देवी ने तुरन्त निर्णय ले लिया। उन्होंने सुदामादास को पहले ही सूचना भेज दी ताकि वे दीक्षा के लिए तैयार रहें और शिवरात्रि के दो दिन पहले अनुराधा को, उसकी ननद रामकुमारी के साथ, जिसकी शादी छह महीने पहले हुई थी, शिवमन्दिर भेजा। लोग तरह-तरह की बातें करते हैं। उनका मुँह बन्द रखने के लिए यह जरूरी है कि उचित सतर्कता बरती जाए। अनुराधा और रामकुमारी ने दो दिनों तक शिवलिंग की पूजा-अर्चना की और स्वामी सुदामादास से बारी-बारी से दीक्षा ली। दो दिनों के बाद रामकुमारी किसी कारणवश अपनी भाभी के साथ

शिवमन्दिर नहीं जा सकी, तो रामकुमारी की छोटी बहन रामदुलारी भाभी के साथ गई और उसने भी स्वामी सुदामादास से दीक्षा ली। दीक्षा का प्रभाव अनुराधा के साथ-साथ रामकुमारी और रामदुलारी में भी परिलक्षित होने लगा—तीनों एक साथ गर्भवती हो गई थीं।

महुआपुर और उसके निकटवर्ती गाँवों में लोगों को विश्वास हो गया कि कुमारियों, विधवाओं और अन्य ऐसी औरतों के लिए, जिन्हें किसी कारणवश सन्तान की इच्छा नहीं है, स्वामी सुदामादास के शिवमन्दिर में पूजा-अर्चना करना और दीक्षा लेना सुरक्षित नहीं। अनुराधा, रामकुमारी और रामदुलारी की दीक्षा के चार महीनों के अन्दर ही किसी ने सुदामादास की मन्दिर के पार्श्व में बने दीक्षा-गृह में हत्या कर दी, लेकिन मन्दिर के आराध्यदेव की प्रजनन-शक्ति में लोगों का विश्वास कम नहीं हुआ है। कुछ लोग इसे अन्धविश्वास कहकर इसकी हँसी उड़ाते हैं, लेकिन वे भी अपने घर की कुमारियों और विधवाओं को मन्दिर में नहीं जाने देते हैं।

सफलता

मल्लू गोप अब कुसुमांचल का मुख्यमन्त्री बना तो उसने घोषणा की कि वह आचार्य ढोढ़ेमल लोहानिया के सामाजिक न्याय दर्शन को प्रान्त के जीवन में पूरी तरह से रूपायित करेगा और दलितों, गलितों, पिछड़ों और हिजड़ों को उन्नति के शिखर पर पहुँचा देगा। इसके लिए आवश्यक था कि दलितों, गलितों, पिछड़ों और हिजड़ों को नौकरियों, शिक्षा संस्थाओं और वायुमंडल में शत-प्रतिशत आरक्षण मिले और अगड़ों का या तो सफाया कर दिया जाए या उन्हें पिछड़ों में परिवर्तित कर दिया जाए। सामाजिक विकास का दूसरा कदम था जाति-व्यवस्था का अन्त और इसके लिए पिछड़ी जातियों के बीच नौकरियों, शिक्षा संस्थाओं और वायुमंडल का, उनकी जनसंख्या के अनुपात में, बँटवारा आवश्यक था। इसमें सामाजिक वैमनस्य और संघर्ष का बढ़ना अनिवार्य था; लेकिन आचार्य ढोढ़ेमल लोहानिया की मान्यता थी कि वैमनस्य और संघर्ष के उदर से ही सामाजिक प्रेम और समरसता का जन्म होगा और अन्ततः दलितों, गलितों, पिछड़ों और हिजड़ों के लिए समृद्धि के शिखर पर चढ़ने का मार्ग प्रशस्त होगा।

आचार्य ढोढ़ेमल के सिद्धान्तों का दृढ़ता से पालन करते हुए मल्लू गोप ने कुसुमांचल के ख़जाने का अपना खजाना बना लिया और संविधान-सम्मत हर कानून की धज्जी उड़ाते हुए जिसकी लाठी उसकी भैंस का वंशानुगत कानून लागू कर दिया। उसके मुख्यमन्त्री बनने के पहले उसका पैत्रिक मकान, जो सिर्फ दो कमरों का था और जो मिट्टी की दीवालों का था और बाँस की ठठरी पर रखे मिट्टी के खपड़ों से छाया हुआ था और जिसमें उसका पूरा परिवार—पिता, माता, पत्नी और सात बेटे-बेटियाँ और डेढ़ सींगोंवाली मरछाही भैंस—निवास करता था, उसके मुख्यमन्त्री होने के सालभर के अन्दर ही वह कच्चा मकान सोलह कमरों के आलीशान भवन में बदल गया। मल्लू ने कुसुमपुर में स्थित मुख्यमन्त्री-निवास के अहाते में जहाँ बीस-बीस कमरेवाले चार बँगले थे और पचास एकड़ जमीन थी, एक सौ पचास भैंसों के लिए एक पशुशाला बनवा ली जो पूरी तरह

वातानुकूलित थी। उसे जब कभी फुर्सत मिलती, वह किसी भैंस पर, बाँस की लाठी की सहायता से, आगे से या पीछे से उछलकर चढ़ जाता, वहाँ तरह-तरह के करतब करता, फिर एक टाँग को ऊपर उठाकर, भगवान कृष्ण की मुद्रा में खड़े हो, बाँसुरी बजाता। उसके मुसाहब लोग भैंस के चारों तरफ खड़े हो जाते और उसके करतबों की, विशेष रूप से उसके बाँसुरीवादन की तालियाँ बजाकर और नारे लगाकर प्रशंसा करते।

मल्लू कुसुमंचल के खजाने का उपयोग अपने और अपने रिश्तेदारों के लिए जमीन, जायदाद और विलास की वस्तुएँ खरीदने के लिए भय और लज्जा का पूरी तरह परित्याग कर करने लगा। क्या सामाजिक न्याय का दर्शन यह नहीं कहता कि राज्य का खजाना राजा का है और कुसुमांचल का मुख्यमन्त्री होने के नाते वह वहाँ का राजा नहीं था? उसने अपने पुस्तैनी गाँव में पाँच सौ एकड़ जमीन खरीदी, देश के आधे दर्जन महानगरों में दर्जनों भवन खरीदे और अरबों रुपए विदेशी बैंकों में जमा किए ताकि वह और उसके वंशज बिना किसी विघ्न के उसकी सम्पति का उपयोग कर सकें। उसमें विलास की वस्तुओं की लुप्त क्षुधा जाग्रत् हुई और उसने मुख्यमन्त्री-निवास को उनसे भर दिया। जब कभी वह देश की राजधानी देवल जाता, विलास की टनों वस्तुएँ हवाई जहाज से लाता। कुसुमपुर नगर के बाहर पद्मावती के तट पर उसने एक विशाल विलास गृह बनवा लिया जहाँ वह नई-नई औरतों के साथ रंगरेलियाँ करता। देशी-विदेशी शराब की नदी बहाई जाती और कोकशास्त्रीय अनुदेशों के अगणित प्रयोग किए जाते।

मल्लू ने प्रशासन के प्रभावशाली स्थानों पर ऐसे अफसरों की नियुक्ति की जो उसके मन के लायक थे और जो उसकी भू-भंगिमा से ही उसकी इच्छाओं को जान लेते थे और उनकी पूर्ति के लिए हर कुकर्म करने को तैयार रहते थे। वे संविधान-सम्मत कानूनों की पूरी तरह से उपेक्षा कर सरकार की शक्ति का उपयोग मल्लू गोप और अपनी स्वार्थों की सिद्धि के लिए करने लगे। मल्लू के प्रिय अफसरों में सुमनवाला वर्मा का ऊँचा स्थान था जो जिला स्तर की अफसर होते हुए भी कुसुमांचल के शासनतन्त्र में एक विशेष स्थान रखती थी, क्योंकि वह मल्लू की विशेष आवश्यकताओं की पूर्ति करती थी और उसे मल्लू को हर तरह से खुश करने की कला में महारत हासिल था। यह अकारण नहीं था कि वह जिस जिले में रहती, उसके मातहत अफसर उसके भय से काँपते रहते और जिले के न्यायतन्त्र के गार्जियन भी उसे सन्तुष्ट रखने के लिए न्याय-विधान को तोड़ने-मरोड़ने के लिए तैयार रहते। वह सामने के केश कटवाकर उन्हें भौंहों के ऊपर तक रखती, जिससे उसका व्यक्तित्व अत्यन्त प्रभावकारी हो जाता और जिले के अन्य अफसर उससे बातें करते समय तुतलाने लगते। वे उससे बातें करने

के लिए यथासम्भव टेलीफोन का उपयोग करते, क्योंकि उनका विश्वास था कि टेलीफोन के माध्यम से अपनी बात में वांछित प्रभावोत्पादकता का सन्निवेश कर सकते हैं और उन्हें मालूम था कि वांछित प्रभाव होने पर सुमनवाला वर्मा सम्बद्ध व्यक्ति को पुरस्कृत करने में विलम्ब नहीं करती।

एक दिन रात में दस बजे उस जिले के मुख्य न्यायाधीश ने, जिस जिले की सुमनवाला मुख्य प्रशासनिक अधिकारी थी, उसे फोन किया, "मैडम, मैं उस हैंडपम्प के लिए आपके प्रति अपनी कृतज्ञता व्यक्त करने के लिए आपके बँगले पर दो बार गया, लेकिन आप अत्यावश्यक सरकारी कार्यों को निपटाने में व्यस्त थीं, इस कारण आपसे मुलाकात नहीं हो सकी।"

न्यायाधीश प्रान्त के हाईकोर्ट का न्यायाधीश बनने के लिए बेचैन था और इसमें उसे मुख्यमन्त्री की मदद की जरूरत थी। उसे यह मदद सुमनवाला वर्मा के माध्यम से आसानी से मिल सकती थी।

टेलीफोन की दूसरी तरफ से आवाज आई, "हूँ!"

जिला जज इस उत्तर से बहुत प्रसन्न हुआ। वह जानता था कि सुमनवाला जिले के अपने अफसरों से संक्षेप में ही बातें करती है, लेकिन उसका पुरस्कार संक्षिप्त नहीं होता। उसने कहा, "मैडम, यह जानकर मुझे बहुत अफसोस है कि आपके बँगले का एक कर्मचारी एक दुकानदार का सिर फोड़ने के अपराध में एक जुडिशियल मजिस्ट्रेट द्वारा दो दिनों के लिए जेल भेज दिया गया। मुझे जैसे ही इसकी सूचना मिली, मैंने आपके कर्मचारी को मुक्त कराने का आदेश निर्गत किया और जुडिशियल मजिस्ट्रेट को फटकार लगाई कि उसने मेरा चेहरा आपको दिखाने लायक नहीं छोड़ा। जुडिशियल मजिस्ट्रेट इतना डर गया है कि वह छुट्टी पर चला गया है।"

दूसरी तरफ से सहानुभूतिपूर्ण आवाज आई, "हूँ!"

जिला जज ने कहा, "मैडम, मैं भरतपुर में काम करनेवाली लोक अदालत का चैयरमैन हूँ। यदि मैं वहाँ भी आपकी सेवा कर सकूँ तो मैं अपना सौभाग्य समझूँगा। आप जो चाहेंगी, वही होगा। अन्ततः आप ही सरकार हैं और आपका ही राज्य है। मैंने आपके कर्मचारी को मालूम होने के दूसरे दिन ही जमानत पर छुड़ा दिया। मैंने पब्लिक प्रोसेक्यूटर को शीघ्र जमानत देने का आदेश दिया और स्वयं ही जमानत के आदेश को टाइप करवाया।

"मैडम, मैंने हमेशा प्रशासन के अफसरों और पुलिस के अफसरों की मदद की है और उनके केस में कभी कानून के पचड़े में नहीं पड़ा हूँ। कुछ साल पहले जब मैं जुडिशियल मजिस्ट्रेट था तब डी.आई.जी. वारिस अली खाँ से मेरी गहरी छनती थी। खाँ साहब अक्सर मेरे घर जाते थे और आधी रात के बाद तक रुकते

थे। उस समय एक डी.एस.पी. ने दारू पीकर अपनी बीवी की गोली मार दी थी। डी.आई.जी. साहब नाराज थे और डी.एस.पी. को जेल भेजना चाहते थे। लेकिन थानेदार ने, जो डी.एस.पी. का सजातीय था, एक कमजोर दफा लगाया और मैंने जमानत दिलाने में डी.एस.पी. की पूरी मदद की। डी.आई.जी. साहब मुझसे खफा हो गए और एक सप्ताह तक मुझसे बोले नहीं। लेकिन मैंने अपना काम किया और एक सरकारी अफसर की मदद की। मैं सरकारी अफसरों की मदद करने में कानून को तोड़ने-मरोड़ने में जरा भी कोताही नहीं करता।

'मैडम, हम लोग इस बात से बहुत खुश हैं कि हाईकोर्ट का चीफ जस्टिस बनर्जी चला गया। वह शैतान था, शैतान। उसने छोटी-मोटी गलतियों के लिए पचास से ऊपर जुडिशियल मजिस्ट्रेट लोगों को दंडित किया। उसने बहुतों को पदावनत कर दिया और अनेक को रिटायर किया। आदमी लकीर का फकीर बना रहे तो कैसे काम चलेगा? कानून अपनी जगह पर है, लेकिन वही तो सबकुछ नहीं है। मैंने बनर्जी की दो दिनों तक बेतला राष्ट्रीय पार्क में खातिर कर खुश करने की कोशिश की, लेकिन उस हरामजादे ने मेरी कोई बात नहीं सुनी। अच्छा ही हुआ कि उसका ट्रांसफर हो गया।'

"मैडम, आपको जब कभी मेरी सेवा की जरूरत हो, मुझे खबर कर दें। मेरे पास अपने डिप्टी मजिस्ट्रेट हंसराजजी से सन्देश भेज दें। हम अच्छे दोस्त हैं। हमने एक साथ ही नौकरी शुरू की थी। हंसराजजी के माध्यम से सन्देश भेजने से किसी गड़बड़ी की सम्भावना नहीं है।"

जिला जज सज्जन कुमार अपनी बात को खत्म कर सुमनवाला वर्मा के जवाब की प्रतीक्षा करने लगा। उसने अब तक सिर्फ दो बार 'हूँ! हूँ!' की आवाज सुनी थी और वह भी इतनी मोटी थी कि उसे लगा कि सुमनवाला वर्मा मुँह में अपना प्रिय खाद्य आमलेट लिये हुए है। लेकिन सज्जन कुमार को ऐसा लगा कि उसने अपनी साफगोई से उसे प्रभावित किया है और उसकी स्वस्थ हाड़-काठी ने भी, जिसमें पचीस वर्ष के नौजवान की शक्ति और फुर्ती थी, उस पर अवश्य ही प्रभाव छोड़ा होगा।

दो मिनटों के बाद फोन पर आवाज आई, "सबकुछ कह चुके कि और कुछ कहना है?"

सज्जन कुमार इस आवाज से परिचित था—यह मल्लू गोप की आवाज थी। उसकी घिग्घी बँध गई और उसके मुँह से निकला, "सर! सर! सर! सर!"

मल्लू ने डाँटा, "क्या सर-सर लगा रखा है? रात में अकेली औरत को परेशान करता है और ऊपर से सर-सर करता है? पाँच लाख रुपयों के साथ परसों मुझसे मुख्यमन्त्री-निवास में मिलो।"

मल्लू ने फोन रख दिया।

जाड़े की रात थी, फिर भी सज्जन कुमार के ललाट पर पसीने की बूँदें निकल आयीं। पाँच लाख रुपए हाथ से छलछला जाने की चिन्ता उसे नहीं थी, रुपए तो हथेली की मैल थे। उसे चिन्ता इस बात की थी कि वह मल्लू के जाल में फँस गया था और उसके लिए उससे निकलना मुश्किल था। लेकिन उसके चेहरे की चिन्ता की रेखाएँ धीरे-धीरे लुप्त हो गईं और उनका स्थान विजय की मुस्कान ने ले लिया। अब वह एक महाजाल का अविच्छिन्न अंग बन गया था और अलग-थलग रहने के खतरों से ऊपर उठ गया था।

स्वामी–भक्ति

घटना उस समय की है जब मल्लू गोप लगातार पन्द्रह वर्षों तक कुसुमांचल प्रान्त का मुख्यमन्त्री रह चुका था और आगे के पचास वर्ष भी अपने पद पर रहने की तैयारी कर चुका था। पदासीन होने के समय उसकी उम्र पचास वर्ष की थी और वह जानता था कि एक गरीब देश में, जहाँ लोग मुश्किल से पचास पार कर पाते थे, उसने अपने लिए एक सौ पन्द्रह वर्ष की उम्र तक की योजना बनाकर अपनी स्वाभाविक दूरदर्शिता से काम किया था। उसने प्रान्त में अपराधकर्मियों का ऐसा जाल बिछाया था कि जनता भय से सहमी हुई थी और उसके विरुद्ध आवाज उठाने का साहस खो चुकी थी। उसके उदाहरण और संरक्षण से उत्साहित प्रान्त के कोने-कोने के हजारों अपराधकर्मी दिनदहाड़े दूसरों की बहू-बेटियों को उठा ले जाते थे, उनके साथ बलात्कर करते थे और विरोध करने पर उनकी और उनके परिवारवालों की हत्या कर देते थे। लूटपाट, चल-अचल सम्पत्ति पर बलपूर्वक कब्जा, आगजनी और हत्या सामाजिक प्रतिष्ठा प्राप्त कर चुके थे और इस क्षेत्र में उपलब्धियाँ समाज में सम्मान और शक्ति प्रदान करती थीं। पारम्परिक मान्यताएँ बदल गई थीं, उचित अनुचित बन गया था और अनुचित उचित में बदल गया था। मल्लू के आदर्श से प्रभावित होकर सुरा और सुन्दरी का व्यसन सामाजिक न्याय दल के सभी नेताओं के लिए पहचान का एक प्रतिष्ठित अंग बन गया था।

मल्लू अपने कार्यक्रम की सफलता के उत्साह से भरा था। उसकी आवाज चील की तरह तीखी हो गई थी। उसका चेहरा उल्लू की तरह गोल हो गया था और उसकी तोंद शाही बैलून की तरह बृहत्काय हो गई थी। पहले वह हत्या, बलात्कार, लूटपाट और आगजनी लोगों में भय उत्पन्न करने के लिए करता था ताकि उसके विरुद्ध कोई आवाज उठाने का साहस नहीं कर सके, लेकिन कुछ समय बाद परपीड़न उसके चरित्र का एक अविच्छिन अंग बन गया और उसे इसमें सुरा और सुन्दरी से मिलनेवाले आनन्द से भी अधिक आनन्द मिलने लगा। वह

जब कभी हत्याएँ कराता, घटना के कुछ घंटे बाद ही लाव-लश्कर के साथ पीड़ित परिवारों के पास पहुँच जाता, रोते-बिसूरते लोगों के साथ क्रन्दन करता, आँसू बहाता और दूसरे क्षण दहाड़ती आवाज में वादा करता कि वह अपराधियों को किसी हालत में नहीं बख्शेगा। फिर वह सरकारी खजाने से कुछ पैसे मृतकों के लिए मुआवजे के रूप में पीड़ित परिवारों को देता और चेहरे पर अप्रसन्नता और दिल में खुशी लिए मुख्यमन्त्री-निवास लौट जाता। वहाँ पर वह अपने प्रशंसकों के बीच में, जो उसके हर वाक्य पर ताली बजाने के लिए तैयार रहते, दलितों, गलितों, पिछड़ों और हिजड़ों के उत्थान के लिए अपनी वचनबद्धता दुहराता, जिसके लिए उसने पचासवर्षीय योजना बना रखी थी। इसके अनन्तर वह दलितों, गलितों, पिछड़ों और हिजड़ों में से, जिनमें से कुछ ऐसे अवसरों के लिए उसके निवास पर तैयार रखे जाते थे, एक को चुनकर उसकी हजामत बनाता जो इस बात का द्योतक था कि वह इन वर्गों के साथ जुड़ी गन्दगी से एकाकार होने के लिए कटिबद्ध था और तत्पश्चात् अपने प्रमोद कक्ष में चला जाता, जहाँ दो दर्जन सुन्दरियाँ उसकी थकान दूर करने के लिए हर समय तैयार रखी जाती थीं।

मुख्यमन्त्री बनने के बाद मल्लू का अन्तर्निहित पशु-प्रेम बहुत बढ़ गया था। उसने मुख्यमन्त्री-आवास के अहाते में एक बड़ा पशु घर बनवाकर उसमें एक सौ भैंसें और बीस-बीस घोड़े, खच्चर और कुत्ते पाल लिये थे। पशुशाला पूरी तरह से वातानुकूलित थी और उस पर होनेवाला सारा खर्च सरकारी खजाने से आता था। मल्लू के पशु-प्रेम का एक प्रमाण यह भी था कि उसने प्रान्त के वार्षिक बजट का आधा भाग पशु-विभाग के लिए आरक्षित कर लिया था।

मल्लू गोप की पशुशाला की भैंसों के दूध का एक हिस्सा गोप होटल में जाता था जिसका मालिक उसका साला घसीटा गोप था। मल्लू को भैंसों के दूध की कीमत के रूप में प्रतिदिन पाँच लाख रुपए मिलते थे। यद्यपि बाजार की दर से दूध की कीमत पाँच हजार से अधिक नहीं थी, लेकिन अन्य भैंसों के दूध की तुलना मुख्यमन्त्री के निवास की भैंसों के दूध से कैसे हो सकती थी? कुसुमपुर के सभी बड़े होटलवाले गोप होटल से मुख्यमन्त्री-निवास की भैंसों का थोड़ा-थोड़ा दूध ले जाते और कीमत के रूप में लाखों रुपए चुकाते। मल्लू गोप की भैंसों का दूध खरीदनेवाले होटलों पर सरकारी सुरक्षा की मुहर लग जाती और वे अपराध-कर्मियों द्वारा, जिनकी संख्या कुसुमपुर में उसी तरह बढ़ रही थी जिस तरह सड़े पानी में मच्छरों की संख्या बढ़ती है, रक्त-शोषण से बच जाते। कुसुमपुर के सभी होटलवाले जानते थे कि यदि वे घसीटा गोप को मुख्यमन्त्री की भैंसों के दूध की निश्चित कीमत समय पर नहीं देंगे तो घसीटा उन्हें उजाड़ देगा और जेल में घसीटकर ले जाएगा।

मल्लू हर हफ्ते भैंसों, घोड़ों, खच्चरों और कुत्तों की दौड़-प्रतियोगिता कराता जिसमें हर विजयी प्रतियोगी के लिए पचास लाख रुपयों का इनाम था। वह पशुओं की प्रतियोगिता से मनुष्यों के समक्ष एक आदर्श प्रस्तुत करना चाहता था ताकि वे भी जीवन की दौड़ में आगे निकलने का प्रयत्न करें जिससे समाज का और विशेष रूप से दलितों, गलितों, पिछड़ों और हिजड़ों का विकास सुनिश्चित हो सके। प्रतियोगिता सरकार द्वारा आयोजित की जाती थी, जिस कारण पारितोषिक की पूरी राशि सरकारी खजाने से आती थी। इस प्रतियोगिता में हमेशा मल्लू की पशुशाला की भैंसें, घोड़े, खच्चर और कुत्ते विजयी होते थे और पारितोषिक की रकम मल्लू के पास जाती थी।

लेकिन मल्लू का सबसे प्रिय पशु बिल्लू था जो काले रंग का, भालू की तरह विशालकाय बन-विलाव था। उसका चेहरा मल्लू के चेहरे की तरह ही गोल था, लेकिन उसकी आँखें अँधेरे में, अंगारे की तरह चमकती थीं और जब वह क्रुद्ध होता तो उसकी आवाज संगीतमय 'म्याऊँ!' के बदले अलसेशियन कुत्ते की गुर्राहट में बदल जाती। जब मल्लू मुख्यमन्त्री-निवास पर होता, बिल्लू उसके इर्द-गिर्द इस तरह मँडराता रहता मानो वह उस पर नजर रख रहा हो! मल्लू को उसकी आँखों की चमक से भय होता और उसे लगता कि उस चमक के पीछे उसकी हत्या करने की योजना है, लेकिन वह दूसरे क्षण अपने आपको सांत्वना देता, 'नहीं, यह मेरा भ्रम है। बिल्लू मेरी हत्या करने का विचार मन में कभी नहीं ला सकता। मैं उसे दिन में तीन बार दूध-भात खिलाता हूँ और मेरे भृत्य हर तीसरे दिन उसे सुगन्धित साबुन से नहलाते हैं। वह ऐसा कृतघ्न कभी नहीं हो सकता कि मेरी हत्या करने की बात मन में लावे। लेकिन...लेकिन उसकी आँखों की वह चमक! जब वह मेरी आँखों में देखता है तो लगता है कि वह मुझे फाड़कर मेरे कलेजे का खून पीने की योजना बना रहा है।'

इसके बाद वह ठठाकर हँस पड़ता। वह अपने आप कहता, 'मैं ऐसा डरपोक तो पहले कभी नहीं था! यह ठीक है कि मैंने किसी पर कभी हाथ नहीं उठाया और यदि किसी ने मेरे ऊपर थूक भी दिया तो गर्जन-तर्जन से ही काम चलाया और दूसरों से उसकी पीठ में छुरा मरवाया, खुद छुरा नहीं उठाया, फिर मेरी देह में कँपकँपी क्यों हो रही है? मुझे ऐसा क्यों लगता है कि यदि उसे मौका मिला तो बघनखा के समान अपने पंजों से मेरी देह के चीथड़े कर देगा? मैं समझ गया। आज मैंने कुछ ज्यादा पी लिया है। हो! हो! हो! हो!'

जब मल्लू हँसता तो बिल्लू की आँखें इस तरह जलने लगतीं और उसकी पूँछ इस तरह मरोड़ खाने लगती मानो वह उठकर मल्लू की बैलूननुमा तोंद को फाड़ने जा रहा है। लेकिन दूसरे क्षण वह अपना चेहरा दूसरी तरफ फेर लेता और इस

तरह 'म्याऊँ! म्याऊँ!' करने लगता मानो उसने परिस्थिति से समझौता करने का निश्चय कर लिया हो। मल्लू का आत्मविश्वास लौट आता, देह की कँपकँपी कम हो जाती और वह ऊँची आवाज में डाक लगाता, "अरे, कोई है? एक खिल्ली खैनी खिलाओ।"

मल्लू ने मुख्यमन्त्री-निवास में एक विशालकाय मनोरंजन-कक्ष बनवा रखा था जिसमें वह हर रात चार दर्जन औरतों के साथ रंगरेलियाँ मनाता था। उसे नित्य नई औरतों के साहचर्य का शौक था, लेकिन उसकी पसन्द का आधार सुन्दरता या वय नहीं बल्कि औरतों के परिवार की कुलीनता और सम्पन्नता थी। कुलीन परिवार की महिलाओं की इज्जत के साथ खेलने में उसे बहुत आनन्द आता था। उसकी शौक को पूरा करने के लिए उसके भृत्य शहरों और गाँवों में घूम-घूमकर कुलीन परिवार की औरतों को उठा लाते थे और उन्हें मल्लू के मनोरंजन-कक्ष में कुछ दिन बिताने के लिए बाध्य करते थे। मल्लू का विश्वास था कि वह कुलीन परिवार की औरतों के साथ व्यभिचार करके अपने शासन पर स्थायित्व की मुहर लगा रहा है। वह जब औरतों से घिरा रहता, अपने-आपको सुरक्षित महसूस करता औरतों की भीड़ में उस पर आक्रमण करना आसान नहीं था और उस समय वह उनके पीछे छिपकर आसानी से बच सकता था। अभी उसमें उन दिनों की फुर्ती का कुछ अंश बाकी था जब उसने भांड पार्टियों में दस वर्षों तक एक लोकप्रिय नर्तक के रूप में काम किया था। उस समय जब वह नगाड़े की ताल पर उछलता था तो उसका सिर शामियाने के तम्बू से टकराता था और जब मजीरे की ताल पर थिरकता था तो दर्शक-वृन्द उसके नितम्ब से टकराने के डर से दूर हट जाते थे।

बिल्लू मनोरंजन-कक्ष के दरवाजे पर बैठा हुआ मल्लू पर नजर गड़ाए रहता। मल्लू का साथ देनेवाली औरतें बिल्लू की स्वामी-भक्ति से उत्साहित होतीं और संकोच और भय से मुक्त होकर मल्लू को सन्तुष्ट करने का प्रयास करतीं, लेकिन मल्लू की गोल आँखें विलास की घड़ियों में भी आशंकाग्रस्त शाखामृग की आँखों की तरह नाचतीं। उसके मन में एक अस्पष्ट निश्चय रूप लेता कि वह जितनी जल्दी सम्भव हो बिल्लू से छुटकारा पाने की कोशिश करेगा। इसके लिए वह योजना बनाने की भी कोशिश करता। लेकिन दूसरे ही क्षण आशा और आशंका का चक्रवात उठता और बिल्लू से छुटकारा पाने का विचार इस तरह लापता हो जाता जैसे उसका जन्म ही नहीं हुआ हो।

मल्लू के मस्तिष्क में एक बोझ हमेशा बैठा रहता और यह बोझ गुरुत्तर हो जाता जब वह अकेले में होता। इस कारण वह अपना अधिक समय लोगों के बीच में और भीड़भाड़ में बिताने की कोशिश करता। जब वह पुरुषों के बीच होता, उसकी मुखमुद्रा गम्भीर बनी रहती, तोंद छाती से छह इंच आगे निकली रहती और

उसकी आवाज चील की आवाज की तरह कर्कश होती, लेकिन जब वह मनोरंजन कक्ष में औरतों से घिरा हुआ होता उसकी तोंद छाती के तल में आ जाती, उसका गोल चेहरा टमाटर की तरह लाल हो जाता और उसकी आवाज कबूतर की आवाज की तरह मधुर हो जाती।

लेकिन वह अपने शयनकक्ष में अकेले ही रहता, क्योंकि उसका किसी पर विश्वास नहीं था और असुरक्षा की भावना उसे हमेशा सताती रहती थी। असुरक्षा की भावना से त्रस्त रहने के कारण उसकी शराब की खपत दिनोंदिन बढ़ती जा रही थी और वह कभी भी पूरी तरह होश में नहीं रहता था। जब वह शयनकक्ष में जाता, दरवाजों की खिड़कियों को अन्दर से बन्द कर लेता और दो पैग लेने के बाद ही सोने की कोशिश करता। लेकिन उसकी सारी कोशिशों के बावजूद नींद उससे आँख-मिचौली करती रहती। जब वह जगा रहता तो उसे लगता कि बिल्लू दरवाजे के पास चक्कर काट रहा है और डर से उसका गला सूखने लगता। वह चौकन्ना होकर बैठ जाता। यद्यपि वह जानता था कि यह भ्रम के सिवा कुछ नहीं, फिर वह अपने मन को शान्त करने के लिए दो पैग ले लेता। अर्द्ध-सुप्तावस्था में उसे लगता कि बिल्लू दरवाजे के पास गुर्रा रहा है और दरवाजे को फाड़ने की कोशिश कर रहा है। वह तत्क्षण चौकन्ना होकर बैठ जाता और ध्यान से दरवाजे पर नजर डालता। दरवाजा किंचित् हिलता हुआ प्रतीत होता, लेकिन बिल्लू की गुर्राहट के बदले, 'म्याउँ! म्याऊँ!' की आवाज आती। मल्लू इससे कुछ क्षणों के लिए आश्वस्त हो जाता, लेकिन उसकी कँपकँपी बन्द नहीं होती और वह उससे छुटकारा पाने के लिए दो पैग और ले लेता। इसी बेचैनी में उसकी रात बीतती। जब सूर्योदय होता और बाहर सर्वत्र प्रकाश फैल जाता, तो उसका भय कम होता और वह कुछ क्षणों तक सो पाता। लेकिन दिन में भी उस पर नींद की खुमारी चढ़ी रहती और वह लोगों के बीच बैठे-बैठे ही खर्राटे लेने लगता। लेकिन सभी जानते थे कि वह कुत्ते की नींद सोता है, इस कारण बेअदबी करने की या उसके प्रतिकूल टिप्पणी करने की कोई हिम्मत नहीं करता।

मल्लू हर रात, शयनकक्ष में जाने के पहले, दरवाजे के किवाड़ों को, जो इस्पात के बने थे, ध्यान से देखता। बिल्लू उसके पीछे-पीछे, उससे दो गज की दूरी बनाए हुए, आता मानो वह इस बात से आश्वस्त हो जाना चाहता हो कि मल्लू अपने शयनकक्ष में ही जा रहा है अन्यत्र कहीं नहीं। मल्लू पाता कि किवाड़ों में खरोंचें लगी हुई हैं, जो किसी तेज धारवाले हथियार के हैं। वह तत्क्षण घूमकर बिल्लू के पंजों पर, जिनमें तेज किये हुए भालों की तरह नख थे, देखता और फिर उसके दिल की धड़कन तेज हो जाती। वह किवाड़ों के पास खड़े होकर ध्यान से देखता— नहीं, वे खरोंचें नहीं हैं, वह किवाड़ों पर की गई नक्काशी है। वह अपनी भूल पर

मुस्कुराता और छाती को तोंद से आगे करने की कोशिश करता हुआ कमरे में प्रवेश कर किवाड़ बन्द कर लेता।

उस रात भी मल्लू अर्द्धसुप्तावस्था में आशा और आशंका के चक्रवात में फँसा था जब उसे बिल्लू की गुर्राहट सुनाई पड़ी। आवाज इतनी भयानक थी कि उसे लगा कि वह उसके पलँग के नीचे से आ रही है। लेकिन यह कैसे हो सकता था? उसने शयनकक्ष का दरवाजा बन्द करने के पहले साफ देखा था कि बिल्लू बाहर है और कक्ष में प्रवेश करने की कोशिश भी नहीं कर रहा है। उसकी आँखें अंगारे की तरह चमक जरूर रही थीं, लेकिन वे कुछ घंटों के लिए होनेवाले अलगाव के खयाल से उत्पन्न क्रोध से जल रही थीं।

मल्लू पलँग पर साँस रोककर पड़ा रहा, यह सोचकर कि बिल्लू जब दूसरी बार गुर्राएगा तो वह जान जाएगा कि वह कहाँ है और तब वह सतर्क हो जाएगा। लेकिन बिल्लू शान्त और चुप रहा, मानो वह मल्लू के मनोभाव से परिचित हो गया हो। कमरे में घुप्प अँधेरा था जिस कारण कुछ देख पाना सम्भव नहीं था। कुछ मिनटों तक ऐसी शान्ति रही कि दीवाल पर टँगी घड़ी की टिकटिक की आवाज साफ सुनाई पड़ रही थी। एकाएक मल्लू को लगा कि बिल्लू एक कोने में खड़ा उसकी ओर एकटक देख रहा है और उसकी आँखें अंगारे की तरह चमक रही हैं। बिल्लू का आकार तेजी से बढ़ता जा रहा था और कुछ ही क्षणों में वह इतना विशालकाय हो गया कि उसका सिर छत को स्पर्श करने लगा। मल्लू ने साँस रोककर अपने भय पर विजय पाने की कोशिश की, लेकिन साँस रोकने के क्रम में उसकी घिग्घी बँध गई और वह बिल्लू से बचने के लिए उठने की कोशिश करने लगा। लेकिन उसके हाथ-पाँव मानो पलँग से बँध गए थे और लाख कोशिश करके भी वह अपनी जगह से हिल-डुल नहीं सका।

जब दूसरे दिन दोपहर तक मल्लू अपने शयनकक्ष से नहीं निकला तो उसकी पत्नी घाघो देवी को चिन्ता हुई। पिछले दो वर्षों से मल्लू के कारण घाघो देवी की चिन्ता बढ़ती जा रही थी। घाघो देवी की चिन्ता मल्लू की शराब और औरतों के प्रति बढ़ती आसक्ति के कारण नहीं बल्कि बिल्लू से बढ़ती निकटता के कारण थी। बिल्लू पर नजर पड़ते ही घाघो देवी के रोंगटे खड़े हो जाते थे और वह अपना चेहरा फेर लेती थी। जब बारह बजे तक मल्लू अपने शयनकक्ष से नहीं निकला तो घाघो देवी ने पहले बिल्लू की तलाश कराई। बिल्लू जो मल्लू के शयनकक्ष के बाहर बैठा रहता था, वहाँ नहीं था। घाघो देवी का माथा ठनका और उसने मुख्यमन्त्री-निवास के कोने-कोने में बिल्लू की तलाश कराई, लेकिन बिल्लू नहीं मिला। तब घाघो देवी ने लुहारों को बुलवाया और मल्लू के शयनकक्ष का दरवाजा तुड़वाया।

मल्लू पलँग पर मरा पड़ा था। उसकी छाती फाड़ दी गई थी और कलेजा निकालकर गायब कर दिया गया था। किसी जानवर के रक्त-रंजित पंजों के दाग कमरे में जहाँ-तहाँ थे, लेकिन लहू की एक बूँद भी कहीं नहीं गिरी थी। लगता था कि उस जानवर ने मल्लू के न सिर्फ कलेजे का भक्षण किया था, बल्कि उसके एक-एक बूँद लहू का भी पान कर लिया था।

घाघो देवी ने शयनकक्ष के अन्दर बिल्लू की तलाश कराई, लेकिन वह वहाँ भी नहीं था।

●●●